Y0-BDR-506

Marc Elsberg

GIER

Marc Elsberg

GIER

Wie weit würdest du gehen?

Roman

blanvalet

Verlagsgruppe Random House FSC® N001967

3. Auflage

Redaktion: Angela Kuepper
Umschlaggestaltung: © www.buerosued.de
Umschlagmotiv: © Miguel Navarro/Stone/Getty Images
Illustrationen: © Marc Elsberg und www.buerosued.de
NG · Herstellung: sam
Satz: Uhl + Massopust, Aalen
Druck und Bindung: GGP Media GmbH, Pößneck
Printed in Germany
ISBN 978-3-7645-0632-2

www.blanvalet.de

*Für Alma, Alois, Anna, Elisa, Erik, Georg(s),
Itta, Kick, Lina, Matthias, Moritz, Nadine, Noah,
Paul, Phillip, Sebastian, Theo, Tibbe, Ursula,
Valerie und alle anderen jungen Leute*

Der Tag der Waage

Dana wischte sich den Schweiß von der Stirn. Sie stützte sich auf die Sense und ließ den Blick über die goldenen Felder wandern. Die Luft zitterte in der Sommerhitze. Über dem wogenden Ährenmeer rund um Dana wiegten und drehten sich die Oberkörper der anderen im regelmäßigen Schwung der Sensen. Fast wie ein Tanz, dachte Dana. Ein langsamer, bedächtiger Tanz des Lebens und des Sterbens, des unendlichen Kreislaufs der Natur. Mit jedem Schwung fiel ein Büschel Ähren, stürzten die Halme durcheinander wie Füsilierte. Sie hinterließen wandernde Stufen in der Landschaft, bis am Ende des Tages aus dem rauen Ackerboden nur mehr trockene Spieße in alle Richtungen ragten, wie Bartstoppeln aus dem zerfurchten Gesicht eines Greises. Darüber verteilt standen wie kleine Vulkane die aneinandergelehnten Garben, Bündel jenes kostbaren Korns, das Dana und die Ihren über den Winter und in das nächste Jahr bringen würde. Bis daraus im kommenden Frühjahr auf Danas Feld erneut die Zukunft wachsen würde, so wie seit Generationen, Jahr für Jahr.

Dieses war ein gutes Jahr für Dana und die Ihren gewesen. Das Wetter hatte sich als gnädig erwiesen, der kalte Winter die Saat im Boden bewahrt und die Schädlinge ausgefroren. Der warme Frühling hatte die jungen Schösslinge hervorgelockt, der üppige Regen des Frühsommers sie förmlich aus dem fetten Boden getrieben. Unwetter, Hagel und Pilze hatten sie verschont. Und der heiße Sommer mit Regen zur rechten Zeit hatte ihnen jene Kraft gegeben, die sie als Brei und Brot, manchmal vielleicht sogar in Form eines Stück Kuchens an Dana und all die anderen weitergeben würden.

In der Ferne sah sie Bills Feld. Auch dort tanzten sie. Dana fragte sich, wie es ihm in diesem Jahr ergangen war.

Der Tag der Waage war gekommen. Nachdem die Garben auf den Feldern getrocknet waren, sammelten Dana und die Ihren sie ein und brachten sie auf die Höfe. In der rückenbrechenden Schufterei des Dreschens trennten sie die Spreu vom Korn. Davon füllten sie den üblichen Anteil in die Kornkammern, als Vorrat für den Winter und Saat für das nächste Jahr. Den anderen Teil nahmen sie und gaben ihn in Säcke.

Dana spannte die Ochsen vor den Karren, und sie fuhren die Säcke auf den Markt in der Stadt. Dana freute sich auf die Stadt und den Markt. Sie und Ann und Bill und Carl und die anderen Bauern des Dorfes würden ihre Ernte an den Meistbietenden verkaufen. Und am Abend, nach der Rückkehr aus der Stadt, würden sie wie jedes Jahr feiern.

Bei den Waagen der Händler begrüßte Bill sie mit einem breiten Lachen. Er war ein kräftiger Kerl mit blauen Augen und dichtem schwarzem Haar. Er wuchtete seine Säcke bereits auf die breite Waagplatte des Kaufmanns.

»Dieses Jahr werde ich mehr haben als du«, sagte er zu ihr. »Mehr als ihr alle!«

Dana zuckte mit den Schultern. Schließlich ging es ihr nicht darum, mehr zu ernten als Bill. Sie war zufrieden, wenn sie alle gut über den Winter kamen und ihre Ernte genug einbrachte, um ihre Kinder auf die Schule schicken und die notwendigen Reparaturen am Haus durchführen zu können. Vielleicht würde es sogar für eine neue Kuh reichen.

Der Händler wog auch ihre Ware.

»Das war ein gutes Jahr für dich«, sagte er anerkennend zu Dana. »Deine Ernte war deutlich reicher als Bills.«

»Wir hatten beide ein gutes Jahr«, sagte sie. »Keine Schädlinge, keine Dürre, kein Hagel, keine Flut.«

Doch sie konnte sehen, wie enttäuscht und verärgert Bill war. Schon als Kind wollte er immer der Beste sein. Er maß sich ständig an den anderen, forderte sie heraus, wollte nicht mit ihnen spielen, sondern gegen sie, musste als Erster im Ziel einlaufen und auf dem höchsten Siegerpodest stehen. Er bebaute den gleichen reichen Boden wie Dana, mit dem gleichen Korn. Sie hatten die gleiche Fläche Land zur Verfügung. Sie lebten unter demselben Himmel mit demselben Wetter. Bill war so tüchtig wie Dana, und er verstand sein Handwerk wie sie. Eigentlich war er ein netter Kerl, gut aussehend dazu. Dana fand ihn ziemlich anziehend, aber seine Kämpfernatur langweilte sie. Zumal sie besser dastand als er.

»Das geht doch nicht mit rechten Dingen zu!«, rief er. »Ich habe gearbeitet wie ein Vieh! Ich habe alles richtig gemacht! Trotzdem erntest du mehr! Schon das dritte Jahr in Folge! Wie kann das sein?«

Gekränkte Männer! Fehlte nur noch, dass er sie der Hexerei bezichtigte.

Vielleicht war es an der Zeit, ihm ihr Geheimnis zu verraten, dachte Dana.

Erste Entscheidung

»Am Ursprung des Lebens folgen einige sich selbst kopierende chemische Strukturen einem mathematischen Prinzip, das ihnen zu einem Vorteil verhilft.«

Will Cantor

1

Die Straßen brannten. In dichten Schwaden zog Rauch über den Asphalt. Herabstürzenden Meteoren gleich, explodierten Molotowcocktails in Feuerbällen und schwarzem Qualm. Durch den Nebel jagten vereinzelt dunkle Gespenster, tauchten da unter und dort wieder auf.

»Das ist Krieg!«, brüllte Melanie Amado und duckte sich.

Aus dem Dunst hinter ihr wuchs eine dunkle Menschenfront. Köpfe, Schultern. Plakate, Transparente.

»Was steht da?«, rief Ed Silverstein und zoomte näher an die Transparente der Demonstranten heran. *Stoppt die Gier! Wohnen: Ausspekuliert! Bedingungsloses Grundeinkommen! Ich kann mir keine Lobbyisten leisten! Friede jetzt! Tod dem Kapitalismus!*

Amado umklammerte ihr Mikrofon: »Nach dem Platzen der Blase von Unternehmensschulden droht der Welt eine Finanzkrise wie 2008. Hunderttausende protestieren zur Stunde in Berlin gegen neue Sparpakete wegen Banken- und Unternehmensrettungen. Wer hätte so etwas hier vor ein paar Monaten erwartet? Griechenland ist plötzlich überall!« Schwenk. Vor ihnen schälte sich eine zweite Front aus dem Rauch.

»Glatzen! Bomberjacken!«, rief Silverstein in die Kamera. Einige schwangen Holzlatten oder Baseballschläger. *Ausländer raus! Deutschland zuerst! Wir sind das Volk!* Kahle Köpfe, wütende Fratzen füllten den Screen.

Daneben, im Badezimmerspiegel, leuchteten Jeannes Augen grün. Was Luxushotels sich alles ausdachten. Teile des riesigen Badezimmerspiegels waren gleichzeitig ein Fernsehbildschirm. Sie trug Tusche auf die unteren Wimpern auf.

Amado: »Ähnliche Bilder erreichen uns aus US-Metropolen …«

Während Jeanne die oberen Wimpern nachtuschte, schaltete Bloomberg-TV zu zwei aufgeregten Reportern nach New York. Im Spiegel neben Jeannes Gesicht jagten prügelnde Polizisten durch rollende Rauchwellen in Brooklyn. Glühende Augen von Bengalfeuern tauchten die Hetzjagd in dämonisches Rot.

»Seit ein Alt-Right-Mitglied mit seinem Auto in eine Demo raste und drei Afroamerikaner niederfuhr, brennen in einem Dutzend US-Metropolen ganze Stadtviertel!«

Jeanne griff zum Highlighter, Bloomberg-TV zu Bildern von Kriegsschiffen, Kampfraketenstarts. Feixende asiatische Politiker eilten in Sitzungen.

»Und Schlimmeres zieht auf«, erklärte die Sprecherin. »Chinas Flotte provoziert in den asiatischen Meeren Konflikte mit seinen Nachbarn. Saudi-Arabien, der Iran und Israel eskalieren die Kriege auf der Arabischen Halbinsel. Erste Drohungen mit Atomwaffen werden laut. Russland zündelt in Osteuropa. So explosiv war die globale Lage nicht seit dem Zweiten Weltkrieg.«

Verstaubte, blutige Kinder in Trümmern nach einem Bombenangriff, irgendwo in Nahost. Jeanne zog die Lippen nach.

Europäische und US-Politiker hinter Stehpulten, vor getäfelten Wänden, an Konferenztischen. »Deshalb wurde ein längst geplantes Außenministertreffen in Berlin kurzfristig zu einem Krisengipfel erweitert, auf den führende Politiker, Zentralbanker und Unternehmensführer aus aller Welt eilen.«

Jeanne richtete sich auf. Prüfte den Sitz ihrer Frisur, strich das seidene Abendkleid glatt, eine Maßanfertigung aus Sook Dwalas Studio in Los Angeles. Sie hätte Model werden können.

Ted Holden erschien im Spiegel. Er war kaum größer als sie, ein paar Jahre älter, trug Smoking. Für einen Augenblick war Jeanne verwirrt. War Ted in den Nachrichten, oder stand er wirklich hinter ihr?

»Bist du bereit?«, fragte er. Wirklichkeit.

Sie nickte ihm zu, während sein Blick kaum merklich über ihren Körper strich.

»Wir schalten zurück nach Berlin zu Mel und Ed …«

Flammen. Loderten durch Autogerippe.

2

Der Gestank von Verbranntem vermischte sich trotz Klimaanlage mit dem Geruch des Leders im Inneren der Limousine und schnürte Will Cantor den Hals zu. Dumpf drangen das Klirren der Flaschen, das Donnern der Explosionen, das Tosen der Sprechchöre durch die Scheiben. *Halten die einem Pflasterstein stand?,* überlegte er, während seine Finger den Haltegriff der Tür umklammerten.

Sie fuhren nur mehr Schritttempo. Ein Stück vor ihnen brannte ein Wagen am Straßenrand.

Der Fahrer, ein bulliger Mittfünfziger mit Schnauzbart, fluchte irgendetwas auf Deutsch.

Herbert Thompson auf dem Sitz neben Will hielt das Telefon fest in seiner knochigen Altmännerhand.

»Wir fahren hier gerade durch die Hölle, verdammt!«, raspelte seine Greisenstimme. »Lass uns später darüber reden!«

Wie so viele Hochbetagte war er über die Jahre in seinem Anzug geschrumpft. Die Schulterpolster zu breit, die Ärmel zu faltig. In dem luxuriösen Ledersitz wirkte er fast verloren. Wäre da nicht seine Energie gewesen.

Leise und abgehackt drangen Wortfetzen seines Gesprächspartners aus dem Telefon.

»… einflussreichsten Ökonomen der Gegenwart! … begehst wissenschaftlichen Selbstmord!«

»Im Gegenteil!«, keifte Thompson. »Das ist meine wichtigste Arbeit überhaupt!«

Die Antwort verrauschte im Lärm der Demonstranten.

»Mein Lebenswerk?«, rief Thompson. »Das habe ich damit erst geschaffen! Diese Konzepte können dem Wahnsinn da draußen ein Ende bereiten. Mehr Gerechtigkeit schaffen. Mehr Wohlstand für alle! Einem Nobelpreisträger werden sie schon zuhören.«

»... dich ... auslachen!«, echauffierte sich die Stimme am anderen Ende der Leitung.

Entschieden tippte Thompson auf den Aus-Button und schob die Notizen für seine Rede zurück in die Aktentasche auf seinem Schoß.

»Idiot!«, krächzte er. »Hat bloß Angst, dass wir Leuten wie ihm auf die Füße treten.« Er kniff die Augen zusammen. »Was steht da?«, fragte er mit Blick auf die Transparente.

»Stoppt die Gier! Tod dem Kapitalismus!«, sagte Will.

»Haben keine Ahnung, was Kapitalismus ist, aber Hauptsache, er ist an allem schuld«, meckerte Thompson. Dann gluckste er vergnügt: »Da sind wir ja im richtigen Auto hineingeraten. Wenn die wüssten, wer gerade auf sie zufährt ...«

Will fand den Gedanken weniger lustig. Wenn die es wüssten, würde der nächste Molotowcocktail mit Sicherheit ihre schwarzglänzende Limousine treffen.

Der Aufruhr war ganz nach Thompsons Geschmack. Konfrontationen hatte er nie gescheut. Wettbewerb. *Survival of the fittest* als Grundlage allen Erfolgs, Wachstums und Wohlstands. Für einige seiner wirtschaftlichen Modelle dazu hatte er vor zwölf Jahren den Nobelpreis erhalten. Er war eine Legende. Eine Stimme, der die Wichtigen, die Mächtigen und Reichen dieser Welt Gehör schenkten.

Thompsons Telefon leuchtete auf. Schnaubend nahm er das Gespräch an.

»Was willst du noch?«, bellte er. »Ich habe dir lang und breit erklärt, dass wir den Beweis haben. Den *mathematischen* Beweis!«

Will spitzte die Ohren.

»... Dummheit bewahren.«

Thompsons Gesicht lief rot an vor Zorn. »Wir stehen vor einem Paradigmenwechsel! Du wirst mich nicht davon abbringen, meine Rede zu halten. Niemand wird das.«

Kurzerhand schaltete er das Handy aus und steckte es weg.

Der Chauffeur blickte hilfesuchend nach hinten. Dort staute sich eine Handvoll Wagen. Die letzten verschluckte eine heranrollende Woge von Rauch. Darin tauchten neue Silhouetten auf.

Thompson, zu steif, sich umzudrehen, fragte: »Welche sind das jetzt?«

Will warf einen Blick durch das Heckfenster. »Transparente mit ›Ausländer raus‹, ›Deutschland zuerst‹.« Einige zeigten den Hitlergruß. »Nazis!«, rief er.

Thompson schüttelte den Kopf. »Über den neuen Nationalismus dürfen wir uns nicht wundern. Wenn man jahrzehntelang den Staat zurückdrängt, bleibt vom Nationalstaat nur mehr national. Das fliegt uns jetzt um die Ohren. National. International ...«

Eine Explosion an der Heckscheibe unterbrach ihn. Will schrumpfte im Schock. Splitter rannen an der Scheibe hinab, zusammengehalten vom Etikett einer Biermarke.

Kein Benzincocktail, bloß normaler Alkohol.

Auch Thompson war zusammengezuckt. Der Nobelpreisträger wandte sich an den Fahrer: »Ich habe eine wichtige Rede zu halten«, sagte er. »Die das alles hier beenden kann.« Er klopfte ihm auf die Schulter. »Wie sagte Churchill? ›Wenn du durch die Hölle gehst, geh weiter.‹ Also: Fahren Sie!«

3

Er saß in einem Hotelzimmer vor einem Laptop-Bildschirm voll Codezeilen, als die Nachricht auf dem sechsten der acht altmodisch anmutenden Tastenmobiltelefone aufblinkte, die in zwei sorgfältig geordneten Viererreihen links neben dem Computer lagen. Er hatte die halb transparenten, orangebraunen Sichtschutzvorhänge zugezogen und sah so gut wie nichts von der Großstadt unter ihm. Es hätte jede Metropole der Welt sein können, aber jetzt gerade war es Singapur.

Er öffnete die Nachricht und erkannte den Absender sofort. Dessen Namen hatte er wie üblich nie erfahren, ein Allerweltspseudonym. Einander gefunden hatten sie sich auf einer der üblichen Plattformen im Darknet, auf denen man anonym Spezialisten für alle Gebiete anheuern konnte. In seinem Fall einen Hacker.

Die Nachricht bestand aus einem einzigen Wort: *Ikarus*.

Er weckte seinen zweiten Laptop, seine Finger flogen über die Tastatur, und ein paar Sekunden später hatte er den Befehl verschickt. Gleichzeitig öffneten sich auf dem Bildschirm sieben verschiedene Fenster, in denen er die korrekte Durchführung überprüfen konnte. Sie bildeten Ordner mit Dokumenten aus verschiedenen Mailprogrammen und Servern ab. Seit sein Auftraggeber ihn vor ein paar Monaten kontaktiert hatte, verfolgten seine Programme alle Versionen der Dokumente über verschiedene

E-Mailprogramme und Server hinweg. Gleichzeitig installierten sie in allen kleine Zeitbomben, die nur auf seinen Befehl warteten, um die Dokumente bei Bedarf sofort zu löschen.

Den Befehl, den er soeben gegeben hatte.

Binnen Sekunden verschwanden aus allen Ordnern einzelne Dokumente wie von Geisterhand. Noch einmal kontrollierte er die Ordner, dann beendete er die Remote-Verbindung. Die Fenster verschwanden von dem Bildschirm, er klappte den Laptop wieder zu. Auf dem Handy tippte er ebenfalls nur ein Wort: *Done.* Erledigt.

Er entfernte die SIM-Karte aus dem Telefon, zerbrach sie – ein unsinniges Ritual, an dem er trotzdem abergläubisch festhielt – und ging ins Bad, wo er sie in Klopapier gewickelt die Toilette hinunterspülte. Das Telefon schleuderte er mehrmals heftig gegen die Steinfliesen des Badezimmerbodens, bis es zersplitterte. Ein paar Tritte zerkleinerten die größeren Teile so weit, dass er auch sie problemlos über das Klo entsorgen konnte. Ebenfalls eine übertriebene Vorsichtsmaßnahme, aber er ging lieber altmodisch auf Nummer sicher.

Dann kehrte er zurück an den Schreibtisch und wandte sich wieder dem Code auf dem anderen Bildschirm zu.

4

Durch die Frontscheibe des Range Rovers blickte Eldridge direkt auf das Heck des Mercedes mit Thompson und Cantor. Die Demonstrationen vor dem Schloss mussten von den genehmigten Routen abgewichen sein, die Polizeiabsperrungen zu ihrer Einhegung offenbar leck wie ein alter Gartenschlauch. Durch eines dieser Lecks wurden sie nun überschwemmt. Die Wagen hinter ihnen wurden eingeholt von den ersten tätowierten Glatzen, Skins, Rocker-Vollbärten. Vor ihnen fürchtete sich Eldridge nicht. Er und die vier übrigen Männer im Wagen waren ganz anderes gewohnt.

Am Steuer neben Eldridge wartete Jack auf seine Anordnungen. Die dunkelgraue Combathose um die mächtigen Oberschenkel gespannt, die massiven Arme und Schultern unter dem grauen Hemd gestrafft, die Augen schmale Schlitze im fleischigen Narbengesicht. Seine Stirn stieß fast an das Wagendach; längere Haare als Jacks Stoppel hätten den grauen Bezug gestreift.

Das Headset in Eldridges Ohr meldete einen Anruf. Konnte nur eine Person sein. »Annehmen.«

»Plan Ikarus«, erklärte die Stimme in seinem Ohr.

»Wiederhole«, sagte Eldridge. »Plan Ikarus.«

»Bestätigt.«

Der Anrufer beendete die Verbindung.

Eldrigde, für seine Teammitglieder El, tippte den Tabletcomputer auf seinem Schoß an. Auf dem Bildschirm erschien eine Grafik mit der schematischen Darstellung eines gläsernen Autos von oben: Innenraum, Sitze, Armaturen, Motor …

Das Antriebs- und das Steuerungssystem – Motor, Lenkrad, Schaltung, Pedale – leuchteten blau. Über dem Motor zeigte ein Tachometer 2 km/h. Rechts oben im Schirm ein rotes Feld »Enter«.

Tipp.

»Enter« änderte seine Farbe von Rot zu Grün.

El legte die Kuppe seines großen, schartigen Zeigefingers mit dem kurzen Nagel erneut auf den Monitor des Tablets. Genau auf das blaue Gaspedal der durchsichtigen Autoillustration. Er blickte auf zum Heck der Limousine, über deren Rückscheibe die Reste einer Bierflasche sabberten, und begann sanft zu drücken.

5

Die Beschleunigung des Wagens drückte Will in den Sitz. Das Fahrzeug steuerte direkt in die Menge. Demonstranten schrien auf. Einige brachten sich durch Hechtsprünge vor dem heranrollenden Gefährt in Sicherheit, andere schüttelten wütend die Fäuste.

»Vorsicht, Mann!«, krähte Thompson. »›Durch die Hölle gehen‹ sagte ich! Nicht, sie erschaffen!«

»Etwas stimmt hier nicht!«, rief der Chauffeur in holprigem Englisch.

Will hörte Unglauben in seiner Stimme.

»Was ist los?«

»Der Wagen … der fährt von allein!«

Mit heftigen Bewegungen pumpte der Chauffeur die Pedale. Hieb auf die Hupe. Lärmend pflügte der Mercedes durch den Rauch und die davonhastenden Schatten und nahm Tempo auf.

»Die Bremsen funktionieren nicht!« Er rüttelte am Schaltknüppel. Panik in der Stimme. »Die Schaltung! Nichts!«

Er nahm die Hände vom Steuer. »Sehen Sie?!«

»Tun Sie Ihre Hände wieder an den Lenker!«, befahl Thompson.

Der Fahrer gehorchte.

Will blickte in aufgerissene Augen hinter den Scheiben, brüllende Münder.

Ein Transparent klatschte auf die rechte Frontscheibenhälfte und verdunkelte sie. Wurde fortgeweht.

Vergeblich riss der Fahrer am Lenkrad.

»Mein Gott…«, stammelte Will. »Der Wagen wurde gehackt!«

Er fummelte sein Mobiltelefon aus der Sakkotasche. Trotz hektischen Tippens auf dem Touchscreen blieb er schwarz.

Draußen auf der Straße lichtete sich der Rauch. Die Menschen flohen vor ihnen in alle Richtungen. Einem Haufen Metall mit dem Schwung von vierzig Stundenkilometern hatten sie nichts entgegenzusetzen als ihre Haut, ihr Fleisch und ihre Knochen. Ihr Leben.

»Haben Sie ein Telefon?«, fragte Will den Fahrer.

»Hier.«

Während der Mann hilflos an Lenkrad und Schalthebel rüttelte, startete Will dessen Handy. Auch dieses Gerät reagierte nicht. Er blickte zu Thompson, der mit hochgezogenen Schultern in seinem Sitz kauerte und die Aktentasche umklammert hielt. Bleich verfolgte er Wills Bemühen.

Die Limousine fuhr schneller, die Straße leerte sich, kaum mehr Demonstranten, noch kein Verkehr. Will musste zwinkern, um seinen Augen zu trauen. Vor ihnen lag eine ganz normale Straße. Er wandte sich um. In einiger Entfernung hinter ihnen erinnerte die Szenerie weiterhin an ein auf die Erde gefallenes Gewitter. Nur ein dunkler SUV war ihnen durch ihre Schneise gefolgt.

Sie verließen eine Kreuzung und bogen an einem Fahrverbotsschild vorbei in eine mehrspurige Straße. Weiter vorn entdeckte Will die Siegessäule. Sie fuhren in den Tiergarten!

»Ihr Telefon!«, forderte er mit offener Hand von Thompson.

Die Suche des Nobelpreisträgers in den Taschen seines Jacketts dauerte eine gefühlte Ewigkeit. Sie fuhren auf einer breiten, leeren Straße durch den Park.

»Warum ist hier keiner?«, rief Will.

»Schon gesperrt, wegen der Demonstrationen morgen«, erklärte der Fahrer. Schweiß stand auf seiner Stirn.

Als Will Thompsons Telefon endlich in die Finger bekam, blieb es so tot wie die anderen. Frustriert warf er es auf die Sitzbank.

»Wir werden entführt!«, rief er. »Wir müssen uns irgendwie bemerkbar machen!«

»Aber wem?«, brüllte der Chauffeur. »Da draußen ist ja niemand! Verdammt!«

Der Wagen wurde nach links geschleudert. Mit quietschenden Reifen kurvte er zurück nach rechts. Zu steil! Direkt auf den Wald zu. Der erste Reifen traf den Randstein. Die Beifahrerseite stieg hoch, und mit einer Drehung um die eigene Achse schraubte sich die Limousine durch die Luft Richtung Bäume.

6

Jan sah nur einen mächtigen Schatten. Dann wirbelte eine Tonne Metall von der Straße her quer über den Radweg. Instinktiv zog Jan den Kopf ein. Das Gefährt schoss über ihn hinweg. Touchierte einen Baumstamm, krachte gegen einen zweiten und stürzte ab. Fast verlor Jan die Kontrolle über sein Fahrrad. Vollbremsung.

Das Fahrzeug lag sieben, acht Meter weit im Wald auf dem Dach. Von der Bodenplatte bei den Vorderrädern stieg Rauch auf.

Jan warf das Rad hin. Einer dieser Momente, in denen man nicht denkt. Der Körper wird zur Sehne. Er rannte los. Fand das Handy in der vorderen Tasche seiner Jeans. Notruf. Sprintete zu dem zerdrückten Haufen Blech.

Dunkle Luxuslimousine. Ein Meer von Splittern. Der Fahrersitz war ihm am nächsten. Dort hatte das Dach dem Absturz am besten standgehalten. Im Sitz hing regungslos ein älterer Mann. Dunkler Anzug. Schnauzbart. Um ihn erschlaffte Airbags. Jemand meldete sich an Jans Ohr.

»Jan Wutte«, sagte er. »Schwerer Autounfall im Tiergarten, zwischen Siegessäule und Brandenburger Tor.«

Er steckte das Handy weg. *Jan, du bist Pfleger. Du kennst dich aus mit dem menschlichen Körper.* Er tastete am Hals des Mannes. Spürte keinen Puls. Rüttelte am Türknauf. Vergeblich. Hinter dem Fahrer lag ein älterer Mann in dunklem Anzug kopfüber und seltsam zusammengefaltet auf dem Inneren des Autodachs. Nicht angeschnallt. Blutüberströmt. Sein Arm ragte aus dem Fenster. Jan fühlte keinen Puls. Neben dem Alten hing von der kopfstehenden Rückbank eine weitere Gestalt im Sicherheitsgurt. Jünger, männlich. Seine Lippen bewegten sich. Jan lief um den Wagen herum. Versuchte, den Kopf durch den schmalen Schlitz zu klemmen, der einmal ein Fenster gewesen war.

»Wie geht es Ihnen?!«, hörte er sich brüllen. »Rettung ist unterwegs!«

Geschlossene Augen, Wispern. Ein verkehrt herum baumelndes Gesicht kannst du nicht lesen. Die Mimik hängt in die falsche Richtung.

»Haben Sie Schmerzen?!«

Neben dem Kopf des Mannes lag eine geöffnete Aktentasche auf dem umgedrehten Autodach. Aus dem Innern ragten lose Papiere. Daneben ein Handy und anderer Kram.

Das Flüstern war zu leise. Jan schob sich noch weiter an seinen Mund. Versuchte, ihn zu beruhigen. Seine Lider flatterten. Jetzt sah er Jan an. Am unteren – jetzt oberen – Rand seiner Augen Weiß.

»... elemen ...«, stöhnte er. »... schan ... dall ...«

Elemente? Chantal? Machte keinen Sinn.

»Ich ... sorry, ich verstehe Sie nicht. Aber bleiben Sie ruhig. Hilfe ist unterwegs.«

Er schien Jan nicht zu hören.

»Fitzroi piel ... a ... gold ... bar ...«

»Fitzroi was?«

Allein konnte Jan wenig tun. Selbst wenn es ihm gelang, den Sicherheitsgurt des Typen zu lösen, würde sein Körper auf das Dach fallen und er sich womöglich noch mehr verletzen.

»Fitz ... roi piel«, röchelte er. »Schan ... dall ... e ...«

»Chantal E.? Ist das ein Name?« Er warf einen Blick aus den Augenwinkeln zu den anderen. Keine Lebenszeichen. »Fitzroi – ist das auch ein Name?« Hatte er noch nie gehört.

Der Mann schloss die Augen. War das ein Ja? Flüsterte: »Golden… bar…«

Jack hatte den Range Rover wenige Meter hinter der Unfallstelle angehalten. Der Mercedes hatte den Randstein förmlich als Absprungrampe genutzt. Eldridge und Sam waren aus dem Rover gesprungen, starrten hinüber zu dem Wrack hinter den Bäumen. Auf dem Weg neben der gesperrten Straße war um die Zeit kein Mensch unterwegs. Nur ein Fahrrad lag da. Dann entdeckte El den Mann. Genauer: sein Hinterteil, das aus einem Fenster der Beifahrerseite ragte.

»Kommt!«, rief El den anderen zu. »Wir müssen dahin! Jack, fahr den Wagen aus der Fahrverbotszone!«

Rob und Bell sprangen aus dem SUV. Trainierte Hulks wie El und Sam, in dunklen Jeans und Jacken.

Der Typ bei der Limousine hatte den Oberkörper aus dem Inneren gezogen und zerrte an der Tür. Ein schlaksiger junger Kerl, größer, brünettes Haar mit Undercut, dunkles Hoodie, verwaschene Jeans. Fiel fast auf den Rücken, als die Tür nachgab und aufsprang. Wieder beugte er sich hinein, fummelte herum. Tauchte erneut auf. Sie hatten ihn fast erreicht. Im nächsten Moment entdeckte er sie.

»Gott sei Dank!«, rief der Samariter. »Zumindest einer lebt! Er kann reden! Wir müssen sie rausholen!« Er zeigte zu den Rauchschwaden, die vom Motor aufstiegen. »Bevor das hier hochgeht!«

Das würde nicht *hochgehen*. Zumindest nicht von allein.

Die vier Typen liefen auf Jan und das Wrack zu wie ein SWAT-Team. Große, trainierte Kerle in dunkler Freizeitkleidung. Präzise Bewegungen. Umso besser. Ein paar kräftige Arme kamen gerade recht.

Die neuen Helfer teilten sich auf. Zwei auf die andere Seite, wo die Leblosen hingen. Zwei zu Jan. Warum trugen die an einem Sommerabend Handschuhe? Sie beugten sich zu ihm, blickten in den Wagen.

»Was ist passiert?«, fragte einer. Das Kinn wie ein Amboss. Den Akzent erkannte Jan nicht. Ami? Im rechten Ohr steckte ein Headset.

»Er hat eben noch geredet«, sagte Jan. »Vielleicht bekommen wir ihn gemeinsam raus.«

Ambosskinn packte Jans Genick und donnerte seinen Kopf gegen die Karosserie. Jan wurde schwarz vor Augen, er kippte benommen zur Seite, sein Schädel schlug hart auf den Boden. *Was…?*

Der Boden schwankte. Sein Hirn pochte. Seine Augen füllten sich mit Tränen. Der Typ quetschte den mächtigen Oberkörper in das Auto. Hinter dem Vorderrad auf der anderen Seite machte sich einer der Männer an jener Stelle zu schaffen, aus der es rauchte. Jan versuchte, sich aufzurappeln. Klappte zusammen. Mit knappen Worten gab jemand Anweisungen in einer fremden Sprache. Englisch. Ein anderer kramte ebenfalls im Innenraum. Auf Jans Seite fummelte einer an der hinteren Karosserie herum. Der Tankdeckel. Er öffnete ihn! Benzin sprudelte heraus. In einiger Entfernung ertönten Sirenen. Jan versuchte, sich erneut hochzustemmen.

Ambosskinn tauchte wieder aus dem Auto auf, in einer Hand die Aktentasche. Wandte sich Jan zu, griff seinen Knöchel, zog ihn in das Benzin! Jan versuchte, ihn abzuschütteln. Zu dem Ambosskinn hatte der Typ jedoch auch noch einen Schraubstockgriff. Verzweifelt ruderte Jan zurück. Bekam ein Teil der Karosserie zu fassen, das sich spitz und scharf anfühlte. Mit Wucht rammte er den Spieß in die Hand, die sich um seinen Knöchel spannte. Der Typ grunzte und ließ los. Jan schaffte es auf die Beine. Das Benzin verteilte sich um den Wagen. Der eine schloss den Tankdeckel wieder. Die zwei auf der anderen Autoseite wichen vom Wagen zurück. Ambosskinn sprang hoch und starrte wütend auf den tiefen Stich in seinem Handschuh, aus dem es tropfte. Jan hörte das Zischen eines Streichholzes. Den Schwinger sah er nur aus den Augenwinkeln. Gerade noch konnte er ausweichen und rannte los, als das Benzin in Flammen aufging. Die Hitzewelle der Explosion gab ihm Extraschwung.

Die Flammen fauchten hinter ihm, er wandte sich um. Zwei rennende Hulk-Schatten vor dem Feuerball. Noch nie in seinem Leben flogen seine Beine so schnell! Jan hörte die schweren Schritte der Verfolger, dann Sirenen. Am lautesten war sein eigenes Keuchen. Sein Kopf drohte zu platzen.

In dem Auto waren Menschen! Einer von denen war noch am Leben! Die hatten den einfach angezündet!

Aus dem laschen Licht liefen zwei Männer von der Siegessäule her auf ihn zu. Dunkle Hosen und Hemden. *Gehören die zu denen?!*

Einer nestelte an seinem Hosenbund herum. Eine Waffe? Jan sah sich um. Feuer. Keine Verfolger. Die anderen Männer liefen weiter auf ihn zu.

»Stehen bleiben! Polizei! Wohin wollen Sie?! Hiergeblieben!«

Jans Atem ging noch schneller als sein Puls. Durch die Flammen und den dichten Rauch sah er neben der Unfallstelle jetzt Blaulichter blinken. Mehrere Wagen. Die dunklen Typen waren verschwunden. In dem brennenden Wrack explodierte etwas, schickte Funken durch die Nacht. Umstehende Bäume fingen Feuer. Da gab es nichts mehr zu helfen. Jans Magen verknotete sich bei dem Gedanken an die drei Männer darin, die Übelkeit kroch bis in die Finger- und Zehenspitzen, Haarwurzeln, Lenden, verwandelte seinen Körper in einen einzigen Krampf.

»Warum laufen Sie weg?«, fragte einer der Uniformierten scharf.

Das glaubt ihr mir nie!

Jan brachte kein Wort über die Lippen.

»Mitkommen!«

7

Rotorenlärm in Jeannes Kopf, Seide auf ihrer Haut, die Vibrationen des Helikopters in ihrem Körper. Links neben Jeanne saß Ted, rechts neben ihr Teds Sicherheitschef Mitch McConnell. An Teds anderer Seite hatte sein Cheflobbyist George Lamack Platz genommen, ihnen gegenüber der US-Finanzminister im Smoking und seine Frau im Abendkleid, flankiert von Personenschützern.

Der Minister gestikulierte aufgeregt.

»... schon wieder?!«

Trotz der schallisolierten Kabine mussten sie laut reden.

»Ich habe es aus sicherer Quelle!«, sagte Ted. »General Motors kann einige seiner Anleihen nicht mehr bedienen. Und BLA steht vor dem Kollaps.«

»Der chinesische Mischkonzern?«, fragte George Lamack ungläubig.

»Ebendieser.« Ted fixierte den Minister. »Dir ist klar, was das bedeutet.« Das war es wahrscheinlich nicht, aber so hielt Ted die Leute auf Augenhöhe. »Wenn Zweifel an der Zahlungsfähigkeit von GM besteht, folgen als Nächste Volkswagen und andere Autohersteller und innerhalb von Stunden alle Unternehmen, die sich in den letzten Jahren zu billig zu hoch verschulden konnten, um überteuerte Übernahmen zu finanzieren oder ihre Aktienkurse durch Rückkäufe hochzutreiben. Also verdammt viele! Abermillionen Arbeitsplätze in x Ländern!«

Ted wusste, wie er mit Politikern reden musste.

»Woah!«, rief George, das Gesicht dem Fenster zugewandt. »Was ist das?«

Unter ihnen schwankten die Lichter des abendlichen Berlin auf sie zu. Hell beleuchtet Schloss Charlottenburg, auf einer Seite ein dunkler Park, auf den anderen ein Netz flackernder Straßen.

»Demonstranten?«, fragte der Finanzminister.

»Sechshunderttausend, behaupten die Veranstalter«, erklärte Mitch. »Vierhunderttausend, sagt die Polizei.«

»Und da sollen wir hinunter?!«, rief George besorgt.

»Was leuchtet denn da?!«, fragte die Frau des Ministers.

»Das sind Monitore von Mobiltelefonen«, sagte Jeanne. »Die moderne Version der Lichterkette.«

»Wie bei einem Pop-Konzert?«

»Demo war immer schon auch Party.«

Auf einem Platz neben dem Schloss vereinigten sich die Lichtspiele zu einem gewaltigen leuchtenden Bild.

Ein kreisrunder goldgelber Kuchen!

In seiner unteren Hälfte war ein schmales Stück angeschnitten. Die Zahl darauf war kein Geburtstag: *99 %*.

Auf dem großen Stück oben: *1 %*.

»Schön inszeniert«, sagte Jeanne mit Seitenblick auf Ted. »Die große Mehrheit bekommt nur ein kleines Stück vom Kuchen.«

»Die bekommen bald gar nichts mehr«, entgegnete Ted. »BLA wird seine ausländischen Beteiligungen auf den Markt werfen. Deren Kurse sinken, ihre Anleihen und Aktien kommen zusätzlich unter Druck. Weitere chinesische Konzerne werden folgen und ebenfalls Beteiligungen im Westen abstoßen. Den Firmen fehlen dann Investoren, sie gehen pleite und entlassen alle.«

Die Schnittstellen des Kuchenstücks begannen sich wie verirrt laufende Uhrzeiger an beiden Seiten aufwärts zu drehen. Bis sie links und rechts der 1 % ein schmales Stück begrenzten.

Unterhalb der Torte flirrte ein Schriftzug in wechselnden Sprachen:

We want our share!

Wir wollen unseren Anteil!

Nous…

»Diese Bilder gehen um die Welt«, murmelte Jeanne, während sich der Heli langsam senkte.

Der Hubschrauber landete hinter dem Schloss in einem Lichtkreis auf dem Rasen. Livrierte Empfangsherren schützten die Frisuren der Damen mit Schirmen vor den Luftwirbeln. Elektrische Fackeln wiesen ihnen den Weg zu den pittoresk beleuchteten Barockbögen der Orangerie. Davor und drinnen erspähte Jeanne zahlreiche Smokings und Abendroben. Lärm und Wind der Rotoren wurden schwächer, je weiter sie sich von ihnen entfernten. Erste Takte klassischer Musik schwebten ihnen entgegen. Bach, wenn Jeanne richtig hörte. Unterhaltungen wurden wieder möglich.

»Wenn die GM- und BLA-Geschichte bekannt wird«, sagte Ted leise, »dann kollabiert morgen früh der weltweite Markt für Unternehmensanleihen endgültig. Und damit der CLO-Markt.«

Collateralized Loan Obligations, wusste Jeanne, ähnlich opake Investmentvehikel wie 2008 jene CDOs, die in der Subprimkrise um ein Haar die Weltwirtschaft in den Abgrund gerissen hätten. »Massenvernichtungswaffen« hatte der berühmte Investmentmilliardär Warren Buffett solche Papiere genannt. »Ebenso die Aktienmärkte. Und damit fast alle großen Banken, Versicherungen, Vermögensverwalter, Schattenbanken…«, fuhr Ted fort.

»Wer weiß noch davon?«, fragte der Minister.

Warum hatte er es nicht vor Ted gewusst?, fragte sich Jeanne.

»Sicher schon einige hier«, sagte Ted und blickte in die Runde. »Aber es sollten so wenige wie möglich bleiben.«

Neben ihnen tauchten weitere Gäste auf und zogen Richtung Abendgesellschaft in der Orangerie. Der abklingende Hubschrauberlärm wurde zunehmend vom Tosen der Demonstration jenseits der Prunksäle und Polizeibarrikaden abgelöst. Jeannes Blick streifte die Begrüßungsbanner in Dutzenden Sprachen und die kleinen Aushänge daneben, auf denen die Redner des Abends angekündigt wurden.

Herbert Thompson, Alfred-Nobel-Gedächtnispreis
für Wirtschaftswissenschaften 2007
Ofalu Nkebi, Generalsekretär UNO
Leymah Gbowee, Friedensnobelpreis 2011

Thompson würde bei ihnen am Tisch sitzen. Wenig spannend. Ein alter Mann, der seit über fünfzig Jahren die immer gleichen Ideen vortrug. Nur, dass er inzwischen einen Nobelpreis dafür bekommen hatte.

Sie hatten die Orangerie und die übrigen Gäste fast erreicht. Spätestens mit den Verhandlungen zum Klimaabkommen in Paris 2015 hatte die internationale Gemeinschaft bei Angelegenheiten globalen Interesses ein neues Kapitel aufgeschlagen. Sie band nicht mehr nur Politiker und Diplomaten ein, sondern auch Vertreter von Nichtregierungsorganisationen, Industrie und anderen »Stakeholdern«. Wie repräsentativ diese Zusammenstellung von Interessenvertretungen für die Weltbevölkerung war, darüber konnte man sicher streiten.

Da defilierten und trafen sie sich, hier ein Küsschen, da ein Händeschütteln, dort ein Foto, allein oder in Gruppen. Die Herren im dunklen Anzug, Smoking oder traditionellen Festgewändern, die Damen in Abendgarderobe und Schmuck. Nur einzelne Gästegruppen tuschelten besorgt.

Einige hatten sie entdeckt und kamen auf sie zu. Jeanne erkannte den Chef einer französischen Großbank, den deutschen Wirtschaftsminister und den weißhaarigen Investmentmilliardär Kemp Gellund.

»Ihr habt die Nachricht schon gehört?«, fragte Letzterer.

Flashback. Dieser Ton in den Stimmen. 2008 hatte Jeanne ihn zum ersten Mal wahrgenommen. Die Finanzkrise hatte sie als Praktikantin bei einer Investmentbank in New York erlebt. Die Tage der Nervosität, die schließlich in nackte Panik umschlug. Bei Menschen, von denen sie gedacht hatte, dass sie nichts fürchten mussten, weil sie Dutzende Millionen verdienten und weit mehr auf der hohen Kante hatten. Stattdessen blanker Horror, unter der gepflegten Fassade kaum verborgen. In der Stimme, den Augen, jeder Bewegung.

»Das dürft ihr nicht zulassen«, sagte Gellund zu den Politikern. »Ihr müsst etwas tun, bevor die Nachrichten öffentlich werden.«

»Wenn das stimmt, müssen die staatlichen Rettungspakete noch größer ausfallen als 2008«, meinte der Bankdirektor bleich.

»Das kann sich kein Staat mehr leisten«, erwiderte Ted.

»Exakt!«, warf Gellund ein. »Daher wird auch ein Kollaps der Staatsanleihen folgen.« Seine Stimme wurde rau. »Die Schwellenländer sind schon am Boden. Die Staatsschuldenkrise wäre zurück. Mit voller Wucht.«

»Gott«, stöhnte der deutsche Minister. »Italien will ohnehin aus dem Euro!«

»Müsste es dann sowieso«, sagte Ted, »genau wie Spanien, Griechenland und womöglich andere.«

»Den Notenbanken fehlen wegen der immer noch niedrigen Zinsen ebenfalls die wirksamsten Instrumente«, sagte der deutsche Minister.

Die Stimmen waberten durcheinander.

»Euro und EU werden explodieren.«

»Würden viele begrüßen.«

»Die bedenken aber nicht die Konsequenzen.«

»Das befeuert das Drama nur weiter.«

»Dagegen war 2008 ein Kindergeburtstag.«

»Eine Spirale in die Hölle!«

»Dann greifen die da draußen endgültig zu den Mistgabeln ...«

»Ihr müsst sofort mit den anderen reden!«

»Als Erstes mit den Chinesen. Die asiatischen Märkte öffnen in wenigen Stunden.«

Ted beugte sich zu Jeanne, flüsterte ihr ins Ohr: »Pass auf! Heute Nacht werden Vermögen gemacht!«

8

Vor Jörn Schesta inspizierten Feuerwehrmänner in schwerem Brandschutz das rauchende Autogerippe und die verkohlten Reste der Insassen. Hinter ihm hielten seine Kollegen mindestens fünf Dutzend Schaulustiger an den Flatterbändern zurück.

Ein Stück weiter vorn klappte ein Notarzt seinen Koffer zu. In seinem Rücken reckten die Gaffer die leuchtenden Bildschirme ihrer Mobiltelefone in die Luft. Wie auf einem Pop-Konzert. *Mistkerle!*

Entlang der Straße reihte sich eine Kolonne zwölf verschiedener Einsatzfahrzeuge. Zwei Löschzüge der Feuerwehr, noch ein kleinerer der Roten, drei Rettungswagen, Polizei in verschiedenen Varianten.

»Haben wir gerade noch gebraucht, was?«, sagte Jörn zum Chef der Feuerwehr. Dessen Gesicht war vom Ruß so schwarz wie sein gewaltiger Schnurrbart. Er sah aus wie Jörns Lieblings-Videospielfigur aus Kindertagen. Machte ihn sofort sympathisch. Statt der blauen Latzhose trug dieser hier einen dicken roten Overall. »Als ob wir nicht schon genug Stress hätten.«

Brand-Mario schob den Helm in den Nacken.

»Irgendwo brennt es immer«, meinte er lakonisch.

»Mussten Sie schon zu den Demos?«, fragte Jörn. Gemeinsamkeit unter Blaulichtlern herstellen.

Der Feuerwehrchef nickte.

»Aber noch nichts Schlimmes«, sagte er.

Jörn warf einen Blick über die Schulter des Mannes, auf das Wrack. Nicht schön.

»Schon eine Idee, was hier passiert ist?«,

»Sieht klassisch aus. Fahrer verliert die Kontrolle, prallt gegen Bäume, aus.«

Von den Leichen zwischen dem verkeilten, von schmutzigen Schaumresten bedeckten Blech sah Jörn kaum etwas.

»Waren sie sofort tot?«

»Wird die Gerichtsmedizin feststellen.«

»Das war ein modernes Auto. Brennt das so einfach?«

Brand-Mario zuckte mit den Schultern.

»Nicht so einfach. Aber der hier flog ein paar Meter durch die Luft. Muss ein ganz schönes Tempo gehabt haben für die Stadt. Da werden Kräfte frei. Der Tank kann platzen. Das Metall der Karosserie schlägt beim Aufprall ein paar Funken ... und – wumm! Kann passieren, wenn's blöd läuft.« Er wandte sich dem Wrack zu. Betrachtete es andächtig, fast wie ein Kunstwerk. »Jetzt, wo Sie es sagen ... Die Brandfläche könnte etwas anders aussehen, wenn er gleich beim Aufprall explodierte. Unregelmäßiger ... es sei denn ...«

Jörn zügelte seine Neugier und blieb still. Ließ Brand-Mario untersuchen, nachdenken, Schlüsse ziehen.

»... es sei denn, er lag noch kurz da, und das Benzin sickerte nur aus dem Tank, bevor alles in die Luft flog. Und dort«, er ging ein paar Schritte zur Seite, zeigte auf Glassplitter. »Die hier stammen von keinem Auto. Sondern von einer Flasche.«

»Sie meinen, ein Molotowcocktail?!«

»Waren zum Unfallzeitpunkt Demonstrationen in der Nähe?«

»Ein paar hundert Meter weiter«, sagte Jörn.

»Dann sind die Splitter wohl simpler Müll, den irgendjemand hier liegen gelassen hat.«

»Was hätte das Benzin entzündet, wenn es keine Funken von der Karosserie waren? Wenn der Wagen da schon ruhig gelegen hat?«

Sein Blick wanderte zu dem angeblichen Zeugen, der bei den Kollegen seine Aussage machte.

»Werden wir herausfinden«, sagte Brand-Mario.

»Wann?«

»Heute? Morgen? In einer Woche? Wie Sie sagten: Gerade sollten wir wahrscheinlich woanders sein.«

»Das sollten wir immer.«

»Wie wahr.«

Hinter sich hörte Jörn eilige Schritte. Zwei Polizisten kamen rasch auf ihn zu. Einer hielt sein leuchtendes Handy.

»Das Kennzeichen ist identifiziert«, sagte er zu Jörn.

»Bis später«, sagte Jörn zu dem Feuerwehrkommandanten und wandte sich den Kollegen zu.

»Es gehört zum Wagen eines Limousinenservices«, erklärte der Polizist. »Er war heute Abend für einen Gipfelteilnehmer gebucht.«

Jeder von ihnen stöhnte auf.

»Hoffentlich kein hohes Tier«, sagte Jörn.

»Ein gewisser Herbert Thompson«, erklärte der Kollege. »Wirtschaftsnobelpreisträger.«

Verflucht!

Jack war mit dem Rover weitergefahren und wartete in einer der Seitenstraßen beim Brandenburger Tor. El und Sam hielten sich im Hintergrund. Sorgfältig achteten sie darauf, nicht vor die Linsen der Schaulustigen zu kommen. Ihre Schirmkappen hatten sie tief in die Stirn gezogen, falls es doch passierte.

El interessierte nur der Samariter. Auf dem Rückweg hatte er sein Fahrrad aufgehoben und mitgenommen. Jetzt stand es ordentlich auf seinen Ständer gestützt neben ihm. Seit einigen Minuten redete er mit zwei Polizisten. Gestikulierte, zeigte. Er hatte eine sehr sprechende Gestik. Gerade zog sein Arm einen Bogen durch die Luft von der Straße zu den Bäumen. *So war der Wagen geflogen!* El konnte sich jedes Wort ausmalen. Sicher erzählte er gleich, wie er helfen wollte. Wie dann die bösen Typen gekommen waren, die ihm ans Leder wollten und den Wagen anzündeten. El sah die Polizisten nicken. Ihre Gesichter sagten ihm mehr, als der Samariter in seiner Aufregung wohl wahrnahm. Skepsis. Gerunzelte Stirn. Gut so.

»Die Tasche?«, fragte El.

Bell trug sie noch immer, als wäre sie seine eigene. Wobei sie unter dem muskelbepackten Arm des Einmeterneunzig-Kerls wie ein Puppenspielzeug wirkte. Die Wunde in seiner Hand hatte er mit zwei dicken Pflastern provisorisch verarztet.

Bell öffnete die Tasche, El kramte. Fand eine schmale Geldbörse, zwei Stifte, die Schlüsselkarte von Thompsons Hotel, einen Schreibblock. Flippte hastig durch. Leere Blätter. Eine Mappe mit losen Karteikarten im A5-Format. Dünner Karton, wie sich herausstellte. Auf dem ersten stand in englischer Sprache »Sehr geehrte Damen und Herren, Exzellenzen …« und noch mehr Titel – eine Begrüßung. Das musste es sein. Er überflog noch ein paar Karten. Ja. Kurzer Blick zu dem Samariter. Redete immer noch mit den Polizisten. Weiter mit der Tasche. Ein dicker Stapel gebundener A4-Papiere, auf dem Deckblatt eine Überschrift. *Wealth Economics. By Herbert Thompson and Will Cantor.* Ein USB-Stick. Wer verwendete denn noch so etwas? Ein loses A4-Blatt, dicht vollgeschrieben mit winziger, krakeliger Schrift, die El kaum entziffern konnte.

Während sein Blick wieder den Samariter checkte, streckte er Bell die Hand entgegen wie ein Chirurg während einer Operation.

»Kuvert.«

Bell reichte ihm den bereitgehaltenen Umschlag.

El verstaute die Mappe mit den Karteikarten, den dicken gebundenen Stapel, das vollgekritzelte Blatt Papier und den USB-Stick darin. Zog das Schutzband vom Klebestreifen und verschloss die Lasche. Übergab das Päckchen an Sam.

»Du weißt Bescheid.«

Sam zog ab.

»A-Ge anrufen«, befahl er seinem Headset. Die Augen wieder auf den Samariter.

Am anderen Ende meldete sich die Stimme des Auftraggebers. Im Hintergrund hörte El Stimmengewirr von vielen Menschen.

»Zielpersonen deaktiviert«, meldete El. »Paket unterwegs.«

»Alles glattgegangen?«

»So gut wie. Nur noch eine Kleinigkeit zu erledigen.«

»Muss ich mir Sorgen machen?«

»Nein.«

El beendete das Gespräch und war wieder ganz bei der Szene mit den Polizisten. Sie schienen den Samariter was zu fragen.

Wie haben diese Männer denn ausgesehen, wollten die sicher wissen. Beredte Gesten zur Antwort. Waagrechte Handfläche fast einen Kopf über seinem. *So groß.* Ellbogen raus, Arme gebeugt wie ein Gorilla – hieß wohl: *groß, muskulös.* Die Polizisten notierten pflichtbewusst. Wechselten Blicke. Fragten wieder. Der Samariter sah sich um, zeigte in die Richtung, in die er geflohen war. Zuckte mit den Schultern. *Keine Ahnung, wohin die sind.*

Wir sind da. Näher, als dir lieb sein kann. Ganz nah. Wir behalten dich im Auge.

Hinter Jan schälte die Feuerwehr drei verkohlte Leichen aus der Limousine. Der Ozongeruch des Schweißgerätes vermischte sich mit dem von verbranntem Fleisch und leichtem Müllgeruch aus dem Wald. Um die Straßenlampen Insektenwolken. Jan wagte kaum, sich umzudrehen.

Grelle Scheinwerfer verliehen der Szene ein unpassendes Strahlen. Zwischen den Feuerwehruniformen erkannte Jan kaum das verkohlte Wrack. Der Brechreiz stieg wieder hoch. Trotzdem konnte er den Blick nicht von den grotesken schwarzen Figuren losreißen.

»Jan Wutte?«

Der Polizist war ein hagerer Typ, einer von denen, die sich im Boxstudio Muskeln zulegen oder es zumindest versuchen. Mit ihm fünf seiner Kollegen. Darunter die zwei, die Jan abgefangen hatten.

»Jörn Schesta«, stellte sich der Neue vor. Wirkte wie der Chef der Truppe. Musterte Jan aus schmalen Augen. Senkte den Blick auf sein Handy.

»Achtzehn Jahre, Ausbildung zum Pfleger, seit dem vierzehnten Lebensjahr mehrmals öffentliche Ruhestörung …«

»Das bisschen Party …«

»… mehrfach Konsum illegaler Rauschmittel …«

»Ein paar Joints, Mann …«

»Verdacht auf Körperverletzung …«

»… nichts dran, im Gegenteil«, begehrte Jan auf. »Hab mich aus der Kneipenschlägerei rausgehalten, wurde von fliegenden Stühlen verletzt! Das haben Zeugen bestätigt! Warum wurde das nicht gelöscht?«

»… und jetzt drei Tote.«

Wie bitte?! Und jetzt?!

»Was soll das? Ich habe Ihren Kollegen alles erzählt.«

»Ziemlich abgefahrene Geschichte«, stellte der Polizist fest. »Warum sind Sie weggelaufen?«

»Habe ich doch erklärt! Wegen dieser Typen, die mich niedergeschlagen haben und mit verbrennen wollten! Da, sehen Sie!«

Jan tippte auf seine Stirn. Die rechte Hälfte pulsierte immer noch von der unfreiwilligen Begegnung mit der Karosserie.

Der Blick des Polizisten streifte nur kurz darüber. Er schnüffelte.

»Sie riechen nach Sprit.«

»Eben.«

»Weil Sie damit hantiert haben?«

»Nein! Hören Sie …«

Bleib ruhig!

»Wo kommen Sie her? Von den Demonstrationen? Oder wollten sie da hin?«

»Ich habe echt Besseres zu tun. Ich komme von einer Zwölfstundenschicht im Krankenhaus. Können Sie kontrollieren. Und will nur nach Hause. Duschen, essen, schlafen.«

Der Polizist nickte.

»Wissen Sie, wer in dem Wagen saß?«

»Woher sollte ich?«

»Sie sagten den Kollegen, dass Sie mit einem der Männer noch gesprochen haben.«

»Er stammelte irgendwas. Vielleicht Namen. Ich konnte ihn nicht richtig verstehen. Habe ich alles Ihren Kollegen erzählt.«

»Wenn da noch die anderen Typen waren, wie Sie behaupten …«

»Ich behaupte nicht …«, widersprach Jan.

»… warum haben die Kollegen dann nur Sie angetroffen?«, fuhr der Polizist unbeeindruckt fort. »Noch dazu auf der Flucht?«

»… ich …«

»Und nicht auch die anderen?«

»Na, vielleicht haben sie nicht anständig geguckt!«

Falsche Antwort. Das wusste Jan sofort. Der Typ war aber auch ein Arsch. Lächelte ihn falsch an und schüttelte bedauernd den Kopf. Ließ ihn stehen. Seine Kollegen folgten ihm, redeten auf ihn ein. Jan spitzte die Ohren.

»Sobald … erfahren, wer da womöglich starb, sitzen uns … im Genick«, zischelte der Polizist. »Bürgermeister, Politiker, Medien … Albtraum!«

»Na ja«, sagte ein anderer. »… Gipfel lenkt ab.«

»Nicht, wenn Gerüchte über … Dreifachmord … zu … Opfern … Nobelpreisträger Herbert Thompson.«

Redete der von dem rauchenden Haufen hinter ihnen? Nobelpreisträger? Möglichst unauffällig schob Jan sich ein paar Schritte näher heran.

»… einziger Zeuge …«

»… *wenn* … Zeuge …«

Was sollte das heißen – *wenn*? Sprachen die von ihm? Was sonst sollte er sein?

»… Radikaler …«

»… Molotowcocktail …«

»… vertuschen …«

»… angezündet …«

Die dachten doch wohl nicht …

Sie mussten über etwas anderes reden, als seine wüste Fantasie aus diesen Bruchstücken machte. *Mussten.* Er hatte doch den Notruf verständigt. Er …

Der Polizist tippte auf seinem Telefon. Legte das Gerät an sein Ohr.

»… falls Mord, warum … davongelaufen? … brauchen Ergebnisse … Verdächtige …«

»… mitnehmen … sagen, als Zeuge …«

»Was … ist das?«

Gebannt starrte einer der Polizisten in den mittlerweile nächtlichen Himmel. Die anderen folgten. Gingen einer nach dem anderen, ohne den Blick abzuwenden, ein paar Schritt Richtung Straße, um einen besseren Blick auf das zu erhaschen, was sie sahen. Auch die Aufmerksamkeit der Schaulustigen hatte sich verschoben. Ihre Handys waren nicht länger auf das Wrack, sondern in die Ferne gerichtet.

Jan wandte den Blick. Im schwarzblauen Himmel weiter westlich, hinter der Siegessäule, stiegen Funken hoch. Hunderte. Tausende. Wie bei einem Brand. Einem gigantischen Brand. Über Berlin-Charlottenburg.

9

Die Champagnerkelche in den Händen und das joviale Lächeln in den Gesichtern täuschten Jeanne nicht über die angespannte Stimmung in der Orangerie hinweg. Livrierte balancierten Tabletts mit Horsd'œuvres durch die Menge, doch kaum jemand griff zu. Unauffällig strebte ihre kleine Gruppe auf den chinesischen Handelsminister und seine Entourage zu.

»Die BLA-Sache keinesfalls direkt ansprechen«, warnte Kemp Gellund, »das würden die Chinesen als Affront empfinden und sofort dichtmachen. Umwege, sachte Andeutungen, kommen lassen.«

»Wie lösen wir das Problem mit den westlichen Beteiligungen, die sie abstoßen werden?«, fragte der US-Minister.

Jeanne lief mit den anderen mit. Als einzige Frau, die Gattin des US-Ministers war bei einer anderen Truppe hängengeblieben. Niemand beachtete sie. Neben den Spitzenpolitikern und Milliardären war sie Luft. Und obwohl sie ihr Studium in Bestzeit mit Bestnoten absolviert hatte, erfolgreich als Investmentbankerin und für einen Hedgefonds gearbeitet hatte, nun im innersten Kreis um den Mann neben ihr war – für den sie womöglich mehr sein konnte, wenn sie es zuließ –, fühlte sie sich auf diesem Parkett für einen kurzen Moment wie Aschenputtel.

Sie straffte sich, um diesen Haarriss in ihrem Selbstbewusstsein zu schließen, und bemerkte, dass sich der Ton der Gespräche rund um sie veränderte. Mehr und mehr Blicke wanderten durch die verglasten Bögen der Orangerie.

»Was ist das?«

»Sieht aus wie Loy Krathong.«

»Das thailändische Lichterfest?«

Über den Demonstranten stiegen leuchtende Punkte in den Himmel, wie große Glühwürmchen. Hunderte, vielleicht mehr.

»Jemand wird die Beteiligungen übernehmen müssen, ohne dass es sofort publik wird«, erklärte Ted, das Spektakel draußen ignorierend.

»Die jeweiligen Staaten können das nicht mehr«, warf der deutsche Wirtschaftsminister ein, »zumindest nicht komplett.« Ihm war natürlich bewusst, dass BLA und andere chinesische Konzerne in den letzten Jahren Beteiligungen auch an Dutzenden deutschen Unternehmen gekauft oder sie vollständig übernommen hatten. Ein Rückzug der Chinesen in dieser Situation würde Hunderttausende Arbeitslose bedeuten.

»Ich könnte«, sagte Ted. »Und Kemp hier. Und Wilbur dort drüben«, er nickte in Richtung eines anderen alten Mannes, um den sich eine Gruppe mehr oder weniger bekannter Gesichter scharte. »Ich wette, er denkt schon darüber nach. Und andere auch.«

»Weiß er denn Bescheid?«

»Davon können Sie ausgehen. Besser natürlich, wir würden das koordinieren.«

Das hatte Ted gemeint! Heute Nacht werden Vermögen gemacht. Seines. So wie andere 2008/2009. Investorenlegende Warren Buffett etwa hatte am Tiefpunkt der Krise fünf Milliarden Dollar in die Investmentbank Goldman Sachs gesteckt und sich Optionen für Aktienkäufe gesichert. Fünf Jahre später waren aus den fünf Milliarden acht geworden. Von solch einer Rendite konnten Normalsterbliche nur träumen.

»Wir können das natürlich nur unter bestimmten Bedingungen«, sagte Ted.

»Was für Bedingungen?«, fragte der Minister.

»Drohnen!«, brach jemand hervor. »Das da draußen sind beleuchtete Drohnen!«

Inzwischen mussten es Tausende sein. Jetzt hatten sie auch die Aufmerksamkeit ihrer Gruppe. Die Flugobjekte formierten sich zu verdächtigen Schwärmen, fand Jeanne.

»Jemand koordiniert die«, stellte sie fasziniert und zugleich beunruhigt fest. »Anders ist das nicht erklärbar.«

Innerhalb der Orangerie reckten mehr und mehr Gäste die Handys hoch, um das Spektakel vor den Fenstern zu filmen.

»Der Preis muss stimmen«, kam Ted unbeeindruckt zum Thema zurück, »aber die Chinesen sind unter Druck, also werden sie uns entgegenkommen. Trotzdem bleibt es ein Risiko. Wir brauchen daher Staatsgarantien und Steuervergünstigungen oder sogar -befreiungen für die ersten Jahre.«

Die Lichter begannen sich zu ordnen. Fügten sich zu einem gigantischen Kreis, hoch wie ein Wolkenkratzer. Geteilt durch eine senkrechte Linie. Zu der sich nun noch zwei schräge Linien gesellten.

»Ein Peace-Zeichen!«

Sicher hundert Meter hoch.

Die ersten Gäste drängten ins Freie, um besser zu sehen. Mehr als die Hälfte filmte jetzt mit ihren Telefonen, selbst Milliardäre und Präsidentengattinnen.

»Sie wollen Schnäppchen machen, für die wir auch noch Sicherheiten und Steuererleichterungen geben sollen?«, fragte der deutsche Wirtschaftsminister unwirsch.

»Wir wollen nur helfen«, sprang Gellund Ted bei, »und würden dafür Milliarden riskieren. Aber nicht unseren Hals.«

»Damit wäre niemandem gedient«, sagte Ted. »Schon im Sinn

unserer Investoren müssen auch wir das Risiko wenigstens begrenzen. Und es muss schnell gehen. Bis die asiatischen Märkte öffnen, brauchen wir verbindliche Zusagen.« Schulterzucken. »Die Alternative haben wir vorher schon besprochen.« Er zeigte hinaus. »Da werden denen da draußen auch keine Lichtspiele helfen.«

Das strahlende Friedenssymbol begann sich um die eigene Achse zu drehen. Wie ein außerirdisches Raumschiff, das über der Stadt Position bezogen hatte.

Das Raunen im Saal wurde lauter. Kippte in Schreckensrufe.

»Das kommt auf uns zu!«

10

»Holt mir die runter!« Stellvertretender Polizeipräsident und Einsatzleiter Eduard Köstritz tobte vor den Bildschirmen im Sonderlagezentrum Berlin-Mitte. »So eine Scheiße! Sind die wahnsinnig?!«

Gebannt verfolgte Maja Paritta das Peace-UFO auf den zentralen Monitoren. Auf anderen Screens flimmerte ein wildes Szenenpotpourri. Luftbilder der Hubschrauber über Charlottenburg und dem Demonstrantenmeer.

»Warum blockieren die Kollegen friedliche Demonstranten«, hatte Maja Köstritz gefragt, »und nicht die Gewalttäter hier?« Bilder nordöstlich der Hauptdemo: Vermummte wuchsen aus den Rauchschwaden. Warfen. Gingen aufeinander los. Brennende Autos. Keine Polizisten.

»Budget bekomme ich bei Bildern von ungehinderter Gewalt, nicht bei solchen von Frieden«, hatte Köstritz' Antwort gelautet.

Maja war für einen Moment sprachlos gewesen. Passierte selten.

Eigentlich gehörte sie einer der neun Berliner Mordkommissionen an. Während des Gipfels jedoch musste sie sich, wie all ihre Kollegen, die keine aktuellen Fälle aus den vergangenen achtundvierzig Stunden ermittelten, für Sondereinsätze bereithalten. Maja hatte den schwarzen Peter gezogen: die Einsatzzentrale.

»Diese Mistkerle!«, tobte Köstritz. »Diese verdammten Arschlöcher! Das kommt die teuer zu stehen!«

Auf einigen Monitoren liefen aktuelle Nachrichtenkanäle und Livestreams. Inzwischen übertrugen alle die Bilder vom Peace-UFO in die ganze Welt.

»Holt mir das runter!«, brüllte Köstritz fast panisch. »Störsender, irgendwas!«

»Zu spät«, sagte ein Kollege vor den Monitoren. »Die würden jetzt alle auf die Orangerie regnen.«

Das Zeichen blieb an Ort und Stelle und drehte sich langsam. Legte sich in Zeitlupe waagrecht. Nun würde man es von dem Staatsempfang aus noch besser sehen.

»Ein Albtraum«, stöhnte Köstritz. Natürlich. Er würde eine Erklärung abgeben müssen. Wie es dazu hatte kommen können. Und was, wenn es nicht bei friedlichen Leuchtsymbolen blieb? Wenn die Drohnen mehr vorhatten? Sie waren zwar kleine Spielzeuge, aber wer wusste, womit sie beladen waren?

Köstritz' Assistent eilte mit einem Handy auf ihn zu.

»Lass mich raten«, ächzte Köstritz. »Der Polizeipräsident? Der Innenminister? Der …«

»Ganz was anderes«, sagte er.

Auf den fragenden Blick drückte der Assistent Köstritz das Handy in die Hand.

Langsam richtete sich das Lichtzeichen wieder auf.

»Das muss über der Demo vor Schloss Charlottenburg sein«, meinte ein Kollege neben Jörn.

»Wer macht das? Und wie?«, fragte ein anderer.

»Drohnen«, sagte Jörn. Einer tippte ihm auf die Schulter, lenkte seinen Blick Richtung Wrack. Wo Jan Wutte gestanden hatte.

»Wo ist er?«, fragte Jörn. »Eben war er noch da!«

»Sein Rad ist auch verschwunden!«

Hektisch suchte Jörns Blick die Sperrzone ab.

»Verdammt! Der ist abgehauen! Das sagt alles. Fahndung!«

11

Der Samariter hatte beim Wrack gestanden und den Polizisten zugehört. El hatte seine Ohren förmlich wachsen sehen.

Als sich alle nur mehr für das Leuchtspektakel über Charlottenburg interessierten, hatte er sich wie in Zeitlupe von der Polizistentruppe entfernt. Hatte sein Fahrrad genommen. Ganz beiläufig. So: Ich geh dann mal jetzt. Er war gut, das musste man ihm lassen. Keine hektischen Bewegungen, keine spürbare Nervosität. Hätte El ihm nicht zugetraut. Hatte sein Bike am Wrack vorbeigeschoben, ohne dass er jemandem auffiel. War durch das Gewimmel spaziert wie ein Geist. Die Polizistengruppe war so mit sich selbst und den Lichtspielen am Himmel beschäftigt, dass sie nicht bemerkten, wie er seinen Drahtesel unter den Absperrbändern hindurchbugsierte, unbehelligt von den dortigen Uniformierten. Die durften bloß niemanden hereinlassen. Von »niemand darf hinaus« hatte ihnen keiner etwas gesagt. Kaum hatte der Samariter sein Rad hinter den Schaulustigen bestiegen, strampelte er los wie vom Teufel gejagt. Nicht auf der Straße, sondern im Dunkel des nächtlichen Parks. Einen Augenblick später bemerkten die Polizisten, die ihn befragt hatten: kein Samariter. Aufgeregtes Hin- und Herlaufen, geschnauzte Befehle. Nicht gerade souverän.

Da waren El und Sam bereits hinter dem Samariter her. Rannten durch den Wald Richtung Brandenburger Tor. Rob sollte vorerst bleiben. Vielleicht konnte er herausfinden, was den Samariter in die Flucht getrieben hatte. El fiel nur eine Möglichkeit ein: Sie glaubten ihm seine Story nicht. Was immer er erzählt hatte. Schlimmer noch für ihn: Sie glaubten, er hätte etwas mit dem Brand zu tun. Vermutlich hatte er ihnen die Wahrheit erzählt. Oder was er dafür hielt. Aber die Wahrheit glaubt man nicht immer gern. Erst recht nicht, wenn sie nicht ins Bild passt, das man sich schon gemacht hat. Einer der Polizisten hatte genau das wohl schon getan: sich ein Bild gemacht, in das der Samariter besser als Täter passte. Klassischer Bestätigungsfehler: Du berücksichtigst nur Informationen, die deine Ansicht untermauern. Wer eine Meinung hatte, brauchte doch keine Fakten!

Der Samariter fuhr Richtung Brandenburger Tor. El und Sam waren gut in Form. Zwar vergrößerte sich der Abstand, aber sie behielten ihn im Auge. El informierte Jack im Rover per Headset. Die Frage war, wer ihn zuerst erwischte. Die Polizei oder sie.

Jan strampelte wie ein Verrückter. Die Polizei brauchte einen Verdächtigen. Einen Sündenbock. Er brauchte einen Plan. Vielleicht war abhauen in diesem Moment nicht die beste Idee. Aber zum Sündenbock hatte er weder Lust noch Nerven. Die wollten ihm aus ein paar Partys und Joints einen Strick drehen! Und die Kneipenschlägerei! Zeuge war er gewesen, sonst nichts! An die Wand gedrückt, hatte er versucht, den fliegenden Stühlen, Flaschen und Fäusten auszuweichen. Trotzdem: Eine Flasche hatte ihn an der Schläfe getroffen, ein Stuhl am Körper. Die blauen Flecken hatte er noch Wochen danach gespürt. Drei Schläger und zwei Unbeteiligte waren schwerstverletzt liegen geblieben, vier weitere Schläger erst mal abgehauen. Der Bulle auf der Polizeistation war genau wie jener eben: Erst mal Jan verdächtigen. Ein Scheißgefühl gibt dir das. Wie ein Verbrecher. Obwohl du unschuldig bist. Arzt: Fehlanzeige. Am Ende hatten sie ihn gehen lassen müssen, genug andere hatten seine Unschuld bezeugt. Und dennoch stand es in seiner Akte!

Heute Abend gab es keine Zeugen. Und wenn einer der Toten tatsächlich weltberühmt war, hatten sie ein Problem. Superdruck von allen Seiten, ein schnelles Ergebnis zu präsentieren. Jan wollte kein schnelles Ergebnis sein.

Obwohl ihn seine Flucht womöglich dazu gemacht hatte.

Nach Hause konnte er vorerst nicht. Er sah sich um. Waren die Killer abgehauen? Oder hatten sie alles beobachtet? Langsam wurde es voller. Vor dem Brandenburger Tor fand eine kleinere Demonstration statt, morgen würde hier die große abgehen.

Das Tor und der dahinter liegende Pariser Platz waren bereits durch massive Polizeibarrikaden abgesperrt. Jan wich nach Norden aus. Unterhalb des Reichtags kam er durch in Richtung Friedrichstraße. Hier waren ordentlich Leute unterwegs. Er fühlte sich ein wenig sicherer.

Was hatte ihm der Mann sagen wollen? Chantal. Zumindest hatte Jan sich das zusammengereimt. Eventuell noch ein Name. Fitzroi Piel. »Was für ein Name soll *das* denn sein?«, hatten die Polizisten ihn gefragt. Jan sich selbst auch.

Er hielt an und blickte sich noch einmal nach allen Seiten um. Die Luft schien rein.

»Stopp!«, befahl El über das Headset. »Er hält!«

Sie waren im Rover etwa zweihundert Meter hinter dem Samariter. Vor ihnen vier andere Wagen. »Jack, brems dich irgendwo ein.«

Jack lenkte den Wagen in eine Einfahrt. El sah, wie der Samariter sein Handy hervorholte.

»Okay«, sagte El. »Weiter. Nicht zu schnell, unauffällig. Sobald wir ihn erreicht haben, holen wir ihn in den Wagen.«

Jack kurbelte am Lenker und wartete, bis ihm eine Lücke im Verkehr die Weiterfahrt gestatten würde.

Meintest du Fitzroy Peel?

Keine Ahnung, was ich meine, dachte Jan.

2307 Treffer.

Die ersten Bilder zeigten alle denselben Typen. Schlaksig, Mitte dreißig, schätzte Jan, nicht mehr so viele Haare auf dem Kopf. Immer saß er an Spieltischen, Karten in der Hand, Chip-Stapel vor sich. Jan überflog die Ergebnisse. Das Internet kannte tatsächlich jemanden, der so hieß. Dieser hier schien Profi-Spieler zu sein. Engländer. Jan sprang in den Suchergebnissen einige Seiten weiter. Immer noch der Spieler. Einen anderen gab es nicht.

Das Internet gab Jan keine Auskunft darüber, wo sich Fitzroy Peel aufhielt. Oder warum jemand ausgerechnet ihm seine letzten Worte widmete. Wenn sie ihm überhaupt gegolten hatten. Oder hatte der Mann im Wagen ihm womöglich seinen Mörder verraten wollen?!

Jan versuchte sich an die Gesichter der vier Killer zu erinnern. Ambosskinn war nicht Fitzroy Peel. Tankdeckel auch nicht. Die anderen beiden hatte er nicht so genau gesehen. Schlaksig war jedoch keiner gewesen.

Nach Chantal zu suchen war zwecklos. Blieb *Goldenbar*. Oder *Golden Bar*. Oder ganz etwas anderes? Jan tippte Zweiteres.

Der Samariter stand etwa hundert Meter entfernt über sein Handy gebeugt. Vor ihnen zockelte ein Kleinstwagen hinter einem anderen Radfahrer her. Die nächsten Scheinwerfer hinter ihnen waren sicher noch zweihundert Meter entfernt. Auf den Bürgersteigen waren wenig Passanten unterwegs, niemand in unmittelbarer Nähe. Aber womöglich sah jemand aus einem Fenster. Auch egal. Ihr Kennzeichen war nicht zu identifizieren.

»Jack«, sagte El, »bleib direkt neben ihm stehen. Ich blockiere ihn mit meiner Tür.« Zu den beiden auf der Rückbank: »Sam, Bell, ihr zieht ihn rein.«

Schon während der Eingabe bot das Suchprogramm Jan erste Vorschläge. Der dritte lautete »Golden Bar, Berlin«.

Es gab also tatsächlich eine Bar dieses Namens, Berlin-Mitte, einen guten Kilometer entfernt. Und Abermillionen andere Treffer zu Golden Bar allgemein. Die im Moment deutlich weniger passten. Aber eigentlich passte hier gerade gar nichts.

Jan brauchte noch immer einen Plan. Ihm fiel nur einer ein.

Er steckte das Telefon weg und stieg wieder auf sein Rad.

Auf den Bildschirmen des Lagezentrums galten die meisten Blicke noch immer dem gigantischen leuchtenden Peace-Zeichen. Aus dessen oberster Rundung lösten sich Lichter, wie vom Wind vertrieben, Richtung Demonstration. Weitere folgten ihnen.

»Was ist jetzt los?«, rief der stellvertretende Polizeipräsident Köstritz, das Telefon des Assistenten noch in der Hand.

»Greifen sie an?!«

Das Zeichen löste sich von oben her auf wie ein zerblasenes Puzzle. Ein Licht nach dem anderen verlosch. Binnen einer halben Minute war der Spuk vorbei.

»Dreckskerle«, zischte Köstritz noch einmal. Und doch erleichtert. Dann wandte er sich an Maja.

»Akkus leer«, mutmaßte einer der Operatoren am Bildschirm.

»Ziel erreicht«, sagte ein anderer. »Die Bilder gehen um die Welt.«

»Ich habe einen Auftrag für Sie, Paritta«, wandte sich Köstritz an sie.

Zum Glück, dachte Maja. Dann durfte sie hier raus.

Köstritz senkte die Stimme: »Es gab einen Unfall. Der Wagen ist mit drei Insassen verbrannt. Noch keine Identifikationen. Ein Zeuge ist verdächtig verschwunden.«

»Verdächtig oder verschwunden? Oder beides?«

»Sehen Sie es sich an. Aber superdiskret!«

»Superdiskret?«, fragte sie. »Heikle Insassen?«

»Die Limousine war für einen der Eröffnungsredner gemietet. Wirtschaftsnobelpreisträger Herbert Thompson.«

12

»Wir sehen uns heute Abend noch«, erklärte der chinesische Handelsminister mit undurchdringlicher Miene.

»Selbstverständlich«, erwiderte der US-Finanzminister. »Wir sind sicher noch eine Weile da.«

Sie verabschiedeten sich mit einem Nicken. Mit ihnen kamen der französische Wirtschaftsminister und ein britischer Diplomat, die sie bei dem Chinesen angetroffen hatten. Langsam mussten sie an die Tische, die deutsche Kanzlerin wollte ihre Begrüßungsrede halten.

»Lief doch«, sagte der US-Finanzminister.

»Zu glatt«, murmelte Gellund. Mehr bekam Jeanne nicht mit. Ein attraktiver, gebräunter Mittvierziger strahlte Ted entgegen.

»Ted!«

»Maurizio!«

Trittone. Italienischer Wirtschaftsminister, Führer einer rechtsnationalen Populistenpartei, Schlüsselfigur bei einem möglichen Austritt Italiens aus der Europäischen Union, wusste Jeanne. Vor einer Stunde hatte sie ihn noch in den News im Badezimmerspiegel gesehen. Er lächelte sie gewinnend an. Gewandt blieb Ted einen halben Schritt zurück und lenkte so die Begrüßungshand des Ministers in Jeannes Richtung, wohin sie ohnehin bereits unterwegs gewesen war.

»Jeanne Dalli«, stellte Ted sie ohne weitere Erklärungen vor.

Jeanne Dalli. Mitarbeiterin? Begleiterin für den Abend, weil ausreichend präsentabel auf diesem Parkett? Eine Art offizielle Einführung als mehr? Die übrigen Mitglieder seines Assistenzteams wussten von nichts. Hoffte Jeanne. Die Einladung, ihn zu diesem Dinner zu begleiten, kam für die anderen nicht überraschend. Jemand aus der Truppe musste bei solchen Gelegenheiten immer in Teds Nähe bleiben, während sich der Rest im Hintergrund bereithielt.

»Begleite uns doch, Maurizio«, forderte Ted ihn mit einem sanften Fingertipser gegen den Unterarm auf. Der Italiener fühlte sich sichtlich geschmeichelt.

Sie holten die anderen wieder ein.

»... GM diesmal aufgeben«, sagte der US-Finanzminister soeben. »Schlechtes Management muss nicht auch noch belohnt werden.«

»Dies ist der falsche Moment für eine *Moral Hazard*-Diskussion«, widersprach ihm sein Kollege vom Handelsministerium. »Die potenziellen Folgen haben wir schon diskutiert. Denk an Lehman 2008.«

Jeanne erinnerte sich: Auch 2008 hatte man diskutiert, Manager für das Hasardieren mit Risiken zu bestrafen, indem man die Unternehmen nicht rettete. Womit man im Wesentlichen die Mitarbeiter bestraft hätte, denn die Manager hatten ihre Schäfchen ohnehin im Trockenen. Auch später wanderte so gut wie kein Verantwortlicher ins Gefängnis.

»Nur die Stärksten überleben, *Survival of the fittest* ...«

»Das Überleben der Angepasstesten«, warf der englische Diplomat ein, »ein guter Ansatz ...«

»Das Überleben der Stärksten«, korrigierte der US-Finanzminister.

»*The fittest* ist bei Charles Darwin nicht der körperlich oder geistig Stärkste«, erklärte der Diplomat. »*The fittest* kommt von *to fit in*. Darwin beschreibt damit diejenigen, die sich am besten an die herrschenden Umstände anpassen. Kurz: *Survival of the fittest* bedeutet nicht das Überleben der Stärksten, sondern eben der Angepasstesten.«

So hatte Jeanne noch nie darüber nachgedacht.

»Sie meinen, das ist alles ein Riesenmissverständnis?«, fragte sie. »All diese Alphatiere hier im Raum glauben, sie stehen an den Spitzen ihrer Gesellschaften, weil sie deren Beste, Stärkste und Außergewöhnlichste sind? Dabei sind sie das genaue Gegenteil – die Angepasstesten?«

Nicht sehr diplomatisch. Einen Moment lang herrschte betroffenes Schweigen. Nur der Brite grinste sie an, ein mächtiger Frühsechziger mit weißem Haarkranz. Ambrose Peel, wenn sie sich richtig erinnerte.

»Er hat recht«, brach Ted das Schweigen mit einem Lachen. »Fängt schon bei der Kleidung an.«

Alle Männer in der Runde trugen Smoking. Lachten ... ihre Irritation weg.

Ted zwinkerte Jeanne zu, als wollte er sagen: Das war witzig!

»Das heißt«, wurde der US-Finanzminister wieder ernst, »die Unternehmen sind an die momentanen Umstände nicht angepasst genug. Läuft auf dasselbe hinaus.«

»So wenig angepasst wie die Dinosaurier an einen gigantischen Meteoriteneinschlag«, wandte der deutsche Wirtschaftsminister ein. »Niemand ist an eine solche Situation angepasst, wie wir sie gerade wieder erleben.«

»Gerade wieder verursacht haben«, erwiderte Peel. »Eine Finanz- und Wirtschaftskrise ist im Gegensatz zu einem Meteoriten keine Naturkatastrophe, sondern menschengemacht.«

»Trotzdem müssen sich die Unternehmen wie auch die Menschen der Situation stellen und sich ändern«, beharrte der US-Finanzminister.

»Einen konservativen Sozialdarwinisten wie Sie bringt das natürlich in einen unauflösbaren Konflikt«, sagte Peel. »In einer sich ständig wandelnden Welt bedeutet Anpassung, sich ständig verändern zu müssen. Genau das Gegenteil von konservieren, von konservativ sein. *Survival of the fittest* oder konservativ, da werden Sie sich entscheiden müssen. Beides gleichzeitig geht nicht.«

»Deshalb komme ich so gern zu diesen Veranstaltungen«, scherzte George, der die wachsende Irritation seines Finanzministers bemerkt hatte und diplomatisch abfangen wollte. »Man lernt immer wieder dazu.«

»Miss Dalli hat es ganz richtig erkannt«, sagte Peel hartnäckig lächelnd. *Danke, mach mich zu einer Favoritin des Ministers!* »Würden alle hier akzeptieren, dass sie nicht die Stärksten, sondern die Angepasstesten sind, müssten sie sich diese vermeintliche Stärke nicht mehr wie Kampfhähne gegenseitig beweisen und könnten sich in ihrer Uniformität gelassen vertragen.«

Amüsanter Kerl, dachte Jeanne, aber große Karriereambitionen hatte er gewiss nicht mehr.

»Wunderbar!«, lachte der Franzose und klopfte dem Engländer auf die Schulter. »Alle Probleme gelöst!«

Außer, dass uns gerade wieder einmal das Weltwirtschaftssystem um die Ohren zu fliegen droht, dachte Jeanne. Obwohl seit dem letzten Mal jeder behauptet hatte, nun sei alles viel sicherer. Und es blieben nur mehr wenige Stunden, um das zu verhindern.

Der Lärm Hunderttausender Betroffener drang bis zu ihnen in die Orangerie, wenn auch gedämpft. Unwillkürlich rief er in Jeanne eine Erinnerung wach. Nach dem Virginia Tech Shooting 2007 war sie wie zahlreiche Schülerinnen und Schüler im ganzen Land für Gedenkveranstaltungen und eine Verschärfung der US-Waffengesetze auf die Straße gegangen. Zum ersten und letzten Mal bisher. Die Gefühle von Gemeinsamkeit, Bewegung, Aufbruch, Dringlichkeit. Tage des inneren Aufruhrs. Ihr Vater hatte getobt. Und sie damit noch bestärkt. Jugendlicher Widerspruchsgeist. Doch geändert hatten sie nichts. Die Occupy-Wall-Street-Leute im Zuccotti Park 2011 hatte sie auf dem Weg zur Arbeit in der Investmentbank nur mehr mitleidig belächelt. *Da draußen ändert ihr nichts.*

13

Golden Bar. Tucholskystraße, mitten im szenigen Berlin-Mitte. Jan verglich die Adresse mit den Angaben auf seinem Telefon. Das musste sie sein. An den Tischen auf dem Bürgersteig saßen ein paar Hartnäckige und Raucher mit ihren halb vollen Biergläsern. Jan schloss sein Rad an ein Verkehrsschild auf der gegenüberliegenden Straßenseite. Die Gasse war bevölkert von Demo-Party-Volk. Typ Normalo, ganz okay eigentlich für Mitte. Die Tür des Lokals spuckte eine lachende Gruppe aus.

Jan starrte auf den Eingang der Bar. *Was tust du hier?*

Noch einmal checkte er Fitzroy Peels Gesicht auf dem Telefon. Dann gab er sich einen Ruck.

Einen Atemzug lang musste er sich an das gelborange Schummerlicht im Innern der Kneipe gewöhnen. Gestopft voll. Dicker Stimmteppich aufgekratzter Gäste, unterlegt von einem gut gelaunten Rat Pack.

Irgendwo das Grölen sehr heiterer Runden. Dunkles Holz bis an die Decke. Ein Dutzend Tische, dahinter eine Bar in lang gestreckter U-Form mit zahllosen Flaschen. Links und rechts davon mehr Tische, die sich im Zwielicht nach hinten verloren. Durch das Gedränge kämpfte sich Personal. Den Tabletts nach zu schließen wurde hier alles getrunken, vom Obstsaft bis zum karibischen Cocktail, hauptsächlich Bier.

Wie sollte er hier drin einen Wildfremden finden, der wahrscheinlich gar nicht da war? In seiner Erinnerung tauchte der Mann im Wagen auf, flüsterte Worte, die er nicht verstand. Vielleicht hätte der ja durchgehalten, bis der Krankenwagen kam.

Frustriert ließ Jan sich durch den Raum treiben, suchte in den Gesichtern. Gespräche über Reisen, Freundinnen, Feinde, Kolleginnen, Autos. Flirten, Braten, Lachen, Langeweile. Er schob sich zur Bar. Vor ihm warteten zwei junge Frauen. Die Musik gab Tempo. Neben den Frauen sah er eine Gruppe junger Leute, Pärchen im Gespräch. Manche davon Tinder-Dates, das zeigte ihre Körpersprache. Um Lockerheit bemüht, oft zu viel, dabei eigentlich gehemmt. Das Gegenüber neugierig, aber noch reserviert. Oder zu aufgeregt. Kannte er nur zu gut. Jan bestellte ein kleines Bier. Während der Keeper zapfte, schweifte sein Blick weiter. Im hintersten Ende des Lokals bemerkte er eine besonders lebendige Runde. Diskutierten, gestikulierten. In ihrer Mitte ein langer Kerl. Der Kopf war kahl rasiert.

Jan zückte sein Handy. Rief die Seite mit Fitzroy Peels Bildern auf.

Sein Magen kribbelte. Könnte er sein.

Der Barkeeper stellte das Bier auf die Theke. Jan zahlte rasch, ohne den Glatzkopf aus den Augen zu lassen. Seine Züge schienen kantiger als auf den Bildern, die er gesehen hatte, die Nase größer. Jan schnappte sich das Glas und drängte sich in seine Richtung.

Zweite Entscheidung

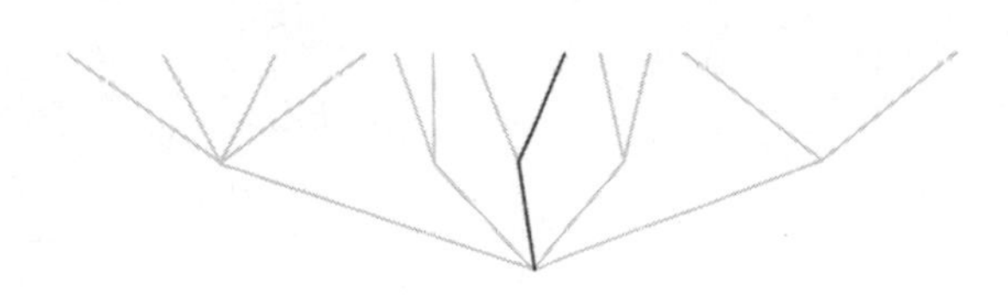

»Mit Fortlauf der Evolution bilden bestimmte chemische Einheiten nach demselben vorteilhaften Prinzip Verbünde, die wir Zellen nennen.«

Will Cantor

14

»Klar gewinn ich«, polterte ein großer Typ mit ordentlichem Bauch, über das sich ein T-Shirt mit Spruch spannte. Mindestens ein Dutzend Leute standen um einen Tisch mit halb vollen Gläsern. Keiner saß.

»Erklär's noch mal«, forderte ein Kleinerer mit faserigem Schnurrbart, der Jan an einen Gallier aus Asterix-Comics erinnerte. Seine braune Lederjacke war um zwei Nummern zu groß.

»Ein letztes Mal für die ganz Schlauen«, sagte der Mann, der aussah wie Fitzroy Peel, mit englischem Akzent. »Es gibt da diese Wette: Dein Startkonto hat hundert Punkte. Dann werfen wir eine Münze. Hundert Mal. Bei Kopf gewinnst du fünfzig Prozent deiner Punkte. Bei Zahl verlierst du vierzig Prozent der Punkte. Wenn du nach den hundert Würfen mehr als deine ursprünglichen hundert Punkte hast, verdopple ich deinen Einsatz. Sagen wir, Maximaleinsatz hundert Euro. Würde also verdoppelt auf zweihundert Euro. Spielst du? Oder spielst du nicht?«

»Klar spiele ich!«, rief T-Shirt. »Ist eine sichere Bank. Lass uns endlich anfangen!«

Jan überlegte, ob er spielen würde. Hundert Würfe. Würde ungefähr auf halbe-halbe Kopf oder Zahl hinauslaufen. Bei der Hälfte der Würfe würde er fünfzig Prozent gewinnen, bei der anderen Hälfte vierzig Prozent verlieren. Blieben zehn Prozent Plus. Müsste er also am Schluss mehr als hundert Punkte haben und gewinnen. Klang tatsächlich wie eine sichere Bank. Aber Mathe war nicht seine Stärke. Wann brauchte man sie schon im normalen Leben? Seine Gedanken wanderten zurück zu dem Wrack. Er umklammerte sein Bier.

»Wieso sichere Bank?«, fragte eine Frau mit orangen Haaren und sehr rotem Lippenstift. Sie trug eine schwarze Jeansjacke über einem engen Top mit Glitzerzeug darauf.

»Ist ganz einfach«, erklärte T-Shirt selbstbewusst. »Musst nur den Durchschnitt ausrechnen. Also alle möglichen Ergebnisse, dividiert durch die Anzahl dieser Ergebnisse. In diesem Fall hundertfünfzig Prozent deiner hundert Punkte oder sechzig Prozent. Macht zusammen zweihundertzehn Prozent, geteilt durch zwei für den Durchschnitt. Ergibt hundertfünf Prozent der ursprünglichen Punkte. Also fünf Prozent plus. Pro Runde! Im Schnitt natürlich.«

Ah. Anders, als Jan sich das gedacht hatte. Und viel mehr Gewinn! Klar. Pro Runde. Das hatte er nicht bedacht.

Stolz über seine Erklärung blickte T-Shirt in die Runde. Die anderen dachten nach. Dann rief der Erste: »Ich bin dabei!«

Ein Zweiter wollte auch mitmachen.

»Moment!«, rief ein Dritter dazwischen. Der Gallier. »So einfach ist das nicht! Du musst den Durchschnitt anders ausrechnen! Die Wahrscheinlichkeit muss mit hinein!«

Jan hatte es geahnt. Mathe. Nicht seine Stärke.

»Na, Schlauberger, lass hören!«, forderte ihn T-Shirt heraus.

»Bei Kopf gewinnst du das 1,5-Fache des Einsatzes«, erklärte der Gallier. »Bei Zahl bleiben dir sechzig Prozent des Einsatzes übrig, also das 0,6-Fache. Die Wahrscheinlichkeit für beide Varianten ist halbe-halbe, also jeweils 0,5.«

Er griff sich eine Serviette, zauberte einen Stift aus seiner Jacke und begann auf die Serviette zu kritzeln.

»Der erwartete Gesamtwert des Spiels beträgt nach dieser

Rechenweise also 1,5 mal 0,5 plus 0,6 mal 0,5. Macht also das 1,05-Fache deines Einsatzes. Fünf Prozent. Pro Runde.«

Jan starrte auf die Serviette. Ihm schwirrte der Kopf. Er nahm einen ordentlichen Schluck.

T-Shirt brach in schallendes Gelächter aus.

»Fünf Prozent! Sag ich doch! Echter Schlauberger!«

»Ja, aber richtig berechnet«, beharrte der Gallier beleidigt.

»So oder so ein durchschnittlicher Gewinn von fünf Prozent pro Runde. Macht über hundert Runden … auf jeden Fall eine ganze Menge«, tönte T-Shirt.

»Das 131,5-fache«, erklärte der Gallier.

»Ich bin drin!« T-Shirt wedelte mit einem Hunderter. »Wenn aus hundert Punkten 13 150 werden, wird mein Hunderter hier garantiert verdoppelt!«

Wollten die jetzt spielen? Hundert Mal eine Münze werfen? Das würde ein langer Abend werden.

Der Glatzkopf, Vielleicht-Fitzroy-Peel, setzte sich an den Tisch, schob die Gläser zur Seite. Legte eine Papierserviette vor sich hin, zauberte einen Stift aus seiner Freizeitjacke.

Warum bot er diese Wette an, wenn die anderen doch so sicher gewinnen würden?

»Euren Einsatz nehme erst einmal ich. Und jeder braucht eine Münze.«

Sieben Männer und zwei Frauen folgten, hinter ihnen drängten sich Neugierige. Die Spieler legten Scheine auf das Holz des Tisches. Hunderter, Fünfziger. Dazu jeweils eine Münze. Ein oder zwei Euro.

»Okay, schiebt die Münzen jeweils eurem Nachbar rechts zu. Damit hier nicht geschummelt wird. Danach beginnen wir. Ihr werft eure Münzen, fangt, auf den Handrücken und präsentieren. Ich schreibe die Punkte auf.«

Auf der Serviette zeichnete er neun Spalten auf, an deren Kopf die Buchstaben A bis I. Darunter den jeweiligen Einsatz und darunter jeweils die Zahl Hundert. Die Startpunkte.

Etwas an der Sache war faul, da war Jan sich sicher. Warum sonst sollte Vielleicht-Peel diese Wette eingehen? Trotzdem. Noch wusste er nicht, welche Rolle Peel in der Mordsache spielte. Direkt ansprechen konnte er ihn vor all den Leuten nicht. Er musste unauffällig mit ihm ins Gespräch kommen.

»Ich bin auch dabei!«, erklärte er.

Vielleicht-Peel sah kurz hoch.

»Einsatz«, sagte er.

Jan nestelte einen Fünfziger hervor. Viel mehr hatte er nicht. Eine Münze noch. Jan setzte sich direkt neben den Glatzkopf, schob ihm seine Münze zu. Der gab sie weiter an den Spieler rechts von ihm. Der Glatzkopf fügte auf der Serviette eine zehnte Spalte auf hinzu. J. Passte zu Jan. 100 Startpunkte.

»Ach ja« – Jan reichte Vielleicht-Peel die Hand – »Jan.«

Überrascht blickte der Typ ihn an. Dann erwiderte er den Gruß.

»Freut mich, Jan«, sagte er. »Ich bin Fitzroy.«

»Was macht er?«

El war im vorderen Teil des Lokals geblieben, wo ihn der Samariter kaum entdecken konnte. Jack war ihm gefolgt. Als Fahrer des Rovers war er der Einzige, den der Samariter nicht beim Wrack gesehen hatte.

»Wirst du nicht glauben«, hörte El Jacks Stimme in seinem Headset. »Er spielt.«

»Spielt was?«

»Um Geld. Keine Ahnung, was das soll.«

Jemand schob El von hinten, um an ihm vorbeizukommen. Er gab nach. Nicht auffallen. Sein Blick glitt durch den Raum. Neben der Eingangstür fand gerade ein Deal statt. Wenn man genau hinschaute und eine Ahnung hatte, wie so etwas aussah.

Ob das Personal davon wusste? Den Stoff konnte El nicht erkennen. Der Kunde sah nach gewöhnlichem Gras aus. So wie der ganze Laden.

»Was spielen sie?«, fragte Sam über sein Mikro. »Karten? Poker? Black Jack?«

»Sehe keine Karten. Nur Geld.«

»Wie sieht es mit weiteren Eingängen aus? Hinter- und Notausgänge?«, wollte El wissen.

»Zwei Notausgänge«, erklärte Sam, »auf jeder Seite einer. Außerdem einer nach hinten raus bei den Toiletten. Da ist auch der Zugang zur Küche.«

»Bleib dort«, ordnete El an.

Der Samariter spielte. Entweder war er cooler, als er aussah, oder er hatte den Verstand verloren. Wieder rempelte jemand El an. Er wich aus.

»Völlig schräg.« Jack war kaum zu überraschen. Manchmal aber doch. »Die werfen Münzen!«

»Ha! Gewonnen«, dröhnte T-Shirt. Auf seinem Handrücken Kopf.

Auf Jans Zahl.

So schnell konnte Jan kaum schauen, wie Fitzroy die Punkte auf der Serviette notierte. Statt seiner hundert Startpunkte hatte Jan nur mehr sechzig. T-Shirts hundert waren zu hundertfünfzig geworden. Vier der zehn Spieler hatten verloren, sechs gewonnen. Das Ganze hatte keine Minute gedauert. Ein Profi.

»Nächste Runde!«, rief Fitzroy.

Schnipp! Die Münze flippte durch die Luft. Fangen. Handrücken. Aufdecken.

Kopf.

Gewonnen. Fünfzig Prozent plus. Jans Punktekonto wuchs wieder von sechzig auf neunzig.

Moment mal.

Fünfzig Prozent von Jans ursprünglichen hundert Punkten waren doch fünfzig. Da fehlten zehn Punkte.

Fitzroy wollte den nächsten Wurf ausrufen, als eine der Frauen dazwischenrief. Sie hatte wie Jan die erste Runde verloren, die zweite gewonnen.

»Ich habe nur dreißig Punkte bekommen«, sagte sie. Wie Jan.

»Klar«, beeilte sich Fitzroy zu erklären. »Nach dem ersten Wurf hattest du sechzig Punkte. Bei Kopf gewinnst du fünfzig Prozent davon. Fünfzig Prozent von sechzig sind dreißig.«

»Natürlich. Klar«, erwiderte sie verdattert.

Natürlich. Klar.

Jan musste eine Möglichkeit finden, sich ungestört mit Fitzroy zu unterhalten. Er wartete die nächste Runde ab.

T-Shirt blickte zufrieden auf seinen erneuten Gewinn. Seine hundertfünfzig hatten sich auf zweihundertfünfundzwanzig Punkte vermehrt. Jetzt schon.

Jan dagegen hatte nach einem gewonnenen und einem verlorenen Wurf weniger als zu Beginn. Neunzig statt hundert. Und da sollte er nach hundert Würfen über dreizehntausend Punkte haben?

»Werfen!«, wiederholte Fitzroy. Jan war nicht der Einzige, der fürs Nachrechnen Zeit gebraucht hatte.

Schnipp.

Kopf.

»Werfen Münzen«, erklärte Jack. »Ein Typ ist der Spielmacher, spielt gegen die anderen. Scheint mir ein Profi. Bin neugierig, wie lange ihn das Personal machen lässt. Kann mir nicht vorstellen, dass das hier erlaubt ist.«

El hatte sich näher an den Tisch geschoben, immer darauf bedacht, im Rücken des Samariters zu bleiben und sich jederzeit wegducken zu können. Der Laden war jetzt so voll, dass das Personal nur noch jene bediente, die offensiv um eine Bestellung kämpften.

»Den Umstand können wir bei Bedarf nutzen. Aber zuerst möchte ich wissen, warum der Samariter hergekommen ist. Der flieht doch nicht vor der Polizei, um hier in aller Ruhe zu spielen.«

»Vielleicht wollte er nur untertauchen.«

»Dafür gäbe es unauffälligere Methoden als verbotenes Glücksspiel. Du bist ihm ja direkt in die Kneipe gefolgt. Wie verhielt er sich genau?«

»Ging an die Bar, bestellte ein Bier. Wartete. Sobald er es hatte, ging er weiter zu der Truppe, bei der er jetzt sitzt.«

»Klingt zielstrebig. Könnte es sein, dass er gleich hierherwollte?«

»Möglich.«

»Vielleicht Freunde.«

El rieb sich den Nacken. »Dass der nach allem, was er erlebt hat, so cool ist und einfach zu einer Verabredung mit Freunden geht? So ganz glaube ich es nicht. Wir müssen den Zeugen beseitigen. Sicherheitshalber müssen wir checken, mit wem er bis dahin Kontakt hatte. Mach mit deinem Handy unauffällig Fotos von den Leuten und schick sie durch die Gesichtserkennung und die Datenbanken.«

15

Auf den ersten Blick wirkte die Szene fast wie eine Baustelle. Aus dem gleißenden Licht der Scheinwerfer verschwand der Arm des Krans im Abendhimmel. Aus der Dunkelheit hingen nur die Seile herab, mit denen sie die amorphe Skulptur in Grau-Schwarz-Weiß anheben würden. Wäre die Skulptur nicht das zerstörte Wrack einer Limousine. Stünde an der Straße nicht der graue Kleinlaster mit drei Särgen im Laderaum, dessen Türen ein Forensiker gerade schloss. Von fern drang das Knattern der Hubschrauber über den Demonstrationen. Noch weiter weg rollte Donner.

Maja passte gut ins Bild. Ihre stämmige, muskulöse Figur, Jeans, robuste Schuhe und Jacke über dem Langarmshirt. Der Pferdeschwanz wippte aus der Lücke am Verschluss der Schirmkappe. Sie schob sich ein Minzbonbon zwischen die Lippen. Den Alkoholgeschmack vertrieb es nicht und die aufsteigenden Kopfschmerzen noch weniger. Gestern Nacht hatte sie es übertrieben. Schon wieder. Eigentlich sollte sie klüger sein. Aus dem Alter, in dem man so etwas bis zum nächsten Tag wegsteckte, war sie definitiv raus.

Ihr Blick folgte dem abfahrenden Leichentransporter, bis er im Dunkel verschwand. Unwillkürlich hing sie Gedanken von Abschieden nach. Wanderte zu der Stelle, an der die Limousine abgehoben haben musste. Da hatte es jemand eilig gehabt. In die falsche Richtung. Anders war die Höhe der Aufprallstellen an den

Bäumen und die Entfernung bis zu dem Aufschlagort nicht zu erklären. Genaueres würden ihr die Forensiker erst später sagen können.

Maja wandte sich an den Uniformierten, der sie empfangen hatte, und seinen Partner. Oskar und Jörn. Klang wie Sesamstraße.

»Der einzige Zeuge ist also abgehauen?«, fragte sie.

»Vielleicht, weil er nicht nur Zeuge war.«

Jörn streckte Maja sein Handy entgegen. Auf dem Bildschirm das Porträt eines jungen Mannes. Durchschnittstyp, harmloser Blick, dunkelbraune Haare mit Undercut.

»Jan Wutte«, erklärte Jörn. »Achtzehn, angehender Pfleger. Ein paar kleinere Delikte – Ruhestörung, Marihuana. Flüchtete unmittelbar nach dem Unfall von hier, lief Kollegen direkt in die Arme. Erzählte ihnen eine absurde Geschichte. Kam angeblich von der Arbeit. Ein stammelndes Opfer im Wagen. Killer, die eine Aktentasche mitnahmen, bevor sie alles anzündeten. Und dann haute er ab.«

Ihr habt ihn entwischen lassen, dachte Maja, hielt jedoch den Mund. Mit solchen Bemerkungen machte man sich keine Freunde. Und die würde sie heute Nacht noch brauchen.

»Unschuldig sieht für mich anders aus«, endete Jörn.

»Jetzt sammeln wir einmal die Fakten«, sagte Maja. »Welche Informationen haben wir von dem Limousinenservice?«

»Die haben bestätigt, dass der Wagen für Herbert Thompson gebucht war.«

»Den Wirtschaftsnobelpreisträger.«

»Ja.« Jörn wischte auf seinem Handy. »Haben uns den Fahrplan geschickt. Hier. Thompson residierte im Hotel Podium, Nähe Alexanderplatz. Die Fahrt ging zum Schloss Charlottenburg. Da ist heute Abend ein Empfang für …«

»Ich weiß. Weiter.«

»Gleich nach der Abholung rief der Fahrer an. Thompson hatte noch einen Fahrgast dabei.«

»Wen?«

»Sagte der Fahrer nicht. Thompson beauftragte den Chauffeur, diesen Gast, nachdem er selbst in Charlottenburg abgeliefert worden war, zurück nach Mitte zu bringen. Das Ziel würde der Gast dann nennen. Der Fahrer holte sich in der Zentrale die Erlaubnis für die Extrafahrt.«

»Und bekam sie.«

»Ja, der Wagen musste ohnehin nach Mitte.«

»Wissen wir, wohin die Extratour genau gehen sollte?«

»Nein.«

»Der geheimnisvolle Gast – eventuell einer unserer Toten in dem Wagen – wollte also mit Thompson von Mitte nach Charlottenburg fahren und dann wieder allein nach Mitte. Warum?«

Jörn zuckte mit den Schultern.

»Vielleicht hatten sie Dringendes zu besprechen.«

»Und der Mitfahrer war kein geladener Gast für den Empfang in Charlottenburg. Könnte sein.«

»Gibt es Verkehrskameras in der näheren Umgebung? Sicher. Checken.«

Der Kerl verzog das Gesicht.

»Hat schon jemand Wuttes Angaben überprüft?«

»Sie wissen ja, was da draußen los ist«, meinte Jörn und vollführte eine vage Geste. »Alle verfügbaren Kräfte sind im Einsatz.«

»Sie und ich sind offensichtlich verfügbar«, sagte sie. »Sonst wären wir nicht hier.«

Kopf.

»Ich hab dich hier noch nie gesehen«, sagte Jan zu Fitzroy. Als wäre er selbst schon mal da gewesen. »Zum ersten Mal hier?«

Schon hatte Fitzroy Peel die Punkte wieder eingetragen. Wie

schnell der das rechnete! Jan verließ sich darauf, dass der Profi richtig kalkulierte, und rechnete nur mehr überschlagsmäßig nach. Sah nicht gut für ihn aus.

»Ja.«

»Was treibt dich her?«

»Der Gipfel.«

Seine Finger waren unfassbar schnell. Während ihres kurzen Dialogs hatte er alle Ergebnisse eingetragen.

»Münze«, befahl er, und alle warfen.

Das Ganze hatte weniger Glamour als James Bond in einer Pokerpartie. Dafür würde Jan danach nicht gefoltert werden. Hoffentlich.

Zahl.

»Dachte ich mir schon«, fuhr Jan fort. »Dein Akzent. Klingt nicht von hier.«

Jans Punktekonto schrumpfte weiter.

»England.«

Jan hatte drei Mal gewonnen und vier Mal verloren. Aus seinen hundert Punkten waren dreiundvierzig und eine Kommastelle geworden. Fitzroy rundete. Jan musste nur lang genug spielen, um auf der Gewinnerseite zu enden, so hatten es T-Shirt und der Gallier erklärt – wenn auch auf unterschiedliche Weise.

»Du sprichst gut Deutsch.«

Kopf.

»Hab hier mal ein paar Jahre gelebt.«

Kopf.

Ging doch.

Zahl.

Jans Punkte wurden mal mehr, mal weniger. Fitzroys Tempo beim Punkteschreiben machte die Münzwürfe fast zu einer Meditation. Für kurze Momente vergaß Jan die Erlebnisse am Kanal.

Kopf.

Zahl.

So schnell kann sich dein Glück wenden.

Bell war zu Fuß nur wenige Minuten bis zur nächsten U-Bahn-Station gegangen und bis zum Alexanderplatz gefahren. Der Fernsehturm. Von dort noch einmal ein paar Minuten zu Fuß in die Rosa-Luxemburg-Straße. Überall achtete er auf Überwachungskameras. Hielt den Kopf unter der Baseballkappe gesenkt. Den Rest erledigte das Spezial-Make-up.

Durch die Straßen lief normales Abendpublikum, oder so sahen die Leute wenigstens aus. Nur vereinzelt zogen kleine Gruppen mit Transparenten vorbei, diskutierend auf ihrem Weg zu einer der Demonstrationen oder von dort nach Hause.

Das Kuvert hatte er in sein Hemd gesteckt, schräg am Bauch. Unterhalb seiner mächtigen Brustmuskeln fiel die Ausbuchtung kaum auf.

In dem Torbogen eines Altbaus stand ein junger Mann und rauchte eine Zigarette. Er trug Sommerhosen zu einem Poloshirt und reichte Bell gerade bis zur Nasenspitze.

»Schöner Abend heute, was?«, sagte Bell.

»Kommt darauf an, ob Sie ihn in Gesellschaft verbringen.«

»Tue ich«, führte Bell den vereinbarten Dialog fort.

»Dann ist es ein schöner Abend.«

Passte. Bell öffnete drei Hemdknöpfe, zog das Kuvert hervor und reichte es dem Mann. Der wog es kurz in der Hand, zog an seiner Zigarette, warf sie auf den Boden und trat die Glut aus. Nahm den Umschlag wie eine leichte Mappe in die linke Hand und schlenderte grußlos davon.

»Paket geliefert«, teilte Bell über sein Headset El mit.

»In Ordnung. Komm in die Golden Bar, Tucholskystraße. Da schlagen wir in ein paar Minuten zu.«

16

Die Kanzlerin und der UN-Generalsekretär hatten vor der Vorspeise gesprochen, einer französisch angehauchten Gänseleber-Crème mit Lavendel-Portwein-Gelee. Erstaunlich für einen deutschen Gipfel. Die Säle der Orangerie fassten an die vierzig runde Tische für je zwölf Personen. Die Position hing dezent von der Bedeutung ihrer Gäste ab. Je näher beim Rednerpult, desto wichtiger. Als Teds Begleiterin saß Jeanne in vorderster Reihe. Der Rest der Runde bestand aus Ted neben ihr, einer Politikerin, drei Politikern, einer davon in Begleitung, einem Notenbankchef, einem Bischof und einem chinesischen Milliardär mit Frau. Der leere Stuhl des Nobelpreisträgers war wie eine Zahnlücke. Die anderen schienen von den aktuellen Nachrichten noch nichts gehört zu haben. Sie diskutierten Krisen von gestern – dramatisch genug –, aber auch ihren letzten Urlaub, Shoppingtipps oder prahlten mit ihren Kindern. Handybilder von der Graduation. Sehr gedämpft drangen die Geräusche von der Demonstration und das Knattern der Polizeihubschrauber bis zu ihnen durch. Auf Jeanne wirkte die Situation zunehmend surreal.

»Vertreten wir uns kurz die Beine«, sagte Ted und erhob sich. Bei derlei gesetzten Dinnern unüblich, taten es ihnen diesmal jedoch viele gleich. Zu angespannt war die Situation letztlich doch, zu viel Gesprächsbedarf mit Menschen, die nicht am eigenen Tisch saßen, als dass alle zwischen den einzelnen Gängen des

Menüs an ihren Plätzen geblieben wären. Ein Rascheln von Stoffen und Durcheinander von Stimmen ging durch den Saal. Hinter Ted tauchte George auf, dessen Tisch ganz hinten stand.

»Ich muss gleich noch ein paar Gespräche führen«, sagte Ted. »George, du kümmerst dich bitte um Maurizio.«

»Nichts lieber als das«, meinte George eifrig, der ein Faible für Rechtspopulisten hatte. »Italien ist gefixt.«

»Jeanne, ich brauche kurz ein Telefon.«

Überrascht reichte Jeanne Ted eines ihrer beiden beruflichen Handys. Normalerweise gab er ihr in solchen Situationen Anweisungen, oder er sprach von einem seiner zahlreichen eigenen Geräte.

»Cary«, sagte er und wandte sich ab. »Short GM und die anderen Autokandidaten.« Den Rest des Gesprächs hörte Jeanne im Lautteppich des Saals nur mehr bruchstückweise. Ted zählte noch eineinhalb Dutzend Namen bekannter und weniger bekannter Firmen auf, dann verstand sie gar nichts mehr. Offenbar setzte er auf fallende Kurse. Eine riskante Strategie, die angesichts des Umstandes, dass er von den Schwierigkeiten der Unternehmen wusste, bevor sie öffentlich wurden, verbotenes Insider Trading oder Front Running sein könnten. Aber er würde schon wissen, was er tat. Vermutlich liefen die Deals über entfernte und in irgendwelchen Steueroasen ausreichend anonymisierte Tochtergesellschaften seiner weit verzweigten, verschachtelten Unternehmensgruppe. Verwunderlicher fand Jeanne, dass er es überhaupt tat. Große Wetten auf fallende Kurse der Unternehmen würden auf dem Markt nicht unbemerkt bleiben und in dieser Lage die Kurse weiter nach unten treiben. Das könnte zu Spekulationen über eben jene Schwierigkeiten führen, die eigentlich nicht an die Öffentlichkeit dringen sollten, bevor eine Lösungsstrategie vereinbart war. Damit würde genau die Kettenreaktion ausgelöst werden, vor der sich alle fürchteten. Jeanne hatte nur eine Erklärung dafür. Ihre Gedanken unterbrach ein älterer Herr mit Goldrahmenbrille, der an das Rednerpult trat. Er räusperte sich und klopfte an das Mikrofon.

»Sehr geehrte Damen und Herren. Da unser vorgesehener erster Redner Herbert Thompson noch nicht eingetroffen ist, wird nun die Friedensnobelpreisträgerin von 2011 sprechen. Begrüßen Sie bitte Leymah Gbowee!«

Das Publikum klatschte, die noch Sitzenden erhoben sich, bis schließlich alle standen. Ted gab Jeanne ihr Telefon zurück und ging weiter zu dem chinesischen Milliardär an ihrem Tisch. Im Lärm verstand Jeanne nicht, was er zu ihm sagte. Der Chinese nickte, und die beiden spazierten angeregt plaudernd zwischen den Beifall Spendenden hindurch nach hinten, während die meisten anderen Gäste wieder Platz nahmen. Unterwegs sprachen sie drei weitere Personen an, beobachtete Jeanne. Sie erkannte einen schwedischen Milliardeninvestor und den Chef eines der größten Vermögensverwaltungsunternehmen der Welt. Der Dritte war ebenfalls Chinese. Jeanne hatte Ted diesmal nicht mitgenommen. Sie setzte sich und wandte sich dem Podium zu, auf dem die Nobelpreisträgerin zu reden begann. An ihrem Tisch fehlten Ted, der Chinese und der Notenbankchef. Allein an ihrem Platz flammte das Aschenputtelgefühl wieder auf. Diese passive Begleiterinnenrolle gefiel ihr gar nicht! Noch einmal warf sie einen Blick in den Saal auf der Suche nach Ted. Jetzt, da die meisten wieder saßen, bemerkte sie: Auch sämtliche Staatsoberhäupter waren verschwunden.

17

Der Wohnbau aus den Sechzigerjahren in der Beusselstraße schien schon länger auf eine Renovierung zu warten. Im Erdgeschoss warb ein chinesisches Restaurant mit All-you-can-eat für sieben Euro, daneben bot eine Reinigung zwei Anzüge für achtzehn Euro. Im dunklen Schaufenster des dritten Ladenlokals Staub, schiefe Latten, tote Insekten auf dem Fensterbrett.

»Schick«, bemerkte Jörn mit einem abschätzigen Blick.

Maja klingelte bei Wuttes.

»Ja?«, schnarrte es aus der Gegensprechanlage.

»Maja Paritta, Polizei. Ist Ihr Sohn Jan da?«

»Nee! Was hat er denn diesmal ausgefressen?«

»Können wir kurz hinaufkommen?«

Unverständliches Gebrummel, das Schloss summte, Jörn öffnete die Tür.

Im Treppenhaus hing der Geruch von Staub, Alter und Anflügen der letzten Reinigung. Wuttes wohnten gleich im ersten Stock.

Jans Mutter war in Majas Alter. Einen halben Kopf größer, blondiert, knapp sitzender Sweater mit Glitzer drauf, Jeans. Eine attraktive Frau, dachte Maja, auch wenn sich das Leben und die Zigaretten in ihre Gesichtszüge gegraben hatten.

»Ich weiß nicht, wo er ist.«

»Dürfen wir kurz reinkommen?«

»Meinetwegen.«

Sie ging voraus und überließ es Jörn, die Tür zu schließen. Die Wohnung war sauber und ordentlich, der Einrichtungsstil aber nicht Majas.

»Hat der Idiot sich wieder erwischen lassen?«, krähte eine Mädchenstimme aus dem Wohnzimmer. Auf dem Sofa lungerte eine Halbwüchsige über ihrem Handy. Eine jüngere Version ihrer Mutter, dem Babyspeck noch nicht ganz entwachsen, wie das bauchfreie Top und die knappen Jeansshorts offenbarten.

»Halt die Klappe, Regina!«, blaffte ihre Mutter sie an. »Nimm lieber die Wäsche ab!«

Die Türen zu den anderen Räumen standen offen. In einer Ecke stand ein voller Wäschehänger. Mutter Wutte stellte sich hinter ein Bügelbrett und setzte fort, wobei sie gerade unterbrochen worden war.

»Sie können gern nachsehen«, forderte Frau Wutte sie auf.

»Ich glaube Ihnen schon«, sagte Maja. »Wir suchen ihn in Verbindung mit einem Unfall, den er beobachtet hat.«

»Oder ...«, setzte Jörn an. Maja stieß ihn an. *Still!*

Frau Wuttes Gesicht schien mit einem Mal einer zehn Jahre älteren Frau zu gehören. Ihre Stimme zitterte.

»Unfall? Ist ihm was zugestoßen?!«

»Keine Sorge, nein«, sagte Maja.

»Was ist passiert?!«

»Eben das würden wir gern genauer wissen.«

Sie lief zum Sofatisch, wo ihr Mobiltelefon lag. »Ich rufe ihn an!«

Tippte, wischte. Wartete.

»Er hebt nicht ab!«

»Könnte er woandershin gegangen sein? Freunde? Freundin? Verwandte?«

»Zu seinem Vater sicher nicht«, meckerte Regina vom Sofa.

Ihre Mutter verdrehte die Augen.

»Du sollst die Wäsche abnehmen!«

»Aber meiner ist auch nicht besser«, setzte die Tochter nach, ohne sich zu bewegen.

»Halt die Klappe, habe ich gesagt!« Zu Maja: »Sie hat leider recht. Für Männer hab ich kein gutes Händchen.«

»Kannste laut sagen«, kommentierte Regina aus dem Off.

»Kenn ich«, sagte Maja. »Freundinnen, Freunde?«

»Penner und Loser«, erklärte Regina.

»Hast du Namen, Telefonnummern, Adressen?«

»Nee«, sagte sie, ohne hochzusehen. »Von denen doch nicht.«

»Ich kann ihnen zwei, drei geben«, meinte die Mutter. Auf ihrem Telefon rief sie Kontaktdaten auf.

Maja fotografierte sie mit ihrem eigenen Handy. Reichte ihr eine Karte. »Sobald Jan bei Ihnen auftaucht, soll er sich bitte bei uns melden.«

»Bevor der sich bei der Polizei meldet, wirft der lieber sein Handy in die Spree«, erklärte Regina vom Sofa.

Zahl.

Sie hielten etwa bei Runde fünfundfünfzig. Jans Punktekonto war auf einstellige Beträge gefallen. So wie das von sechs anderen der zehn Spieler, darunter der Gallier. T-Shirts zeigte immerhin noch über zwanzig Punkte. Der hatte auch keinen Lauf.

»Und was machst du auf dem Gipfel, wenn du nicht spielst?«, versuchte Jan noch einmal sein Glück bei Fitzroy.

»Spielen«, erwiderte der.

Kopf.

Brachte Jan gerade mal von zwei Komma irgendwas auf drei und ein bisschen.

»Da stimmt doch etwas nicht«, beklagte sich einer der anderen Spieler. Er hatte Zahl geworfen. Auch sein Konto war tief einstellig. »So komme ich doch nie auf die dreizehntausend Punkte.«

Kopf.

»Geduld«, meinte T-Shirt. Ganz sicher klang er nicht mehr.

»Wir müssen nur lang genug durchhalten«, bekräftigte der Gallier. Mit unsicherem Blick, auch er tief in roten Zahlen.

»Spielen?«, versuchte Jan eine Fortsetzung des Gesprächs mit Fitzroy.

Zahl.

Nur eine der Frauen hatte über tausend Punkte angesammelt. Ihr nächster Wurf zeigte Kopf.

Jans wieder Zahl.

Spielen. Fitzroy schrieb. Wenn das so weiterging, musste er am Schluss nur der einen Frau den Einsatz verdoppeln. Den Rest durfte er behalten. Das alles rechnete er im Kopf. Blitzschnell. Andererseits: Genau kontrollierte das niemand.

Bei Jan änderte sich nur mehr die Stelle hinter dem Komma.

Mittlerweile warfen alle die Münzen wie Profis. Jan setzte gerade an, als Fitzroy sich mit einem Ruck aufrichtete.

»Seht euch das an!«

Jans überraschtem Daumen rutschte die Münze davon.

»Wir haben zehn Spielerinnen und Spieler hier. Vier von euch sind praktisch pleite. Drei haben noch ein bisschen etwas. Zwei haben etwa ihre Startpunktezahl. Und nur eine hat richtig Punkte gemacht.«

Das fasste es gut zusammen. Jan gehörte leider zu Ersteren.

»Interessant, nicht?«, meinte Fitzroy. »Eure aktuelle Punkteverteilung ist etwa so wie die reale Vermögensverteilung in der Bevölkerung. Vierzig Prozent haben nichts vom Kuchen. Weitere dreißig bis vierzig Prozent kleine Stückchen. Ganz wenige haben dafür richtig viel. Ohne dafür mehr gearbeitet zu haben als die anderen. Durch Münzwürfe. Durch reinen Zufall.«

Was wurde das jetzt? Wirtschaftskunde?

»Und du kassierst unseren ganzen Einsatz, wenn das so weitergeht«, meinte der Gallier. »Zu was macht dich das in deinem Vergleich? Die Banken? Marie Antoinette?«

Fitzroy lachte.

»Das gibt's doch nicht«, murmelte ein anderer. »Bei einer Zufallsverteilung müssten die Punkte doch halbwegs normal verteilt sein. Warum sind dann die meisten im Minus, und die Punkte sammeln sich nur bei einer?«

»Also weiter«, sagte Fitz, noch immer schmunzelnd. »Noch sind wir nicht am Ende.«

Jan eigentlich schon. Zumindest mit diesem Spiel. Sein Kopf brummte. Von der Zockerei oder von der unfreiwilligen Konfrontation mit der Autokarosserie? Es war Zeit, dass er sich mit Mister Peel unter vier Augen unterhielt.

»Ich habe die Gesichter«, erklärte Jacks Stimme über das Headset. El hatte mehrmals die Position im Raum gewechselt und sich eine Limonade gegönnt. Seit dreißig Minuten warfen die ihre Münzen. »Findest sie im Teamordner.«

Eine gute Gesichtserkennungssoftware, professioneller Umgang mit dem Wissen des Internets, Zugriff auf ordentliche Datenbanken und ein paar Leute, die all das bedienen konnten. *No rocket science.*

»Der Samariter ist Pfleger. Jan Wutte, achtzehn Jahre alt, Einheimischer. Ein paar Kleinigkeiten wie Partylärm und Joints. Nichts Grobes.«

El checkte sein Phone. Scrollte durch die Porträts, die Sam geschossen hatte, mit den zugehörigen Kurzinformationen. Zwei Frauen, sieben Männer, der Samariter.

Was tust du hier?

Etwas hatte El bei dieser ersten Schnelldurchsicht irritiert. Er wischte zurück und entdeckte, was es gewesen war. Der Typ mit dem kahl geschorenen Kopf. Wenn er Sam richtig verstanden und selbst korrekt gesehen hatte, der Spielmacher. Alle anderen trugen ortsübliche Namen und waren von hier.

Der Spielmacher war Brite. Fitzroy Peel. Komischer Name. Professioneller Spieler. El wollte weiterlesen, als die Stimme in seinem Ohr sagte: »Ein anderer aber blinkt dunkelrot. Er ist der einzige Brite in der Gruppe.«

»Fitzroy Peel.«

»Und nicht nur das. Schon die Info zu ihm gelesen?«

»Wollte ich gerade.«

»Sieh dir die Bilder am Info-Ende an.«

El scrollte hinunter.

Zwei Bilder. Zwei gut gelaunte Burschen grinsten in die Kamera. Einmal im schwarzen *Graduation*-Umhang mit dem eckigen schwarzen Hut. Auf dem zweiten Foto in teuren Anzügen, Stil junge Investmentbanker.

Beide sahen um zehn Jahre jünger aus. Trotzdem erkannte El die Gesichter der Männer sofort. Mit dem einen spielte der Samariter an diesem Tisch.

Der andere hatte vor einer Stunde ein paar Kilometer entfernt verkehrt herum in einer zerknitterten Limousine gehangen und gehofft, dass der Samariter ihn rettet.

18

»Du kommst also zum Gipfel, um zu spielen?«

Fitzroy musterte den Jungen neben sich aus den Augenwinkeln. Neugierig war er. Ganz gut aussehender Schlaks – *loose jointed* –, bloß das Haar in dieser unsäglichen Frisur, kurz über den Ohren, oben lang, die Fitzroy an einen Hitlerjungen erinnerte.

»So wie hier? Lebst du davon?«

Er war im letzten Moment in die Runde eingestiegen.

Vier Mal Kopf. Sechs Mal Zahl. Fitzroy notierte, mehrheitlich Nachkommastellen. Außer bei der einen Lady.

»Davon? Nicht wirklich.«

Seine Verluste schienen dem Kleinen nichts auszumachen. Fitzroy wurde das Gefühl nicht los, dass er wegen etwas anderem hier war.

»Warum nicht?«, fragte der Junge und deutete auf den Geldstapel der Einsätze vor Fitzroy. »Ein paar Hunderter innerhalb einer Stunde. Den Stundenlohn hätte ich gern.«

»Wirst du bald sehen.«

Acht Mal Kopf. Zwei Mal Zahl. Half den meisten nicht mehr viel. Inklusive der beiden Klugscheißer, die alle anderen hineingeritten hatten. Selbst die Lady mit der Gewinnsträhne war gerade von über zweitausend Punkten auf gut tausendzweihundert gefallen.

Fitzroy wunderte sich bloß, dass das Personal ihn so lange hatte gewähren lassen.

»Da stimmt doch was nicht!«, rief der dicke Klugscheißer. »Du betrügst!«, schleuderte er Fitzroy entgegen.

»Ja!«, brüllte ein Zweiter.

Hatte lang gedauert. Andere fielen in die Anschuldigungen ein. Manche Runden waren ungeduldiger gewesen.

»Eure Münzen«, erinnerte Fitzroy sie. »Eure Würfe. Eure Entscheidung *für* die Wette. Ihr habt es doch ausgerechnet.«

»Eben. Deshalb müsste bei mir mehr sein!« Der dicke Klugscheißer.

»Vielleicht hast du dich verkalkuliert?«, gab Fitzroy zu bedenken. »Den falschen Durchschnitt berechnet?«

»Den falschen …?«, hielt er verdutzt inne.

»Quatsch!« Der Dicke sprang auf, langte über den Tisch, versuchte Fitzroy am Hemdkragen zu packen. Fitzroy hatte ihn kommen gesehen und wich spielend aus. Was den Typen noch aggressiver machte. Seine Nachbarn kamen auch hoch, riefen Beschuldigungen, wurden handgreiflich.

Fitzroy erhob sich, um nicht zu tief in die Defensive zu geraten. So groß wie der dicke Klugscheißer war er allemal. Trainierter sowieso.

»Du betreibst hier illegales Glückspiel«, brüllte der Typ. Griff wieder nach Fitzroy. Erneut ins Leere.

»Und du?«, lachte Fitzroy. »Dazu gehören zwei.«

»Ich will mein Geld zurück, Betrüger!«, rief der Dicke. Wie zu erwarten wollten das die anderen jetzt auch.

Fitzroy zeigte auf die Spielerin, die noch immer in den schwarzen Zahlen war.

»Bekommt sie dann auch keinen Gewinn?«

Das stoppte sie für einen Moment.

»Wir hatten eine Wette«, erinnerte Fitzroy sie.

»Mir scheißegal!«, brüllte der Dicke mit roter Birne. »Ich zeig dich an, Betrüger!« Er griff in Fitzroys Geldstapel.

»Okay«, lachte Fitzroy abwehrend. »Dann brechen wir hier ab! Und jeder bekommt sein Geld …«

Der Dicke hörte nicht mehr zu, viel zu gekränkt, dass seine Rechnung wohl irgendwo nicht gestimmt hatte, und zu eingebildet, es zuzugeben. Er wuchtete ein Knie auf den Tisch und versuchte einen Schwinger gegen Fitzroys Kopf. Fitzroy wich aus, doch hinter ihm drängten sich die anderen Gäste so dicht, dass er aufgehalten wurde und der Dicke ihn an der Lippe streifte. Die anderen versuchten, ihre verbliebenen Münzen zu retten, in Fitzroys Geldhaufen zu greifen oder sich ebenfalls auf ihn zu stürzen. Nicht, dass er es nicht gewohnt wäre.

Noch einmal scannte El die Decken des Raums auf Überwachungskameras, wie er es beim Betreten des Lokals und danach noch ein paar Mal getan hatte. Da waren keine.

»Gute Gelegenheit«, sagte er ins Headset zu Jack und Sam. »Unser Samariter Jan Wutte und Fitzroy Peel überleben diese Schlägerei nicht. Ich komme dazu. Nehmt euch bloß in Acht vor Handykameras.«

Fitzroy Peel überragte den Samariter und auch die meisten anderen Spieler fast um einen Kopf. Mindestens vier gingen jetzt trotzdem auf ihn los, weitere machten sich bereit dazu. Peel hob abwehrend die Arme, lachte und rief: »Stopp, stopp!«, als wäre alles nur ein Scherz gewesen.

Seine Opfer interessierte das nicht mehr. Ihr Anführer, ein großer Typ mit ziemlichem Bierbauch, landete einen harten Treffer mitten in Peels Gesicht. Der taumelte zurück und stieß ein paar andere Gäste um. Gläser wurden ausgeschüttet, Menschen fielen übereinander, Schmerzensschreie ertönten. Sekunden später wälzte sich ein Knäuel aus Armen, Beinen und Köpfen auf dem Boden. Daneben rempelten sich bisher Unbeteiligte ebenfalls an, weil jemand sie geschubst oder bekleckert hatte. Ein Kellner drängte sich durch, doch er konnte die Eskalation nicht mehr verhindern. Immer mehr Hände wurden gegen Brustbeine gestoßen, Fäuste in Mägen und Gesichter gedroschen. Der Samariter versuchte, der Situation zu entkommen, doch der Tumult war zu dicht.

El gab das Kommando. »Und los!«

Jan versuchte, fliegenden Fäusten auszuweichen und aus dem Gewühl zu gelangen. Im hinteren Teil des Lokals, dort, wo sie gespielt hatten, tobte eine Schlacht. Die Kellner hatte ihre Vermittlungsversuche aufgegeben. Zwei telefonierten aufgeregt hinter der Bar. Sicher mit der Polizei. *Schon wieder!* Das hatte Jan gerade noch gefehlt. Nach wie vor war der Laden so voll, dass sich Nichtkämpfer kaum zurückziehen konnten. Fitzroy Peel hatte er aus den Augen verloren. Flaschen und Gläser flogen über die Köpfe, ein erster Stuhl. Trafen auch Personen außerhalb der Kampfzone. Und erweiterten diese damit. Jan war dem Ausgang zu den Toiletten näher als der vorderen friedlichen Zone. Bis dorthin musste er noch an wenigstens zwanzig Prügelnden vorbei, die Gesichter eine anonyme Masse im Zwielicht. Ein Spießrutenlauf. Mittendrin entdeckte er Fitzroy. Er verteidigte sich gegen T-Shirt und zwei andere.

Es musste Instinkt sein. Durch intensive Gefühle tief ins Unterbewusstsein eingebrannte Bilder, die ihn das eine Gesicht trotzdem sofort erkennen ließen, als würde es von einem grellen Spot beleuchtet.

Ambosskinn. Hinter Fitzroy, von diesem unbemerkt, über dem Kopf des Briten eine abgebrochene Flasche mit ihren fleischzerfetzenden Zacken zum Hieb bereit. Mit dem Rücken zu Jan ein zweiter Henkertyp in Dunkelgrau, dessen Figur er auch sofort erkannte. Er stürmte ebenfalls auf Fitzroy zu. In seiner Hand blitzte eine Klinge. Jan sprintete los. Warf sich auf den Rücken, brüllte: »Fitz! Hinter dir! Runter!«

Der Torso unter Jan fühlte sich an wie mit Stoff überzogener Stein. Er schien Jan nicht einmal zu bemerken.

Fitzroy hatte Jan gehört und duckte sich. Ambosskinns Armschwung mit der abgebrochenen Flasche verfehlte Fitzroys Hals um Millimeter und schlitzte stattdessen T-Shirts Arm auf. Der Dicke brüllte, sein Blut spritzte über sie alle. Jans Reittier hob den Arm mit dem Messer zum Hieb auf Fitzroy – dachte Jan. Bis er die Hand drehte und den Schwung über die Schulter auf Jan fortsetzte. Im letzten Moment wich der zur Seite, sodass nur seine Jacke etwas abbekam. Abgeschüttelt hatte er ihn jedoch. Damit nicht genug, wandte er seine Aufmerksamkeit von Fitzroy auf Jan. Einen Kopf größer und doppelt so schwer wie er. Purer Muskel. In der Rechten immer noch das Messer. Jan suchte nach einem Ausweg, als ihm ein Schlag in die Nieren den Atem raubte. Er fiel auf die Knie. Etwas Hartes, Kaltes zersplitterte in seinem Gesicht. Oder zersplitterte sein Gesicht? Jan kippte zur Seite, doch die Beine der Prügelpartie neben ihnen stoppten seinen Fall. Wie durch Watte hörte er Schreie. Eine Abrissbirne landete in seinem Magen. Trieb die letzte Luft aus seiner Lunge. Schwarze Flecken vor seinen Augen. Die nur mehr sahen, als hätte er sie unter Wasser geöffnet. Unscharfe Konturen stürzten sich auf ihn, Schatten sprangen in alle Richtungen. Stahlfinger rissen seinen Kopf an den Haaren zurück, an seinem Hals spürte er das kalte Metall einer Klinge. Seine Beine strampelten, seine Arme ruderten, nur seine Gedanken bremsten in Zeitlupe. Horrorfilme und blutrünstige Thriller hatte er unzählige gesehen. Terroristenvideos im Internet nie. Aber genug darüber gelesen. *Oh Gott!*

Jans Warnung hatte Fitzroys Halsschlagader vor der zerschlagenen Flasche dieses Hulks gerettet. Die Wunde, die dieser Irre stattdessen in den Arm des Dicken geschlitzt hatte, gab Fitzroy die Chance zum Gegenschlag. Ein Tritt gegen seine Knieseite, und er knickte ein. Ein Stuhl über seinen Schädel, und er taumelte, fiel, fing sich gerade noch mit den Händen ab. Fitzroy dachte nicht nach. Sein Reptilienhirn kämpfte ums Überleben. Seine Spielereien hatten ihm schon öfter Ärger eingebrockt, doch das hier war eine nie zuvor erlebte Dimension. Diese finster gekleideten Typen wollten sich nicht bloß schlagen. Dabei hatten sie nicht einmal mitgespielt. Fitzroy war um Haaresbreite einer Schlachtung entgangen.

Das Gebrüll des Dicken und der Blutregen lenkten die Aufmerksamkeit auf sie. Jan war vom Rücken des anderen Angreifers gestürzt. Dieser und ein zweiter Muskelberg in Grau verarbeiteten ihn gerade zu Brei. Dann sah Fitzroy das Messer an Jans Hals. Der Stuhl in Fitzroys Hand war nur halb zerbrochen. Er zerteilte ihn auf Messermanns Kopf zu Kleinholz. Der zweite hatte sich zuvor schon bei anderen unbeliebt gemacht, oder jemand hatte noch nicht genug. Gleich drei Typen traten auf ihn ein. Das beeindruckte den zwar nur bedingt, aber es genügte, dass er für den Moment von Jan abließ. Fitzroy packte Jan am Handgelenk, zerrte ihn hoch. Jans Knie waren wie Butter. Fitzroy warf dessen Arm über seine Schultern und kämpfte sich Richtung Toilette. Dahinten lag ein Notausgang, das hatte er noch vor dem Spiel geprüft. Er schob sie durch die Menge, die sich im Gang zu den Toiletten drängte, um der Schlägerei zu entgehen. Mit entsetzten oder angewiderten Blicken wichen ihnen die Leute aus. Hinter ihnen schloss sich die Meute wieder, schützte sie vor allfälligen Verfolgerblicken. Fitzroy hielt den Kopf unten, wusste, dass seine Länge ihn verraten konnte. Langsam half Jan beim Gehen wieder mit.

Der Notausgang war eine graue Metalltür und stand offen. Er führte auf eine schmale Gasse voll mit Menschen. Einige standen in Gruppen und äugten zum Lokal. Hatten den Ort wohl selbst gerade verlassen. Der Rest waren übliche Nachtschwärmer oder Demo-Publikum. Neben Fitzroy schnappte Jan nach Luft, röchelte, bevor ihn ein Hustenanfall beutelte. Mit einem tiefen Atemzug richtete er sich schließlich auf.

Sah Fitzroy an.

»Die wollten mich umbringen«, röchelte er. Ängstlich blickte er sich um. Dann bedankte er sich.

»Ich habe zu danken«, antwortete Fitzroy. »Ohne deine Warnung würde ich jetzt mit einer halben Flasche im Hals da drin liegen.«

Jan zog Fitzroy am Arm die Gasse entlang.

»Wir müssen weg hier.«

Er schob Fitzroy in den Eingang eines Altbaus, dessen Tor halb offen stand. Dahinter tat sich ein Gang durch die Höfe des Häuserblocks auf. Hier war kein Mensch, die Beleuchtung bescheiden. Fitzroy atmete durch.

»Was, zum Teufel, war da los?«

19

El jagte mit Sam hinter den beiden durch den Flur zu den Toiletten, daran vorbei und durch den Notausgang hinaus ins Freie. Er glaubte nicht an schlechte Sterne. Nur an schlechte Vorbereitung. Oder Überheblichkeit. Den Überlebensinstinkt der zwei hatten sie unterschätzt. *Unser Fehler.* So wie die Dynamik dieser Kneipenschlägerei. Heftiger, dichter als erwartet. Zufällig in ihren Angriff stolpernde Unbeteiligte. Unschön. Doch Fehler gehörten zum Geschäft. Man musste sie bloß korrigieren. Ihr Auftraggeber brauchte davon nichts zu erfahren.

In der schmalen Straße hinter dem Lokal verteilten sich aus der Bar Geflüchtete und abendliche Flaneure. El sah keine Autos oder Fahrräder. Weit konnten die zwei nicht sein. Bis zu den nächsten Seitengassen waren es mindestens siebzig Meter. Niemand, der rannte. Waren die so clever? Oder so schnell gewesen? Sam und El liefen Slalom zwischen den Spaziergängern bis zu der Kreuzung.

Eine breitere Straße. Noch mehr Menschen. Noch mehr Gelegenheiten zu verschwinden.

El dachte schnell. Nach Hause würde Jan Wutte nicht fahren, nachdem er vor der Polizei Reißaus genommen hatte. Er musste damit rechnen, dass ihn dort jemand Unliebsames erwartete. El überflog die Infos zu Fitzroy Peel. Eine wichtige Angabe fehlte. El kontaktierte Jack, ihren Mann für Online-Recherchen.

»Ich brauche Fitzroy Peels gegenwärtige Adresse in Berlin!«

Selbst mit dem aufgesetzten Blaulicht auf dem Dach kamen sie kaum vorwärts. Oder vielleicht genau deshalb. Die Menschen auf den Straßen machten keine besonderen Anstalten, einem Einsatzfahrzeug der Polizei Platz zu machen. Jörn fuhr an der Grenze des Erlaubten. Über Funk hörten sie die Berichte von den Demonstrationen. Die große war bislang friedlich geblieben. Nur an ihrem Rand und in Kreuzberg lieferten sich Teile des Schwarzen Blocks Scharmützel mit der Polizei, in Friedrichshain warfen Rechtsradikale Pflastersteine und brüllten Naziparolen.

»Dass sie diese Demonstrationen erlaubt haben …«, schimpfte Jörg.

»Du meinst, die Reichen dürfen sich versammeln, aber die anderen nicht?«

Im Radio Nachrichten. Regierungschefs und Experten berieten sich auf dem Empfang in Schloss Charlottenburg. Gruppen von Unterhändlern würden über Nacht weiterarbeiten.

»Wie lang brauchen wir noch bis zur Golden Bar?«, fragte Maja.

»Vielleicht zehn Minuten«, grummelte Jörn. »Dass Sie diese Geschichte ernst nehmen …«

»Haben wir schon diskutiert. Derzeit haben wir keine Anhaltspunkte außer ›diese Geschichte‹. Golden Bar. Fitzroy Peel. Chantal.«

»Zu Fuß wären wir wahrscheinlich schneller gewesen«, schimpfte Jörn vor sich hin.

Maja schaltete das Radio ab und aktivierte ihr Handy per Sprachsteuerung.

»Herbert Thompson«, sagte sie. »Wikipedia.«

Artig las ihnen das Telefon den Eintrag der Online-Enzyklopädie zu dem Nobelpreisträger vor. Geboren 1937, studierte Wirtschaftswissenschaften in Chicago und Harvard, lehrte in Chicago, London, Stanford und anderen der weltbesten Universitäten. Lieferte wichtige Beiträge zur Geldtheorie, zur Theorie von Arbeitslosigkeit und Konjunkturzyklen. Beriet die US-Regierung von Gerald Ford und Ronald Reagan in wirtschaftspolitischen Fragen, in den Neunzigerjahren die Weltbank und diverse Regierungen der neu entstandenen Staaten der zerfallenen Sowjetunion bei den groß angelegten Privatisierungen. Das brachte ihm später viel Kritik ein, weil diese im Wesentlichen mehrere Oligarchen zu Milliardären machten, während die breite Bevölkerung verarmte. Arbeitete anschließend für die Regierung George W. Bush. Lehnte das Amt des Wirtschaftsministers ab. Marktliberaler, der die Freiheit des Individuums und der Märkte verfocht, während er die Rolle des Staates möglichst klein halten wollte. Beriet nach wie vor Politiker, internationale Institutionen wie den Internationalen Währungsfonds oder die Vereinten Nationen. Hatte mehrere Bücher geschrieben, Bestseller.

»Klingt wichtig«, bemerkte Jörn.

»Und er stand für das heutige Galadinner auf der Liste der Eröffnungsredner«, sagte Maja. »Genauso wie morgen.«

Sie drehte den Funk lauter.

»... wiederhole: Schlägerei in Mitte, Tucholskystraße, Golden Bar, Verstärkung ...«

Ein kurzer Blick zu Jörn verriet ihr, was der Kollege dachte: Okay, die »Geschichte« nimmt eine interessante Wendung.

Polizisten in der Nähe antworteten. Waren unterwegs.

»Wird wohl Zeit für ein bisschen Lärm«, sagte Maja. Ihr letztes Wort erstickte unter dem Folgetonhorn, das Jörn zugeschaltet hatte. Erschrocken sprangen die Passanten zur Seite. Jetzt waren sie mit dem Auto schneller.

Wutte erwischten sie womöglich früher als erwartet.

Jan verließ den Häuserdurchgang an der gegenüberliegenden Seite. Zog Fitz hinter sich her. Als Einheimischer kannte man diese Abkürzungen. Ihre Verfolger hatten sie damit vorerst abgehängt. Jan hielt sich an die besonders belebten Gassen, in denen sie besser untertauchen konnten. Um sein rechtes Auge blühte ein schwaches Veilchen auf. In seinem Kopf und am Rumpf pochten mehrere Stellen schmerzhaft. Hoffentlich hatten ihn die Schläge nicht ernsthaft verletzt.

»Inzwischen muss die Polizei in der Golden Bar sein«, sagte Fitz. »Jemand sollte ihnen von diesen Irren erzählen.«

»Kannst du ja machen«, sagte Jan. »Ich bestimmt nicht. Würde mich nicht überraschen, wenn die das Lokal beobachten.« Nervös blickte er sich um. Keine Spur von Ambosskinn und seiner Horde.

Er hielt an und begutachtete Fitz. Seine Glatze trug Blutsprenkel wie Sommersprossen. Jan zog ihn in den Schatten eines Hauseingangs.

»Hör zu. Ich muss dir was erzählen. Ich wurde heute Abend Zeuge eines Dreifachmordes«, sagte er. »Der einzige Zeuge …«

»Whoa, whoa! Stopp! Was?!«

»Wie ich gesagt hab. Die Polizei wollte mich als Verdächtigen mitnehmen. Dachten, ich hätte was mit der Sache zu tun. Die wahren Täter aber waren die Typen, die uns in der Bar angegriffen haben.«

»Du solltest schleunigst mit der Polizei reden!«

»Damit sie mich doch noch mitnehmen? Nein, danke! Eines der Opfer ist angeblich Nobelpreisträger.«

»Dann stehen sie unter Druck. Müssen schnelle Resultate vorweisen.«

»Genau. Mich zum Beispiel.«

»Aber was habe ich damit zu tun?«

»Eines der Opfer nannte mir kurz vor seinem Tod deinen Namen und den der Bar. Ich bin auf gut Glück dorthin gefahren. Und traf auf dich.«

Selbst im Zwielicht sah Jan ihn erbleichen.

»Ich war dort mit einem alten Freund verabredet«, flüsterte er. »Doch der ist nicht aufgetaucht. War er … Wer war das Opfer, das mich nannte?«

»Keine Ahnung. Ein Mann, vielleicht dein Alter.«

Fitzroy zog sein Handy hervor, tippte. Seine Hände zitterten. Er zeigte Jan das Bild eines auf langweilige Weise gut aussehenden Mittdreißigers mit geleckter Seitenscheitel-Frisur, Brille, komisch arrogant-schüchternem Blick.

»War er das?«

»Er steckte kopfüber in einem auf dem Dach liegenden Autowrack. Lass sehen.«

Am unteren Bildschirmrand stand ein Name: Will Cantor.

Jan hätte nicht beschreiben können, warum, doch auf den zweiten Blick wirkte Will Cantors Gesicht wie das eines kleinen Jungen. Staunend, überrascht von der Welt, den Menschen. Was ihn gleichzeitig neugierig und vorsichtig erscheinen ließ. Er drehte das Bild auf den Kopf.

»Ein alter Freund?«

Fitz schluckte vernehmbar. »Ja.«

Wie es ihm beibringen?

»Sorry.«

Sagte Jan leise.

20

Das Dessert – ein Arrangement aus Petits Fours und winzigen Eclairs – ließ Jeanne fast unberührt abservieren. Die Livrierten schenkten Getränke nach. Jeanne hielt sich ans Wasser. Eine Frage der Figur. Und der Kontrolle. Die ersten Gäste raschelten unruhig. Sie wollten in ihre Hotels oder Villen. Oder sie mussten zu den nächtlichen Krisenkonferenzen, die inzwischen am Berliner Platz begonnen hatten. Doch noch warteten alle auf den letzten Redner des Abends. Im nächsten Augenblick trat der Moderator, der schon Thompsons Verspätung verkündet hatte, ans Mikrofon.

»Meine Damen und Herren, mit großem Bedauern muss ich Ihnen mitteilen, dass unser dritter Redner, Herr Herbert Thompson, heute Abend leider nicht mehr auftreten wird.«

Das Publikum raunte. Kurz darauf scharrten die ersten Stühle, und die Anwesenden erhoben sich. Im Grunde war niemand böse, dass nicht noch eine Rede gehalten wurde. Viele Tische waren ohnehin nur mehr lückenhaft besetzt.

Auch an Teds Tisch verabschiedeten sich die Gäste artig von ihren Nachbarinnen und Nachbarn, bevor sie sich einzeln oder in Gruppen im Trubel verloren.

»Seid ihr mit den Chinesen weitergekommen?«, fragte Jeanne Ted leise.

»Mal sehen …«

»Die charmante Frau Dalli und ihr Begleiter«, unterbrach sie

Ambrose Peels sonorer Bariton. »Ich höre, die Chinesen zieren sich noch?«

»Alles nur eine Frage der Zeit«, entgegnete Ted säuerlich.

Sein Blick wurde abgelenkt von einem groß gewachsenen asketischen Typ, der auf sie zusteuerte. Walter Ferguson, führender Manager von Solid State, einem der bedeutendsten Vermögensverwalter weltweit. Groß geworden mit Exchange-traded Funds, ETFs, meist einfachen und günstigen Fonds, die Börsenindizes nachbildeten. Eine der populärsten Anlageformen seit der Krise 2008 mit ungeheuren Wachstumsraten, hatte das Unternehmen ebenso wie etwa Blackrock und Vanguard zu Giganten des Finanzsystems gemacht.

»Walter«, begrüßte ihn Ted. Stellte Jeanne und Peel vor.

»Ich höre, hier wird über spezielle Rettungsaktionen diskutiert?«, fragte Ferguson mit gedämpfter Stimme.

Ted prüfte ihn mit einem sekundenschnellen Blick. Ferguson wusste Bescheid. Alles andere wäre bei einem so wichtigen Player auch beunruhigend gewesen. So verklausuliert sprach er wohl, weil er nicht wusste, ob Peel informiert war. Ted erfasste das sofort und klärte die stumme Frage mit seiner Antwort: »Bist du mit dabei? Je mehr, desto besser.«

Was nicht ganz stimmte. Je mehr Interessenten es für potenzielle Angebote gab, desto höher deren Preise und weniger attraktiv das Schnäppchen.

»Wir wären dabei.« Walter sprach jetzt noch leiser.

»Gut!«

»Aber auf der anderen Seite.«

Peels buschige Brauen zogen sich zusammen.

»Auf der …«, setzte Ted an und begriff.

Jeanne hatte Ted noch nie erbleichen sehen. In Sekundenschnelle hatte er sich wieder unter Kontrolle. Schon konnte sie es in seinen Augen arbeiten sehen. So wie in ihrem Kopf.

»Sie haben immer behauptet, die Dinger wären sicher«, sagte Peel mit strengem Blick zu Ferguson. »So hätte ich das auch verstanden. Im Prinzip kauft man doch Anteile an einer Art Investmentfonds. Dieser wiederum besitzt Aktien jener Unternehmen, deren Index er abbildet. Klar, wenn die Aktienkurse fallen, fallen auch die ETF-Kurse. Wenn die Aktien wieder steigen, und irgendwann tun sie das, steigen auch die ETFs. Aber ich bin kein Finanzexperte …«

Jeanne fixierte Ferguson. »Es sind die synthetischen, nicht?«

Alarmiert fragte Peel: »Was ist das?«

»Was Sie gerade beschrieben haben«, sagte Jeanne, »sind sogenannte vollständig nachbildende Fonds. Aber es gibt auch andere – sogenannte synthetisch nachgebildete.«

»Inwiefern synthetisch?«

»Sie besitzen nicht unbedingt Aktien des Index, den sie nachbilden.«

»Wie geht denn das?«

»Mit anderen Wertpapieren. Und mithilfe diverser Finanzderivate wie SWAPs gelingt es ihnen, den Kurs des Index trotzdem nachzubilden. Oft sogar besser als den vollständig nachbildenden ETFs. Allerdings brauchen sie dafür Partner in der Finanzindustrie, mit denen sie diese komplexeren Deals ausführen können. Diese Partner wollen dafür Sicherheiten. Das sind im Allgemeinen eben irgendwelche Wertpapiere.«

Ted neben ihr lauschte, nickte ihr aufmunternd zu. Jetzt konnte sie auch einmal punkten.

»Ich ahne, worauf das hinausläuft«, stöhnte Peel. »Unter normalen Umständen funktioniert das alles. Aber in einer Situation, wie sie uns jetzt droht, verlieren die hinterlegten Sicherheiten womöglich dramatisch an Wert. Die Handelspartner der ETF-Verkäufer wollen mehr Sicherheiten, die sie aber nicht bekommen, weil der Markt im Keller ist …«

»Abgesehen davon werden diese Sicherheiten oft auch ausgeliehen, getauscht und so weiter. Damit werden auch andere Segmente angesteckt.«

»Synthetische machen aber nur einen Teil des ETF-Markts aus«, wandte Ferguson ein. »Und der Derivateanteil darf auch nur zehn Prozent betragen …«

»Aber die meisten Kunden, zumindest bei den Kleinanlegern, werden keinen Unterschied machen«, erwiderte Ted, »und ETFs dem Herdentrieb folgend verkaufen. Darauf will Jeanne hier hinaus. Und hat recht. Was die Spirale nach unten weiter antreibt.«

»Gott«, ächzte Peel, »die gleiche Scheiße wie 2008? Kein Mensch weiß genau, wo welche Risiken lauern? Und wenn in den nächsten Tagen die Märkte abstürzen, traut wieder mal keiner von euch Kerlen dem anderen, und die globalen Geldflüsse trocknen aus, weil keine Bank mehr der anderen etwas leiht?«

»Alles sehr vereinfacht dargestellt«, sagte Ferguson steif, »aber, letztlich, in etwa: Ja.«

Ein weiterer Dominostein.

»In etwa: Ja?«, zischte Peel mit rotem Kopf. »Und was gedenken Sie zu tun?«

»Beten«, sagte Ted. »Für gute Geschäfte.«

21

Vor der Golden Bar schnatterten aufgeregte Gruppen. Telefonierten, musterten ihre Handys. Schickten wahrscheinlich gerade die Storys und Kurzvideos ihres abendlichen Abenteuers in die sozialen Medien. Zwei Streifenwagen standen mit blinkenden Blaulichtern neben dem Eingang. Zwei weitere Wagen schoben sich durch die Gasse auf Maja und Jörn zu. Zwei Uniformen bugsierten Leute aus dem Lokal, nicht ohne Personalien aufzunehmen. Jörn machte Maja den Weg frei.

In der Bar fanden sich nur noch kleine Gruppen. Maja hielt Ausschau nach Jan Wutte. Im vorderen Teil des Lokals lagen umgestürzte Tische, Stühle und zerbrochene Gläser in einem Cocktail aus Bier, Wein und dem ganzen Rest. Der hintere Teil links von der Bar sah aus, als hätte dort jemand großflächig Holz gehackt. Die Suppe am Boden durchzogen rote Flecken und Schlieren. Es stank nach Alkohol und Schweiß. Auf dem Boden an eine Wand gelehnt saß ein Kerl mit Bierbauch und sehr bleichem Gesicht. Neben ihm kniete ein Kellner und drückte nervös auf einen blutgetränkten Verband am Arm des Mannes. Dahinter lehnten oder lagen drei weitere Männer. Bei ihnen ein uniformierter Kollege. An der Bar verarzteten sich noch welche, wurden von ihren Freundinnen getröstet oder gescholten. Auch dort schon eine Uniform. Maja steuerte den Tresen an.

»Hi. Wo ist der Wirt, die Wirtin?«

Ein Mann hinter der Bar meldete sich.

»Ich bin der Schichtführer.«

Maja stellte sich vor. Fragte. Der Mann wusste nicht viel. Plötzlich hatte sich im hinteren Teil des Lokals ein ganzes Rudel in den Haaren gelegen.

»Haben Sie Überwachungskameras?«

»Nur an den Eingängen.«

»Wir brauchen die Aufnahmen.« Einen Moment rang sie mit sich. »Haben Sie einen Drink für mich? Pisco Sour?«

»Im Dienst?«, fragte er verdutzt.

»Das überlassen Sie getrost mir.«

Während er mixte, zeigte Maja ihm auf ihrem Handy ein Bild von Jan Wutte.

»Haben Sie diesen Mann gesehen? Heute Abend?«

»Hier waren Hunderte Gäste. Keine Ahnung. Nein, ich glaube nicht. Heißt aber nicht, dass er nicht hier war.«

»Und diesen?«

Maja hatte den Namen Fitzroy Peel auf gut Glück im Internet gesucht. Die meisten Einträge wiesen auf einen professionellen Spieler.

Er reichte Maja das Glas mit der rostbraunen Flüssigkeit.

»Auch nicht.«

Maja leerte die Hälfte auf einmal. Die Frische des Limettensafts verbreitete sich von ihrem Magen aus im ganzen Körper. Mit dem Glas wanderte sie weiter zu den Verletzten an der Wand.

Bierbauch sah nicht gut aus.

»Haben Sie die Ambulanz verständigt?«, fragte Maja den Kellner neben ihm.

»Ja, natürlich«, erwiderte der fahrig.

Jetzt sah Maja, dass neben den Fingern, die er auf den Verband presste, Blut durch die Gaze quoll. Die Wunde darunter musste eine große Ader erwischt haben.

»Sie müssen fester hineindrücken«, sagte Maja. »Haben Sie noch Verbandszeug?«

Der Kellner schüttelte den Kopf.

Maja kniete nieder, stellte ihr Glas ab.

»Können Sie reden?«, fragte sie den Verwundeten.

»Wer … Sie?«, stöhnte er.

»Kommissarin Maja Paritta. Wissen Sie, was hier passiert ist?«

Sie riss ein Stück vom T-Shirt über dem Bierbauch ab.

»Da war … dieser Betrüger …«, ächzte er. »Wettete mit uns … nahm uns aus …«

»Wettete? Was? Ein Kartenspiel?«

»Nein. Münzen … werfen …«

Maja wickelte den Fetzen zu einer kleinen Rolle und presste sie auf die Wunde. Bierbauch stöhnte auf.

»Fest drücken«, sagte sie zu dem Kellner.

Münzen werfen? Maja nahm ihr Glas wieder auf. »Er hat betrogen? Und das haben Sie sich nicht gefallen lassen.«

Als Antwort schnaufte er nur.

»Wer hat das getan?«

Maja deutete auf seinen Arm.

»Weiß nicht. So 'n Muskelberg in Schwarz, glaub ich … Aaah!«

Er schloss die Augen, lehnte den Kopf an die Wand.

Sanft rüttelte Maja an der Schulter des gesunden Arms.

»Bleiben Sie wach!« Dem Kellner flüsterte sie zu: »Sehen Sie nach, ob der Notarzt schon da ist. Der hier muss als Erster behandelt werden.« Sie übernahm die Kompresse und drückte.

Der Kellner, froh, die Verantwortung los zu sein, sprang auf und lief Richtung Ausgang. Bierbauch öffnete die Augen.

»Das wird wieder«, sagte Maja. Sie musste ihn bei Bewusstsein halten. Dabei konnte sie ebenso gut ihre Arbeit machen. Mit der freien Hand zeigte sie ihm Jan Wuttes Bild.

»Haben Sie diesen Mann heute Abend hier gesehen?«

Bierbauch stierte auf das Telefon.

»Ja«, brachte er schließlich heraus. »Er hat mit uns gespielt.«

»Aber er war nicht der Betrüger?«

Müdes Kopfschütteln.

»Und ihn?« Fitzroy Peel.

Aus seinem Brustraum stieg ein gurgelndes Geräusch. Ruckartig fuhr er hoch.

»Das ist er!«

Die Bewegung hatte ihm gar nicht gutgetan. Er plumpste zurück an die Wand, sein Kopf kippte zur Schulter. Rasch stützte Maja ihn, fühlte seinen Puls.

»Danke, Sie können zur Seite gehen«, sagte eine warme, aber energisch klingende Frauenstimme hinter ihr. »Wir übernehmen das.«

Notärzte. Unter den Heiligen auf Majas Liste ganz weit oben.

»Du gehst also nicht zur Polizei?«, fragte Fitzroy. Entschieden strebte er durch die schmalen Straßen in Mitte, vorbei an geschlossenen Läden und geöffneten Kneipen. Sein junger Begleiter blickte sich unentwegt um. Auch Fitzroy versicherte sich nervös, dass ihnen niemand folgte.

»Vorerst nicht«, sagte Jan. »Die verdächtigen mich. Und es gibt keine Entlastungszeugen.« Unvermittelt trat er gegen die Hauswand. »Kacke! Verdammte! Scheiße! Ich will doch nur ein ruhiges Leben! Ich mache alles, was verlangt wird – eine Ausbildung, einen Job, der scheiße bezahlt wird, ich kann mir in Berlin nicht mal eine anständige Wohnung leisten, und Rente bekomme ich dann später auch kaum welche, und selbst das schlucke ich! Ich spiele nach den Scheißregeln, und was hab ich davon?! Das jetzt auch noch! Mordverdacht! Die können mich alle mal am Arsch lecken!«

»Dann musst du nach anderen Regeln spielen«, sagte Fitzroy mit einem Achselzucken.

»Nach welchen?«, schnaubte er. »Denen der Arschlöcher?«

Kein Wunder, dass der Junge nach den Erlebnissen der letzten Stunden auszuckte. Wenn sie denn so passiert waren. Aber warum sollte er sich so eine Story ausdenken? Und wenn doch? Kurz flackerte in Fitzroy Hoffnung auf: Vielleicht war Will noch am Leben. Vielleicht war das irgendeine Falle. Er blieb misstrauisch. Alte Spielergewohnheit. Gesichter konnten täuschen.

Doch wenn nicht? Wenn Will wirklich tot war? Ermordet? Er weigerte sich, den Gedanken weiterzuverfolgen.

»Aber du könntest zur Polizei gehen«, sagte Jan, als er sich beruhigt hatte. »Wegen der Schlägerei.«

Vorsichtig betastete Fitzroy sein Gesicht. Ächzte.

»Dann sitze ich die ganze Nacht auf dem Revier. Und der Fette zeigt mich wegen illegalen Glücksspiels an. Ist nicht drin. Ich habe heute noch eine Verabredung.«

»Aber es geht um deinen toten Freund …«

»Zu dem sie vor allem deine Aussage brauchen«, wiegelte er ab. »Nicht meine.«

»Wer ist heute Nacht noch so wichtig? Verführerisch siehst du ohnehin nicht aus.«

»Keine solche Verabredung. Eine ernsthafte Partie Poker. Da geht es um Millionen.«

Konnte er dort heute wirklich noch hingehen? Nach allem, was geschehen war?

Jan stolperte. »Millionen?!«

»Im Umfeld von Veranstaltungen wie dem Gipfel findest du immer einige sehr, sehr reiche Menschen, die einer hochdotierten Runde nicht abgeneigt sind. Und sich gern mit Profis wie mir messen.«

»Und das ist legal?«

»Das ist egal.«

»Verstehe. Deshalb kannst du keine Anzeige wegen illegalen

Glücksspiels gebrauchen. Und du gehst um ein paar Millionen reicher nach Hause?«

»Manchmal. Zur Polizei kann ich morgen immer noch.«

»Ich laufe hier mit einem Millionär durch die Straßen?«

Fitzroy antwortete nicht.

»Warum lässt du dich dann in ganz gewöhnlichen Kneipen vermöbeln?«

»War doch ein Spaß! Bis jemand den schlechten Verlierer geben musste ...«

»Meine Vorstellung von Spaß sieht anders aus.«

Plötzlich packte Jan ihn am Arm, stieß ihn in einen Hauseingang. Streckte vorsichtig den Kopf hinaus, lugte hinter sie.

Entspannte sich wieder.

»Sorry«, sagte er. »Ich dachte ...«

Sie verließen den schützenden Schatten, eilten weiter. Hier war eine Menge Volk auf den Beinen. Vor ihnen leuchtete der Dom, daneben die Museen. Dazwischen kramte eine zerlumpte Gestalt in einem Mülleimer.

»Eigentlich wollte ich mir nur die Zeit vertreiben, bis Will auftaucht. Ich habe mit ein paar Typen geplaudert ... und auf einmal waren wir mitten im Spiel ... Ich muss ins Hotel, mich frisch machen.«

Ein paar Schritte lief Jan schweigend neben ihm her. Der Himmel leuchtete von fernen Blitzen.

»Bei mir zu Hause wartet womöglich die Polizei«, sagte Jan. »Könnte ich auch kurz dein Bad benutzen?«

Obwohl sie sich erst seit einer Stunde kannten, war der Junge kein Wildfremder mehr. Fernes Donnergrollen. Fitzroy hatte die Sekunden seit dem Leuchten mitgezählt. Das Gewitter war wenigstens sechs Kilometer entfernt. »Ich sag es gleich – ich habe nie Sex beim ersten Date.«

»Keine Sorge. Bist nicht mein Typ. Wo ist dein Hotel?«

»Paar Minuten noch.«

Fast im Laufschritt erreichten sie den Boulevard Unter den Linden. Auf der breiten Straße mit Verkehr und Menschen fühlte Fitzroy sich sicherer. Vor einer Bankfiliale hatten Demonstranten ein kleines Protestcamp errichtet. Im Licht ihrer Laternen unterhielten sie sich zwischen ein paar Zelten. Unter den Linden!

»Was machen die da?«, fragte Jan.

»Occupy Wall Street nachspielen?«, mutmaßte Fitz.

»Was?«

»Ach ja, dafür bist du fast zu jung. Als Reaktion auf die große Wirtschaftskrise nach dem Crash 2008 besetzten Protestierende auf der ganzen Welt Plätze vor Banken. Hielten sich aber nicht lange, weil sie schlecht organisierte Chaoten ohne Ziel waren.«

»Was soll das auch bringen?«, meinte Jan mit einem letzten Blick, bevor er fragte: »Warum warst du mit Will in der Golden Bar verabredet?«, fragte Jan.

»Warum verabredet man sich mit alten Freunden? Er wusste, dass ich da sein könnte, und kontaktierte mich. Wir hatten uns lange nicht gesehen.« Zu lange.

Maja stand in Gestank und Blut mit ihrem zweiten Pisco Sour und versuchte noch immer, Bierbauchs Aussage einzuordnen. Falls Jan Wutte seine Geschichte tatsächlich erfunden hatte, stellte sich die Frage: Warum? Und warum war er nach dem Vorfall im Tiergarten hierhergekommen? Wo er befürchten musste, dass die Polizei ihn aufstöberte?

Welche Rolle spielte in diesem Fall Fitzroy Peel? Der tatsächlich existierte. Zwischen den beiden mochte es eine frühere Verbindung geben. Die konnte man finden. Wenn man die Zeit oder das Personal dafür hatte.

Falls die Geschichte jedoch nicht erfunden war, hatte Maja ein Problem. Ein richtiges.

Sie wandte sich den Kollegen zu. Sie hatten mit der Aufnahme der Zeugenaussagen begonnen.

»Fragt auch, ob jemand mit dem Mobiltelefon gefilmt hat. Falls ja, bittet um die Videos. Wenn sie nicht schon in den sozialen Medien stehen. In dem Fall sichert sie von dort.«

Einige Gäste hatten von sich aus Videos angeboten. Maja überflog sie, aber die meisten waren zu dunkel oder unscharf, um auf den ersten Blick etwas darauf zu erkennen. Jemand würde sie genauer analysieren müssen, sobald sie die Zeit dazu fanden. Womöglich sie selbst. Sie brauchte Unterstützung. Jörn war keine große Hilfe, solange er Jan Wutte als Verdächtigen und nicht neutral betrachtete. Zudem gehörte er nicht zu den Mordermittlern, ihm fehlte die Ausbildung. Alle anderen waren mit dem Gipfel oder anderen Fällen beschäftigt. Sie kämpften Wasser Unterkante Oberlippe.

Maja rief in der Zentrale an.

»Ich brauche eine Information aus den Gästemeldungen der Hotels«, sagte sie. Nachdem Jan Wutte am Unglücksort vor der Polizei geflüchtet war, würde er wohl kaum den Fehler machen, bei sich zu Hause aufzukreuzen. Blieb die zweite Person in der Geschichte, deren Namen sie kannten. »Ein gewisser Fitzroy Peel.« Maja buchstabierte.

Die Wartezeit killte die Reste ihres Pisco Sour.

Fitzroy Peel war im Hotel The Dome abgestiegen. Wow, der Mann leistete sich eines der exklusivsten Häuser der Stadt. Musste sein Spiel beherrschen.

Maja hielt Ausschau nach Jörn.

22

Rasch hatten sie den Boulevard Unter den Linden überquert. Fitzroy hing Erinnerungen an Will nach. Während ihrer gemeinsamen Studien- und Arbeitsjahre waren sie enge Freunde geworden. Danach hatten sie sich immer seltener gesehen. Ein Anruf hier, eine Mail da. Vielleicht einmal im Jahr noch getroffen.

»Ich kann ja verstehen, dass sie dich als Zeugen beseitigen wollten«, brach Fitzroy das Schweigen. »Aber warum mich?«

»Weil du beim Spielen betrügst?«

»Ich betrüge nicht. Die Leute können nicht rechnen. Oder nicht denken. Oder beides. Nicht meine Schuld.«

»Die zwei haben es doch vorgerechnet.«

»Aber falsch. Sie errechneten den Durchschnitt aller möglichen Ergebnisse, den sogenannten *Ensemble*mittelwert. Als ob sie die Durchschnittsgröße der Bevölkerung ausrechnen. Dabei haben sie nicht berücksichtigt, dass sich ihr Einsatz nach jedem Münzwurf ändert. Als spielten Entscheidungen und ihre Folgen keine Rolle. Als spielten Dynamiken, die sich erst mit der Zeit entwickeln, keine Rolle. Als spielte Zeit an sich keine Rolle!«

»Wie hätten sie denn rechnen müssen?«

»Den *Zeit*mittelwert. Das Prinzip kennt jeder Sparer vom Zinseszins. Die Basis deiner Berechnung ändert sich nach jedem Wachstumsschritt. Du sparst hundert Euro, bekommst darauf zwei Prozent Zinsen …«

»Wo, bitte, bekomme ich zwei Prozent Zinsen?!«

»Nur so als Beispiel …«

»Ich verdiene sowieso viel zu wenig, um was zu sparen. Das richtige Geld wird irgendwelchen Schnöseln, Bankstern und Politikern nachgeworfen!«

»Nach einem Jahr hast du hundertzwei Euro«, ignorierte Fitzroy den Ausbruch. »Die sind nun die neue Basis für die zwei Prozent im folgenden Jahr, also zwei Euro und vier Cent. Und so weiter, jedes Jahr. Bei größeren Summen läppert sich dieser Unterschied über die Jahre ganz schön.«

Er bog in eine Seitenstraße ein.

»Warum wurde es dann bei uns immer weniger?«

»Himmel! Weil es andere Zahlen waren! Bei dieser speziellen Wette, die wir spielten, ist der Zeitdurchschnitt negativ. Das wird dir schon klar, wenn du nur zwei Runden ausrechnest. Wenn du mit hundert Punkten beginnst und beim ersten Wurf verlierst, bleiben dir sechzig Punkte. Wenn du im zweiten Wurf gewinnst, bekommst du fünfzig Prozent von den sechzig Punkten. Also …?«

»Dreißig Punkte«, erwiderte Jan. »So weit schaffe ich das noch.«

»Macht zusammen …«

»Neunzig.«

»Nach einem verlorenen und einem gewonnenen Wurf hast du bereits zehn Prozent verloren«, fasste Fitzroy zusammen.

»Dann muss ich also zuerst gewinnen«, sagte Jan. »Da mache ich aus hundert Punkten mit dem ersten Wurf hundertfünfzig. Wenn ich beim nächsten Wurf vierzig Prozent davon verliere, sind das …«, Fitzroy ließ ihn rechnen, sollte er ruhig selbst draufkommen – »… minus sechzig Punkte!«, verkündete Jan stolz. »Also … Moment mal! Wieder neunzig Punkte!«

»Exakt. Im Schnitt verlierst du bei dieser speziellen Wette langfristig pro Runde 5,1 Prozent.«

»Der – wie heißt das – *Ensemble*durchschnitt ist anders als der *Zeit*durchschnitt? Dasselbe Ding kann verschiedene Durchschnitte haben?«

»Ja. Mathematiker sagen dazu *nicht ergodisch*. Die meisten Menschen glauben, dass Ensembledurchschnitt und Zeitdurchschnitt immer dasselbe ergeben. Auf Mathematisch: *ergodisch* sind.«

Durch die Straßen hier liefen weniger Menschen, stellte Fitzroy fest und wandte sich wieder um.

»So was muss man als Spieler wohl wissen.«

»Viele machen diesen Fehler. Ein Grund, warum die meisten Menschen schlecht mit Geld – und anderem – umgehen können …«

»Mich eingeschlossen.«

»… und nicht mal kapieren, dass eine Aktie, die zehn Prozent ihres Wertes verliert, danach *mehr* als zehn Prozent steigen muss, um wieder auf denselben Stand zu kommen.«

»Hä?«

War der Kerl begriffsstutzig!

»Aktie im Wert von hundert Euro verliert zehn Prozent, macht neunzig«, erläuterte Fitzroy ungeduldig. »Zehn Prozent von neunzig sind neun. Steigerung um zehn Prozent macht …«

»… neunundneunzig. Scheiße. Nicht hundert.«

»Genau. Die Aktie müsste von neunzig nicht um zehn Prozent, sondern um gut 11,1 Prozent steigen, um wieder auf hundert zu kommen.«

»Rechnest du das alles im Kopf?«

»Ja. Könntest du auch. Wenn du wolltest.«

Jan betrachtete ihn nachdenklich.

»Beantwortet aber nicht, warum dir die Kerle auch an die Gurgel wollten.«

Bei dem Gedanken an seinen Angreifer mit der Flasche brach Fitzroy erneut der Schweiß aus.

»Nein.«

Gott, wie musste Will sich in den letzten Sekunden gefühlt haben, als er begriff, was geschehen würde!

Wenn Jans Geschichte stimmte.

Der Junge warf wieder einen gehetzten Blick über die Schulter.

»Dafür habe ich eigentlich nur eine Erklärung«, sagte Fitzroy. »Die Typen glauben, dass Will dir vor seinem Tod etwas erzählt hat, das niemand wissen soll. Und dass du es mir weitererzählt hast.«

»Hat er nicht.«

Sagst du.

»Sind wir bald da?«

Els Team teilte sich auf, lief und fuhr die Straßen rund um die Golden Bar ab. El fragte sich, ob hier immer so viel los war oder ihnen die Gipfel- und Demotouristen die Arbeit erschwerten. Immerhin war es in den Seitengassen ruhiger. Aber als der Samariter und der Spieler hätte El sich auch unter die Massen gemischt. Nadel und Heuhaufen. Sie checkten die Lokale ohne viel Hoffnung. Rob hatte er sicherheitshalber zu Jan Wuttes Heimadresse geschickt, Bell war längst zu ihnen gestoßen. Wutte war von hier. Falls er Freunde in der Umgebung hatte und bei ihnen untergeschlüpft war, hatten sie schlechte Karten, ihn zu finden.

Was ohnehin eine Fleißaufgabe war. Den Kernauftrag hatten sie erledigt. Wenn irgendwelche Spinner Verschwörungstheorien um den Unfall der Limousine in die Welt setzten, würde das schlimmstenfalls einen Tag durch die alten Medien, ein paar Stunden durch die sozialen Medien gehen und danach in den unendlichen Weiten des World Wide Waste verschwinden, außer für ein paar unverbesserliche Lügenfans.

El hätte sich damit abfinden können, das war nicht das

Problem. Das Problem war ihr Auftraggeber. Keine Zeugen, hatte die Order gelautet. Sonst …

El spürte kalten Schweiß zwischen seinen Schulterblättern hinabrinnen, als sich in seinem Headset Jacks Stimme meldete.

»Ich habe die Adresse von Fitzroy Peels Hotel.«

23

Jan musste sich anstrengen, Fitz' langen Schritten zu folgen. Sie eilten Richtung Gendarmenmarkt. Nur ab und zu kamen ihnen Passanten entgegen. Die leeren Straßen machten ihn nervös. Obwohl er nicht glaubte, dass Ambosskinn ihnen gefolgt war.

»Ich habe Will vor fast einem Jahr zuletzt gesehen«, erzählte Fitz gerade. »Während einer Konferenz in Los Angeles. So wie jetzt. Seitdem nur ein paar kurze Meldungen, wie geht's und so. Bis zu der Nachricht vor einer Woche. Er schrieb, er sei an einer spannenden Sache dran.«

»Was denn?«

»Hat er nicht verraten.«

»Kann es mit euren letzten Gesprächen in Los Angeles zu tun gehabt haben?«

»Keine Ahnung. Damals war er gerade besessen von einer bestimmten Formel, dem Kelly-Kriterium. Er wusste, als Spieler bin ich damit vertraut.«

»Kelly-Kriterium?«

»Damit kannst du berechnen, ob sich eine wiederholte Wette für dich lohnt oder nicht. So eine wie heute Abend. Und welchen Anteil deines Vermögens du einsetzen musst, um dabei langfristig möglichst viel zu gewinnen.«

»Also hätte ich heute Abend auch gewinnen können?«

»Kaum. Die Anwendung des Kelly-Kriteriums hätte dir sofort

gezeigt, dass diese spezielle Wette langfristig niemand gewinnen kann.«

»Woher weißt du das alles? Lernt man das als Spieler?«

»Und als Mathematiker beziehungsweise Physiker. Habe ich studiert. Unter anderem zwei Jahre in Heidelberg …«

»Deshalb sprichst du so gut Deutsch.«

»… meinen Doktor habe ich allerdings in den Staaten gemacht.«

»Doktor der Mathematik? Ächz!«

»Physik. In Mathe habe ich nur den Master.«

»Ah, klar. Nur …«

Die Schlagstellen in Jans Gesicht pochten heftiger. Instinktiv sah er sich um. Noch immer niemand.

»Will kannte ich aus dem Studium. Wir starteten gemeinsam bei derselben Investmentbank in New York.«

»Ich dachte, du bist Spieler?«

»Das ist dasselbe!«, lachte Fitz. »Mit dem Unterschied, dass ich auf eigenes Risiko spiele und nicht mit dem Geld anderer Leute. Wie auch immer. Bei Goldman wurde es mir schnell zu langweilig.«

»Und warum interessierte Will dieses Kelly-Kriterium? War er auch Spieler?«

»Will?«, griente Fitz. »Nein, er blieb ein paar Jahre bei Goldman, dann wechselte er zu einer Boutique …«

»Vom Investmentbanker zum Fetzenverkäufer?!«, fragte Jan ungläubig.

»Ein kleineres, feineres Finanzunternehmen«, erklärte Fitz.

»Fein und Finanzunternehmen, ein Widerspruch in sich …«

»… von dort dann weiter zu Ted Holdens Hedgefonds.«

»Wer ist Ted Holden?«

»Wer ist Ted Holden?! Einer der reichsten Männer der Welt!«

»Ach, der! Sehe ich ja täglich bei uns in den Betten, die auf dem Gang stehen müssen, diese Leute!«

»Wenn Will tatsächlich bei einem Nobelpreisträger im Wagen saß«, überlegte Fitz, »galt der Mordanschlag sicher diesem. Nannten die Polizisten einen Namen?«

»Habetomson oder so ähnlich.«

Fitz tippte, ohne anzuhalten, auf seinem Handy. Wischte.

Jan nutzte die Gelegenheit. Seit dem Vorfall hatte er sein Handy noch nicht gecheckt!

»Shit.«

»Was?«

»X Anrufversuche meiner Mutter. Mailbox. Und Textnachrichten. Ich soll mich melden, die Polizei war bei ihr. Und Anrufe einer unbekannten Nummer.«

»Sag ihr Bescheid, dass mit dir alles in Ordnung ist«, riet Fitz, ohne aufzusehen. »Sonst kommt sie um vor Sorge.«

»Nicht meine Mutter.«

»Alle Mütter. Na ja, fast.«

»Aber es ist nicht alles in Ordnung!«

»Würde sie sich wohler fühlen, wenn du ihr schreibst, dass du derb vermöbelt wurdest, als Mörder verdächtigt wirst und vor Killern auf der Flucht bist?«

Punkt. Jan tippte minimal: *Bin ok. Melde mich später.*

»Herbert Thompson«, sagte Fitz schließlich und zeigte Jan eine Reihe Bilder. »War der in dem Auto?«

Jan hielt an, vergrößerte die Bilder, studierte sie.

»Ich bin im Arsch«, stöhnte er. »Das ist er.«

»Du warst es doch nicht?«

»Natürlich nicht!«

»Dann lautet die Frage: Warum wurden sie ausgerechnet heute ermordet? Hier?«

Fitz konsultierte wieder sein Handy.

»Thompson sollte morgen eine Rede zur Eröffnung des Gipfels halten«, sagte er nach kurzem Suchen.

»Er war Nobelpreisträger«, sagte Jan. »So jemand hat ein Büro, Assistenten, Mitarbeiter. Vielleicht weiß dort jemand was.«

»Das werden sie uns sicher erzählen«, spottete Fitz und lief wieder los.

»Bluffen ist dein Beruf.«

Fitz hielt erneut, suchte auf dem Handy.

»Hat das nicht Zeit bis zum Hotel?«, fragte Jan ungeduldig.

»Das läuft uns nicht weg.«

»Die Info über diesen Thompson auch nicht.«

»Er lehrt in Stanford, Kalifornien, an der London School of Economics und in Singapur.« Genauere Recherche brachte für alle drei Standorte Institute mit Telefonnummern.

»Singapur können wir vergessen«, sagte Fitz. »Dort ist die Uhr bereits sechs Stunden weiter. Mitten in der Nacht. In London ist es auch schon Abend. Im kalifornischen Stanford ist es acht Stunden früher. Vormittag.«

Fitz versuchte Stanford. Besetzt. Noch einmal. Besetzt. Jemand war also da.

»Ich probiere es später«, sagte er und blickte hoch.

»Da sind wir.«

Das Hotel lag hundert Meter vor ihnen.

Jan packte Fitz am Arm. In der Auffahrt stand ein Polizeiwagen. Aus dem Auto stiegen ein größerer Uniformierter und eine Frau. Mittvierzigerin. Kleine, athletisch-stämmige Figur. Jeans, ähnliche Jacke wie Jan. Aus ihrer Schirmkappe wuchs hinten ein Pferdeschwanz.

»Den kenn ich!«, flüsterte Jan. »Dieser Polizist wollte mich mitnehmen!«

»Was machen die bei meinem Hotel?«, fragte Fitz.

Die Frau ging mit entschiedenem Schritt voran, streckte dem Türöffner etwas entgegen. Der Uniformierte folgte.

»Das war es dann mit Frischmachen«, seufzte Jan.

Dass ausgerechnet einer der Beamten, die Jan Wutte beim Wrack befragt hatten, vor dem Hotel auftauchte, konnte kein Zufall sein. Fitzroy Peel war bislang nicht erschienen. Wutte blieb auch verschwunden. El wusste nicht, ob sie sich nach der gemeinsamen Flucht nicht getrennt hatten. Am störendsten fand er den Umstand, dass die Polizei über Wutte den Briten ausgeforscht hatte. Was hatte der mit der Sache zu tun?

»Solange der Polizeiwagen so prominent in der Einfahrt steht, wird sich Peel hier nicht blicken lassen«, meinte Jack.

»Nur, falls er mit Wutte zusammen ist«, sagte El. »Ansonsten vielleicht erst recht. Trotzdem macht ihre Anwesenheit unsere Aufgabe nicht leichter. Nachdenken! Wo könnten wir sie finden?«

»Wutte fährt vielleicht doch zu sich nach Hause?«

»Dort wartet sicher die Polizei auf ihn. Und wir. Nein. Will Cantor hat ihm offensichtlich etwas gesteckt. Deshalb hat er Peel in der Golden Bar aufgesucht.«

»Verdammt«, sagte Jack. »Aber was ich immer noch nicht ganz verstehe, ist, warum Wutte überhaupt in das Spiel mit Peel eingestiegen ist. Wenn er bloß mit ihm reden wollte, hätte er das gleich tun können. Oder das Spiel abwarten.«

»Das frage ich mich auch schon die ganze Zeit«, gab El zu. »Ich habe nur eine Erklärung: Cantor schickte Wutte zu Peel, weil *der* etwas weiß.«

»Dann hätte der doch schneller auf Wuttes Anwesenheit reagiert. Mein Tipp: Peel weiß auch nichts. Heißt: Sie werden herausfinden wollen, warum wir hinter ihnen her sind.«

»Tja, leider. *Dass* wir das sind, werden sie nach der Schlägerei begriffen haben.«

»Wohin könnten sie sich wenden? Wohin würdest du gehen?«

Gute Frage.

Ein Ort fiel El als erster ein.

24

Fitzroy starrte in den Nachthimmel. Sie hatten sich zwei Straßen weiter in einen Hauseingang zurückgezogen. Eine Windbö wirbelte Staub über den Bürgersteig. Blitze und Donner hatten sich für den Moment verzogen. Dafür knatterten wieder Hubschrauber.

»Ich will mich trotzdem erst mal waschen«, sagte Fitzroy. Er musterte Jan. »So kommst du nirgends rein.« Er reichte Jan ein Taschentuch. »Wisch dein Gesicht halbwegs sauber. Wie sehe ich aus?«

»Bisschen Wasser würde dir auch nicht schaden.«

Fitzroy spuckte in die Hände und fuhr damit über den Schädel.

»Wenigstens keine Blutspritzer mehr«, sagte Jan.

Fitzroy trat auf die Straße. Auf jeder Seite entdeckte er in einiger Entfernung mehrere Lokale. Vor einem wühlte ein Mann in einem Container. Neben ihm ein Kind.

»Schon wieder welche«, stellte Fitz fest. »Ist ja wie in London oder New York.«

»Ist hier inzwischen normal«, sagte Jan. »Müsstest mal in andere Stadtteile kommen.«

»Gehen wir.«

Jan befeuchtete das Taschentuch mit der Zunge.

»Wenn der Anschlag doch Will galt?«, meinte er, während er vorsichtig um sein Auge tupfte und dabei vor Schmerz das

Gesicht verzog. »Kann er etwas entwickelt haben, das ihn das Leben gekostet hat? Etwas, das mit eurem letzten Gespräch zu tun hatte?«

»Mit dem Kelly-Kriterium? Ökonomen bis hin zu Nobelpreisträgern verspotteten es. Finanzpraktikern dient es trotzdem zunehmend als Grundlage für Investmentstrategien. Weil es langfristig den besten Ertrag bringt. Und gleichzeitig verhindert, dass du pleitegehst. Überleben bei maximalem Ertrag. Ist aber alles kein Geheimnis.«

Sie warfen einen Blick in den ersten Laden. Rammelvoll, schummrig beleuchtet, kein Türsteher. Normales Publikum, nicht zu schick. Hier fielen sie in ihrem Zustand nicht sofort auf.

»Da hinein.«

Direkt auf die Toilette. Die armselige Funzel an der Decke milderte ihren Anblick im fleckigen, gesprungenen Spiegel. Die Wand über dem einzigen Waschbecken war mit mehreren Lagen Veranstaltungspostern tapeziert. Nasse, zerfetzte Papierhandtücher verklebten den Boden. Dafür war der Spender leer.

»Mist«, murmelte Fitzroy, während er sich und Jan im Spiegel inspizierte. Neben Jans linkem Auge schwoll eine Beule, auf seiner dicken Unterlippe trocknete das Blut über einer aufgeplatzten Stelle. Das übrige Blut hatte er wie Fitz über das Gesicht verschmiert.

»Ich sehe aus, als hätte ich einen Sonnenbrand.«

Fitzroy wusch sich das Gesicht.

»Vielleicht hat Will einen neuen Superdreh gefunden«, sagte Jan, während er vorsichtig sein T-Shirt hochzog. Sein linker Rippenbogen und der Oberbauch hätten mit ihrem Fleckenmuster einer Giraffe gut gestanden.

»Und wenn. Dafür bringt man niemanden um«, erwiderte Fitzroy mit tropfendem Gesicht.

»Menschen wurden schon für weniger abgestochen …« Jan betastete seine Rippen und stöhnte auf. »Fitzroy«, sagte er. »Was ist das für ein Name?«

»Meine Mutter hielt das für originell«, antwortete Fitz. »Englischer Adel. Mag es gern ein wenig exzentrisch.«

»Ist mir zu kompliziert. Ich nenn dich Fitz.«

»Tust du nicht.«

»Tu ich doch.«

»Wenn Will für Ted Holden einen Goldesel entwickelt hat …?«, dachte Fitz laut, während er seinen Hemdkragen arrangierte.

»Goldesel?«

»So nannten Will und ich erfolgreiche Investmentstrategien.«

Er strich sein Hemd glatt. Sah fast aus, als wäre nichts geschehen.

»Goldesel für Superreiche. Klingt nicht gerade sympathisch.«

»Mag unglaubwürdig klingen, aber Will fand die Herausforderung interessant. Ums Geld ging es ihm dabei weniger.«

»Genommen hat er es sicher trotzdem.«

»Millionenapartments, Chalets, Yachten, Drogen, Jet-Set-Reisen, teure Frauen, der ganze Kram interessierte Will nicht. Er war ein typischer Quant«, erklärte Fitz, während er seine dunkle Jacke mit einem feuchten Taschentuch von kaum sichtbaren Blutspritzern befreite. Jans Blick im Spiegel ließ ihn gleich fortfahren: »Ein quantitativer Analyst. Hochintelligent, vielleicht leicht autistisch, weiß ich nicht. Leute wie er sehen Muster, Ordnung, Prozesse und Systeme, wo für andere nur Chaos – *noise* – herrscht. Sie entwickeln dir aus dem Effeff Formeln und Algorithmen, wie es einer Horde weniger Begabter in ihrem ganzen Leben nicht gelingt. Das bezahlt die Finanzwirtschaft verdammt gut.«

Fitzroy hielt inne. Starrte über den Spiegel Jan an, der gerade seinen Hals wusch. Rein äußerlich sahen sie schon beinahe wieder menschlich aus.

»Da fällt mir etwas ein … Aus Wills und meinem Gespräch

ergaben sich damals Fragen, die ich nicht beantworten konnte. Zum Beispiel, nach welchen Kriterien in der Ökonomie Entscheidungen gefällt werden. Ich sagte, dass er dazu eher Ökonomen fragen müsste.«

»Und, hat er?«, wollte Jan wissen.

»Davon gab es wohl genug in der Firma. Er nannte sogar einen Namen.« Fitz legte die Stirn in Falten. »Jean. Oder Jeanne. Das war's: Jeanne Dalli.«

Nun war es Jan, der Fitz über den Spiegel anstarrte.

»*Schann Dalli.* Den Namen hat Will Cantor genannt! Ich dachte, er meint irgendeine *Chantal.*«

Jeanne Dalli – *Chantal.* Nur das »i« am Ende hatte der Sterbende verhaucht.

Allein der überdimensionale Blumenschmuck im Hotelentree verschlang mindestens zwei von Majas Monatsgehältern. In der Lobby und der dahinter integrierten Bar verteilten sich mehrheitlich Menschen aus aller Herren Länder, von deren Verbrechervisagen selbst ihre sündteuren, wenngleich selten geschmackssicheren Luxusmarkenklamotten nicht ablenken konnten. Nachdem sie ihre Länder und Mitbürger ausgeraubt hatten, ließen sie es sich in sichereren Weltgegenden gut gehen. Das waren die Migranten, die man wirklich hinauswerfen sollte.

Maja bat Jörn, beim Eingang zu warten, bis sie ihm ein Zeichen geben würde. Am Empfang versuchte sie es auf die unkomplizierte Art.

»Guten Abend. Maja Paritta. Ich bin mit Fitzroy Peel verabredet. Könnten Sie ihm bitte Bescheid geben?«

Die Dame befragte ihren Computer, worauf sie zum Telefonhörer griff. Nach einigen Freizeichen legte sie auf.

»Tut mir leid, er hebt nicht ab.«

»Ist er überhaupt da?«, versuchte es Maja. Dank der modernen elektronischen Key-Card-Systeme konnte die Rezeptionistin feststellen, wann die Karte verwendet worden war.

Sie zögerte kurz, ob sie ihr die Information geben konnte. Sagte dann: »Es sieht nicht so aus.«

»Seltsam«, sagte Maja. »Kein Problem. Ich versuche es auf seinem Handy. Danke.«

Auf dem Weg zum Ausgang telefonierte Maja bereits mit der Zentrale.

»Ich brauche die Erlaubnis für eine Handyortung.«

Jan und Fitz hatten sich zwei Plätze an einem Wandstehtisch im hinteren Bereich und zwei Bier erkämpft. Das Lokal war noch immer voll, die Besucher nicht zu laut. Hier würde man sie nicht so leicht finden. Fitz wirkte komplett wiederhergestellt, wenn man von einer leichten Schwellung unter seinem Auge absah. Und Jans Schrammen und das leichte Veilchen konnten auch von einem Fahrradunfall stammen. Fitz hantierte schon wieder mit seinem Handy herum. Hielt es Jan vor die Nase.

»Hier – Jeanne Dalli.«

Typ: Viel zu hübsche Schauspielerin stellt erfolgreiche Junganwältin oder Bankerin dar. Gab es diese Leute im wirklichen Leben?!

»Sie arbeitete bei Syllabus Invest, dem Hedgefonds, bei dem auch Will beschäftigt war. Hier eine Meldung, dass sie gewechselt hat. Innerhalb des Imperiums.«

»Was für ein Imperium?«

»Ted Holdens. Jeanne Dalli arbeitet seit sieben Monaten in Holdens persönlichem Assistententeam. Die Arme …«

»Weshalb?« Verdiente man sicher gut, als Assistentin eines Multimilliardärs, stellte Jan sich vor. Bei dem Aussehen spätere Heirat nicht ausgeschlossen.

»Albtraum«, sagte Fitzroy. »Vierundzwanzigstundentage. Zudem ist Holden berüchtigt als herrischer Choleriker.«

»Kann er sich wohl leisten.«

»Vielleicht hat Will mit ihr tatsächlich über irgendeine Idee gesprochen. Wir müssen versuchen, sie zu erreichen.«

Wieder wischte er auf dem Handy.

»Ted Holdens Zentrale ist in San Francisco. Dort ist Vormittag.«

Wie es schien, hatte er sogar eine Telefonnummer gefunden.

»Guten Abend. James Donahue, Templebridge-Capital, ich müsste bitte mit Jeanne Dalli sprechen.« Grinste Jan an. Dessen Englisch genügte, um Fitz zu verstehen.

»Ah. Tatsächlich? In Ordnung, danke. Wie kann ich sie erreichen?«

Stirnrunzeln.

»Das verstehe ich. Selbstverständlich. Aber es ist wirklich wichtig. Vielleicht können Sie mir das Hotel nennen. Dann kann ich dort anrufen und eine Nachricht hinterlassen. So kann Jeanne entscheiden, ob sie mit mir sprechen möchte.«

Schnitt eine Grimasse – *ob sie anbeißt?*

Wechselte zu *Mist!*

»Trotzdem vielen Dank. Auf Wiederhören.«

Er beendete die Verbindung und murmelte etwas, das Jan nicht verstand und nicht gerade freundlich klang.

»Die gute Neuigkeit«, sagte er zu Jan, »Ted Holden ist zum Gipfel hier in der Stadt! Und Jeanne Dalli ist mit ihm da!«

»Wo eine gute Nachricht ist, gibt es auch immer eine schlechte.«

»Die Dame am anderen Ende der Leitung wollte mir weder ihr Hotel nennen noch eine Telefonnummer, unter der ich sie erreichen kann.«

»Jetzt müssen wir umso mehr herausfinden, was Will uns sagen wollte«, beharrte Jan. »Welches Wissen hat ihn umgebracht? Die Superinvestmentstrategie? Oder was?«

»Wenn er nicht bloß der Kollateralschaden des Mordes an

Thompson war«, wandte Fitzroy ein und runzelte die Stirn. »Ich werde das Gefühl nicht los, dass das eine Nummer zu groß für uns ist.«

»Ich weiß, ich wiederhole mich: Aber warum hätte er mich dann zu dir geschickt? Was weißt du?!«

»Keine Ahnung! Nicht das Geringste!«

»Hat dir Will zufällig gesagt, wo er abgestiegen ist?«

»Hotel Raal.«

»Dann müssen wir dort nachsehen. Vielleicht finden wir Unterlagen. Irgendwas.«

»Ich muss gar nicht! Zumindest nicht in Hotelzimmer einbrechen. Das Einzige, was ich muss, ist, in zwei Stunden bei meiner Partie zu sein. Möglichst gewaschen und in einem frischen Hemd.«

»Ist es dir denn egal, wer deinen Freund ermordet hat? Und willst du nicht mal wissen, wer es dann bei dir versucht hat? Womöglich wieder versucht?«

Fitz seufzte. »Der Gedanke hat mich gestreift …«, murmelte er dann.

»Wo ist das Raal?«, fragte Jan.

Fitzroy konsultierte sein Handy.

»Nicht weit entfernt.«

»Das schaffen wir noch vor deinem Spiel. Vielleicht finden wir etwas. Waschen kannst du dich dort auch.«

Dritte Entscheidung

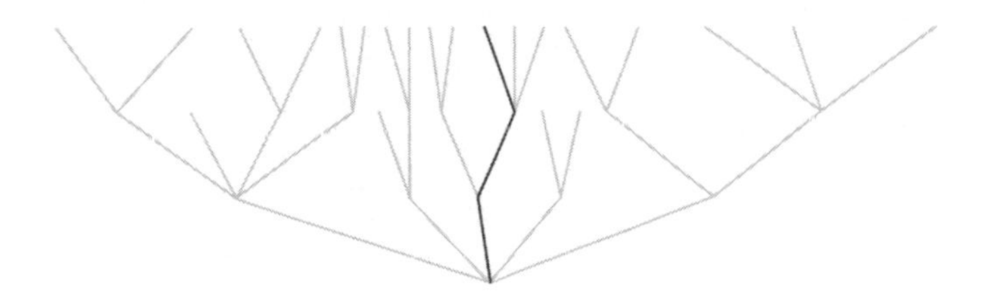

»In der nächsten Evolutionsphase formen nun die Zellen nach diesem mathematischen Prinzip Kooperative.«

Will Cantor

25

»Und was besprechen die Herrschaften da drüben jetzt wieder?«, schimpfte Ambrose Peel, mit dem Jeanne am Rand des Saals vor einem der Bögen stand. »Wie sie sich wieder einmal als Retter der Welt inszenieren können, obwohl sie verantwortlich für den Schlamassel sind?«

Ted hatte sie in der Gesellschaft des leicht illuminierten Briten zurückgelassen. Der auf diese Frage keine Antwort erwartete. Ted und viele seiner abendlichen Gesprächspartner, von Unternehmern bis zu Politikern aus aller Herren Länder, saßen um den abgelegensten Tisch und diskutierten erregt. Personenschützer und Assistenten sorgten mehr oder weniger diskret dafür, dass sie nicht von den verbliebenen Gästen gestört wurden.

Peel leerte sein Champagnerglas und fischte ein neues vom Tablett eines Livrierten. »Sie auch?«

Jeanne lehnte ab. Sie hielt sich stoisch an ihr Wasser.

Kurz lachte er auf.

»Ihre Bemerkung vorhin über die Angepassten hier war ziemlich witzig«, sagte er. »Und frech, in dieser Runde. Was treibt eine scharfsinnige und humorvolle Person wie Sie in die Finanzbranche?«

»Das Geld?«, antwortete Jeanne, ohne zu zögern. Und nicht ohne zu registrieren, dass er weder eine Anspielung auf ihr Aussehen noch auf ihr Geschlecht gemacht hatte, wie es viele in solch einer Situation getan hätten. *Was treibt eine scharfsinnige, humorvolle und* bildhübsche Frau *wie Sie in die Finanzbranche?*

»Das ist jetzt aber sehr langweilig«, bedauerte Peel.

»Nur, wenn man schon immer welches hatte«, erwiderte Jeanne lächelnd. Im Gegensatz zu ihr, Tochter eines Busfahrers und einer Lehrerin in Arizona.

»Schlagfertig auch noch«, erwiderte er mit einem Grinsen und prostete ihr zu.

»Für die Bemerkung hatte ich eine gute Vorlage«, sagte sie und legte den Kopf schief. Seine Sprache, sein Gestus, seine ganze Art waren eindeutig britische Upperclass. Seine Herkunft, vermutlich mit sehr viel altem Geld im Hintergrund, konnte Peel nicht verbergen. Wollte er vermutlich auch nicht.

»Und was treibt einen zornigen Provokateur wie Sie in die Diplomatie?«

»Vielleicht hat mich erst die Diplomatie zum zornigen Provokateur gemacht?«

»Da hätte Sie ja ausnahmsweise ein erfreuliches Ergebnis erzielt«, lachte Jeanne.

»Sie erinnern mich an meinen Jüngsten«, fiel er ein, bevor sich sein Blick verdüsterte. »Brillant und nimmt doch nichts ernst.« Er wirkte nachdenklich. »Oder vielleicht deshalb?«

»Da müssen Sie ihn fragen.«

»Wir sehen uns nicht so oft.« Für einen Moment starrte er ins Leere. Dann verschloss sich sein Blick, wurde Fassade. Peel setzte wieder sein gewinnendes Lächeln auf.

»Weltrettung erledigt«, bemerkte er mit einem Nicken in Richtung des Tisches. Tatsächlich erhob sich soeben die Runde. Hände wurden geschüttelt, Schultern geklopft. An diesem Abend wurden viele Schultern geklopft.

»Na, denn: *Cheers.*«

Er leerte sein Glas.

26

Will Cantor war in der örtlichen Ausgabe einer luxuriösen Hotelkette nahe der Friedrichstraße abgestiegen. Für ein Zimmer hier drückte man wahrscheinlich Jans Monatsgehalt ab. Woher hatten diese Leute, die in ihren schicken Klamotten die Lobby und Bar bevölkerten, das Geld? So viel mehr als Jan konnten die doch nicht arbeiten? Der Tag hatte nur vierundzwanzig Stunden. Schlafen und kacken mussten sie genauso wie er. Warum war deren Zeit so viel mehr wert als seine?

Hinter den zehn Metern Empfangstisch aus lackiertem rotbraunem Holz erwarteten oder betreuten sechs Frauen und Männer in dunkelbraunen Uniformen die Gäste.

Sie hatten einen Plan. Das Gute daran: Fitz musste ihn ausführen. Weil er Brite war und wie einer sprechen konnte. Jans Englisch genügte, um Serien und Filme im Original anzusehen. Aber nicht für eine solche Aktion.

Er würde sich im Hintergrund halten. Auch wegen seines Gesichts war das besser. Fitz dagegen war seit ihrem Toilettenbesuch wieder problemlos herzeigbar.

Er marschierte zu einer der freien Empfangsdamen. Jan platzierte sich ein paar Meter daneben an einem Ständer mit Prospekten für Tourismusziele und Veranstaltungen.

»Gouten Aabend«, begrüßte Fitz die Frau mit breitestem Amiakzent. Für den guten Willen, Deutsch zu sprechen, erntete er das allerfreundlichste falsche Lächeln. »Ich haabe aine grouße Bitte. Ich haaben ärst heut Nachmittag aingecheckt. *And now I forgot my Room-Card.* Kann ich bitte aine noie bikommen?«

Die Frau antwortete beflissen: »Selbstverständlich. Zimmernummer?«

»Ouh, das *next problem.* Bin ja *just arrived.* Nouch nicht gemärkt. *Threehundred and forty-five*, glaube ich. Cantor. Will Cantor.«

Bond. James Bond. Das war jetzt vielleicht ein bisschen viel gewesen. Sonst spielte er ganz überzeugend, fand Jan. Hoffentlich dachte das sein Gegenüber auch.

Die Rezeptionistin befragte ihren Computer. Lächelte noch freundlicher.

»Mister Cantor, ja. Sie sind auf siebenhundertsechsundfünfzig. Oberste Etage.«

Theatralisch schlug sich Fitz gegen die Stirn. »Naturlich! Meine Gehirn! *Brain.* Ich wusste, etwas mit eine Funf. Danke!«

»Da haben Sie es nicht mehr weit zur Dachterrasse mit Pool.«

»Great!«

Ihre Finger flogen über die Tastatur, aus einer Lade unter der Theke zog sie eine Karte hervor. Nicht einmal einen Ausweis ließ sie sich zeigen.

»Eine oder gleich zwei?«, fragte sie.

»Ouh, besser zwei. Falls ich wieder ain vergess!«

Übertreib es nicht.

Mit einer angedeuteten Verbeugung nahm er die zwei schwarzen Karten entgegen, bedankte sich und verschwand in die Lobby, ohne Jan auch nur eines Blickes zu würdigen.

Schöne Vorstellung. Spieler waren wohl auch Schauspieler. Jan schlenderte Richtung Fahrstühle, wohin Fitz' lange Gestalt beschwingten Schritts unterwegs war.

Jörn fluchte über den Verkehr.

Maja konnte Jan Wutte und Fitzroy Peel mit Jörn allein unmöglich finden. Nicht ganz so tragisch, Wuttes Bild war ja zur Fahndung draußen. Vielleicht konnte Maja das noch ein wenig befördern.

Sie rief einen alten Freund in der Koordinationszentrale für den Gipfel an.

»Maja! Was kann ich für dich tun?«

»Wer sagt, dass ich etwas will?«

»Maja« – seinen spöttischen Ton überhörte sie zugunsten ihres Anliegens – »wann rufst du sonst von dir aus an?«

»Ihr habt da draußen doch momentan Tausende Augen plus Hubschrauber plus Kameras plus, plus …« Sie brauchte dringend etwas zu trinken. Mit Mühe riss sie sich zusammen.

»Das kann man sagen.«

»Die Blauen haben eine Fahndung draußen. Ist sicher auch an euch gegangen. Aber vielleicht habt ihr ein besonderes Auge drauf.«

»Weil wir ja sonst nichts zu tun haben … Sag schon: Name?«

»Zwei. Jan Wutte, Hiesiger. Und Fitzroy Peel, britischer Staatsbürger, derzeit wohnhaft im The Dome. Bilder findet ihr. Oder soll ich welche schicken?«

»Wofür hältst du uns?«

»Genies.«

»Exakt. Ich melde mich, wenn ich etwas höre.«

»Danke.«

Abgehakt. Als Nächstes Herbert Thompson. *Was hast du heute noch so getrieben?*

In Zeiten von Social Media konnte das nicht so schwierig sein. Genug eitle Gecken setzten sich selbst bei solchen Gelegenheiten in Szene. Ein Foto mit dem Diktator von Soundso da, eines mit dem Filmstar – der aus was für Gründen auch immer auf einen

Politgipfel geladen war – dort, eines mit dem Twentysomething-Onlinemilliardär und eines mit dem Nobelpreisträger.

Auf ihrem Handy graste sie die wichtigsten per Suchbegriff ab: Instagram, YouTube, wie sie alle hießen. Fand ein paar Hinweise auf die geplanten Reden. Nichts über seinen Aufenthaltsort während der vergangenen Stunden.

»Fahren wir mal zum Hotel von Herbert Thompson. Vielleicht finden wir dort etwas heraus.«

Fitz hatte die Karte besorgt, deshalb überließ Jan ihm den Vortritt. Der Spieler hielt die Karte vor den Sensor, und das Schloss öffnete sich mit einem leisen Klick. Er drückte die Klinke mit seinem Ellenbogen hinunter. Jan sah sich um. Hinter der Zimmertür viel Parkettboden, links Garderobe, Kofferablage und Schrank. Rechts der Eingang zum Bad, weißer Marmor, Armaturen auf alt gemacht, daneben ein bodentiefer Spiegel. Der großzügige Schlafraum öffnete sich zu einer Glasfront mit Blick in einen begrünten Hof. Noch vor der Front führte eine Treppe in einen um ein Halbgeschoss tiefer gelegenen Aufenthaltsbereich mit Sofas, Bar und einem Schreibtisch. Oben im Schlafraum fand sich außer dem Bett Platz für zwei Ohrensessel und ein Tischchen. Dieses Zimmer war so groß wie die ganze Wohnung seiner Mutter. Nur deutlich schicker.

Was hatte er von einem Hedgefondsmanager erwartet?

»Bescheiden«, stellte Fitz fest. »Typisch Will.«

Wie sieht dann unbescheiden aus?

Doch Jan sah nur den brennenden Mann im Auto.

Mit einer Schuhspitze öffnete Fitz einen der Schränke unten. Er reichte Jan ein kleines Stoffsäckchen.

»Steck deine Hand da hinein«, forderte er. »Und greif alles nur so an.« Er selbst schob seine Hand in einen leeren Wäschesack mit dem Logo des Hotels. »Fingerabdrücke«, sagte er.

Auf dem Tischchen zwischen den Ohrensesseln lagen einige Papiere und eine Mappe. Fitz war zuerst dort. Blätterte sie mit seiner unförmigen Plastikhand durch. Half sich mit den Knöcheln der unbedeckten Hand. Jan warf einen Blick drauf. Alles englisch.

»Nichts Besonderes«, erklärte Fitz. »Prospekte für Sehenswürdigkeiten.«

»Ich beginne mit dem Schrank«, sagte Jan. »Nimmst du dir den Schlafraum vor?«

»In Ordnung.«

Jans Hand blieb in dem Stoffsäckchen, das für Schuhputzutensilien gedacht war, erstaunlich beweglich. Im Schrank fand er fünf graue und dunkelblaue Anzüge, Hemden, weiß, blau, Pastellfarben gestreift. Krawatten, Gürtel. Strümpfe, keine Socken. Zwei Paar teuer aussehende, auf Hochglanz geputzte Schuhe, klassische Modelle. Unterwäsche.

Alles sehr ordentlich, sehr zusammengelegt. Das Zimmermädchen, vermutete Jan. Ein kleiner Zimmersafe. Unverschlossen, die Tür nur angelehnt. Leer.

Dazwischen blickte Jan sich immer wieder kurz zu Fitz um. Der inspizierte das Nachtschränkchen, auf dem eine angebrochene Packung Taschentücher lag, dann das gemachte Bett. Er schlug die Decken zurück, hob die Kissen hoch. Stemmte sogar die dicke Matratze empor.

Sie wechselten in den Wohnbereich ein Halbgeschoss tiefer.

Auf dem Schreibtisch ein großer Schreibblock mit dem Schriftzug des Hotels und ein Stift. Daneben die Mappe mit der Hausordnung. Die Menükarte für den Zimmerservice. Und eine neutrale Mappe, die farblich nicht zu den anderen passte.

Fitz öffnete sie. Jan warf einen Blick darauf. Wieder alles auf Englisch. Diesmal ohne Hochglanzbilder von Tourismusattraktionen. Formulare, Ausdrucke. Bei einer kleineren Klappkarte aus edlem Papier bleib er hängen. Studierte sie.

»Das ist eine persönliche Einladung zur offiziellen Gipfeleröffnung morgen Vormittag«, erklärte Fitz verwundert. »Wie kam Will denn dazu?«

»Du sagst, er arbeitete für einen der reichsten Männer der Welt. Vielleicht darum?«

»Für den arbeiten Hunderttausende Menschen weltweit, in Tausenden Unternehmen, wenn du die Beteiligungen mitzählst. Nein, das muss einen anderen Grund haben.«

27

El und sein Team betraten das Hotel nicht gleichzeitig. Auch wenn sie dieser Tage in ihrem Outfit nicht sonderlich auffielen. Die Stadt war nicht nur voller Politiker und Milliardäre, sondern auch deren Security. Im Vergleich zu manch anderen wirkten El und seine Männer geradezu dezent. Wer hatte eigentlich den dunkelgrau-schwarzen Einheitslook mit Sonnenbrille erfunden? Die CIA? Die Russen? Oder das Fernsehen? Wenn man sich die meisten Typen ansah, konnte man Letzteres annehmen. Benahmen sich, als wollten sie für die nächste Agentenserie gecastet werden. Brille, Schirmkappe und ein Spezial-Make-up würden es zumindest Gesichtserkennungsprogrammen schwer machen, El und seine Leute zu identifizieren. Er steuerte direkt die Fahrstühle an. Jack stieg gerade in einen, der ihn auf die siebte Etage bringen würde. Sam blieb in der Lobby. Bell folgte El mit Abstand.

Mit El im Lift standen mehrere Senioren, eindeutig US-Amerikaner auf Europareise. Schon länger geplant. Sie schimpften über den Gipfel. Seinetwegen waren Straßen, Museen und andere Sehenswürdigkeiten ihrer Tour gesperrt. Je höher sie kamen, desto weniger wurden sie.

Im siebten Stock stieg El als Einziger aus. Leere Flure, Tapeten mit hellbeigen Streifen, dicke dunkelblaue Teppiche, gelbes Schnörkelmuster entlang des Randes. Nobel. An der Oberfläche. Darunter auch nur Rigips und Stahlbeton.

Jack wartete bereits. Mit dem nächsten Lift kam Bell. Sie bogen rechts ab, Richtung 756.

Die Key-Cards hatten sie noch von ihrem letzten Besuch vor ein paar Stunden. Während Cantor zu seinem Treffen mit dem Alten aufgebrochen war, hatten sie aus seinem Zimmer alles entsorgt, was sie mussten. Was nicht viel gewesen war.

Sie hatten es zwar nicht vorgesehen, aber nun würden sie es noch einmal besuchen. Sich gemütlich einrichten und auf die zwei Vögelchen warten, bis sie ihnen direkt in die Arme flogen.

El hielt die Karte bereit, da hörte er von drinnen zwei Stimmen. Seine knappe Geste verwandelte Jack und Bell zu Salzsäulen. Sie lauschten. Zwei Männer. El verstand nicht, worüber sie sprachen. Aber diese Stimmen und die Art zu sprechen gehörten niemandem vom Zimmerservice. Einbrecher? Wären leiser. Polizei? Wären mehr Personen. Plus Hotelmanagement. Blieb nur eine Option übrig.

Das war schneller gegangen als erhofft. Auf Els Zeichen hin zogen sie sich für eine Kurzplanung an die gegenüberliegende Flurwand zurück.

Fitzroy und Jan durchstöberten die Schubladen des Schreibtischs, ohne etwas zu finden.

Fitzroy stemmte die Fäuste in die Seiten, sah sich um.

Was hast du bloß angestellt, Will?

Jan beugte sich über den Schreibtisch.

»Fitz.«

Jan hob den Block an, drehte ihn vor seinen Augen, hielt ihn schließlich schräg, sodass er sehr flach über die Oberfläche schauen musste.

»Auf dem Blatt darüber wurde etwas geschrieben.« Er sah sich um. »Aber das ist nirgends.«

Fitzroy studierte das Blatt. »Kann sonst was gewesen sein.«

Jan zog den kleinen Papierkorb unter dem Schreibtisch hervor. Dem Müll darin hatten sie bis dahin keine Beachtung geschenkt. Er beförderte mehrere Papierknäuel daraus hervor. Entfaltete sie, strich sie glatt.

Auf allen drei Papieren fanden sich ähnliche Skizzen. Auf zwei Blättern mit vielen Korrekturen, die kaum mehr zu entziffern waren, hatte der Zeichner sie durchgestrichen. Die Zeichnungen auf dem dritten Blatt waren besser zu erkennen. Nebeneinander waren zwei verschiedene Kreisgruppen und kleine Flecken angeordnet.

Einer der Flecken in jeder der Kreisgruppen war von etwas umgeben, das wie Stacheln aussah. Zwischen den Gruppen zeigte ein Pfeil von links nach rechts. Wie eine Abfolge. Von – bis.

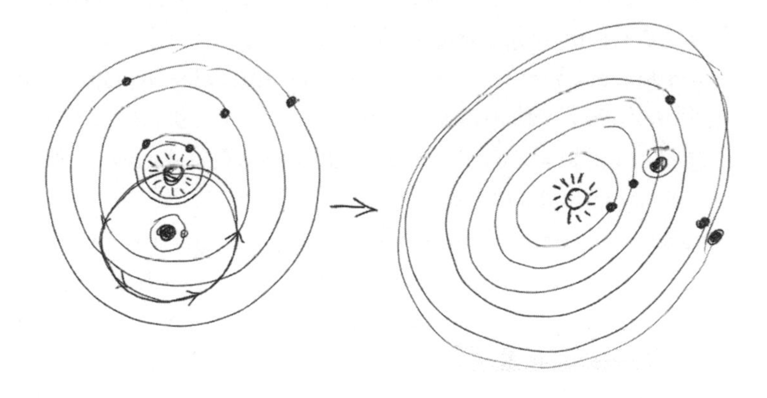

Darunter waren in kaum leserlicher Schrift zwei Worte gekrakelt: *Dogma. Paradigmenwechsel.*

»Was soll das sein?«, fragte Jan.

Gute Frage.

»Steine, die ins Wasser geworfen werden?«, rätselte Jan.

»Will war Mathematiker und Physiker. Erinnert an Atome, die von Elektronen umkreist werden. Als ginge es um eine Entwicklung von Stufe eins zu Stufe zwei …«

»Das rechts sieht fast ein bisschen wie das Sonnensystem aus«, meinte Jan. »Aber die anderen?«

Spontan schlug Fitz ihm auf die Schulter.

»Das ist es! Dann machen auch die Wörter Sinn! Das rechts ist unser Sonnensystem. Links sehen wir eine Skizze des geozentrischen Weltmodells, das bis in die frühe Neuzeit verwendet wurde. In dem sich alle Planeten und die Sonne um die Erde drehen. Ein Zwischenphase. Tycho Brahes Epizykelmodell aus dem sechzehnten Jahrhundert. Die Erde steht immer noch in der Mitte des Universums. Doch bei ihm dreht sich die Sonne um die Erde und die anderen Planeten bereits um die Sonne. Und einige *auch* um die Erde.«

»Das ist ja kompliziert.«

»Die Kirche erlaubte es nicht anders. Das alte geozentrische Weltbild des Ptolemäus war kirchliches Dogma und musste befolgt werden, auch wenn seine Einfachheit und Eleganz längst für das heliozentrische Weltbild sprachen.«

»Ich erinnere mich, da war was, Galileo Galilei oder so … ›Und sie bewegt sich doch.‹«

»Die Erde, genau! Kopernikus, Kepler, Galilei legten einen Grundstein zu einem der wichtigsten Paradigmenwechsel der vergangenen Jahrtausende: das Ende der kirchlichen Machtstellung und Deutungshoheit über unsere Gesellschaft und der Beginn der Aufklärung.«

»Aber warum interessierte sich Will dafür?«

»Er war vielseitig interessiert. Vielleicht finden wir auf dem Block etwas«, sagte Fitz. Wie zuvor Jan hielt er ihn flach vor die Augen. »Darüber wurde etwas anderes geschrieben als diese Zeichnungen. Mehr Schrift.« Er griff zum Bleistift, legte die Spitze flach an den oberen Rand und begann mit der Graphitfläche über das Blatt zu schraffieren. Dessen obere Zentimeter färbten sich grau, mit Ausnahme der tiefer liegenden Stellen, an denen sich die Schrift des darüberliegenden Blattes durchgedrückt hatte. Weiße Krakel in Grau.

Jan fuhr herum. »Da ist wer.«

Fitz schien es auch zu hören. Jemand machte sich an der Tür zu schaffen!

28

Kaum hielt El die Hacker-Karte vor das Schloss, leuchtete es grün auf. Er öffnete die Tür langsam und nahezu lautlos. Vor ihm lag der schmalere Bereich der Suite mit Garderobe und Schränken zur Linken und dem Eingang zum Bad zur Rechten. Die Tür war geschlossen. El schlich voran in den Schlafbereich. Niemand. Kurzer Blick in den Wohnbereich. Auch dort keiner. Er wandte sich um. Hinter ihm Jack, drückte sachte die Klinke der Badezimmertür. Konnte sie nicht öffnen. Nickte El zu.

Zimmerservice oder Reinigungskräfte würden die Badezimmertür nicht hinter sich schließen, geschweige denn verriegeln.

Jack hatte bereits das Taschenmesser gezückt.

Draußen im Hotelflur stand Bell bereit. Er trat in das Zimmer und zog sachte die Tür hinter sich ins Schloss.

Jack setzte den Schraubenzieher des Messers an den Schlitz, der am Knauf der Badezimmertür für Notfälle vorgesehen war. El und Bell platzierten sich hinter ihm.

All das geschah ohne einen Laut. Wer sie nicht sah, hätte nichts von ihrer Anwesenheit geahnt. Jahrelanges Training.

Jack drehte langsam, wieder möglichst still. Wer immer in diesem Bad war, musste es trotzdem mitbekommen, wie sich der Knauf bewegte.

Mit einem Ruck drückte Jack die Tür auf. Über seine Schulter sah El rechts zwei Waschbecken, links eine Badewanne mit transparentem Spritzschutz bis zur Decke, dahinter eine gläserne Duschkabine und geradeaus ein Fenster.

Offen.

Verdammt! Verdammt, verdammt! Jan wollte mit Freunden ein Bier trinken! Oder zu Hause auf der Couch Serien schauen! Oder gamen! Stattdessen klammerten sich seine Finger an einen Sims, tasteten seine Zehen nach dem nächsten Halt auf einem anderen Sims. Bei Tom Cruise sah das immer so einfach aus!

»Und wenn es doch der Zimmerservice war?«, flüsterte er Fitz zu. Dann könnten sie umkehren. Na ja, eigentlich nicht mehr. Noch im Zimmer, hätten sie sich als Gäste ausgeben können. Aber wohl kaum, wenn sie durch das Badezimmerfenster hineingekrabbelt kamen. Fitz war schon zwei Schritte weiter entlang der Fassade des Innenhofs. Papiere und Block steckten unter seinem Hemd.

»Ohne anzuklopfen und zu fragen? Und danach extra leise?«

Punkt.

»Shit!«, hörte er Fitz flüstern. Nein, er sprach nicht mit Jan. Blickte an ihm vorbei.

Aus dem Badezimmerfenster, durch das sie sich eben gekämpft hatten, wand sich ein Schatten. Ein großer. Keine fünf Meter entfernt.

»Da vorn«, zischte Jan.

Etwa sieben Meter weiter endete die Fassade an einer Kante. Dort ragten übereinandergestapelte dekorative Steinquader von je etwa dreißig Zentimetern in die Höhe. Zwischen ihnen jeweils zentimeterbreite Spalten. Sie führten die gesamte Höhe der Hauskante entlang. Fünfzehn Meter in die Tiefe. Zwei Meter hinauf zur Dachterrasse des Hotels. Bis dahin mussten sie es schaffen.

Jan entdeckte ganz neue Sims-Balancefertigkeiten an sich.

Musste er. Der Schatten aus dem Fenster schob sich schneller die Fassade entlang, als sie das getan hatten. Ihnen blieb kaum mehr Zeit. Wenn Jans Herzschlag noch ein bisschen heftiger polterte, würde er ihn von ganz allein in die Tiefe befördern.

Fitz erreichte die Ecksteine zuerst. Entschieden setzte er einen Fuß in die erste Spalte, griff um die Ecke und zog sich hinauf. Er musste sich beeilen. Über diese Kante ging es nur hintereinander hoch. Jan konnte seine Kletterpartie erst beginnen, wenn Fitz weit genug oben war. Das Plätschern des Pools und Stimmen drangen zu ihm. In der Ferne Hubschrauber, die über der Stadt die Demonstrationen auch während dieser späten Abendstunden beobachteten. Ihr Verfolger sagte etwas. Zu wem? Waren da noch mehr? Er kam immer näher. Jans Hände wurden feucht. Der Typ war vielleicht noch zwei Meter von ihm entfernt, als er endlich seinen Aufstieg starten konnte. Ohne lang nachzudenken, packte er den nächstbesten Stein, setzte den rechten Fuß auf eine Kante und zog sich, an die Steine gepresst, hoch. Nächster Griff, seine Finger nur Krampf, nächster Schritt. Jan war ein einziges, großes, schweißbedecktes Zittern. Doch sein Bewusstsein schien sich vom Körper getrennt zu haben. Verstand von Gefühl von – ja, was? Während sein Körper bebend und doch wie ein Automat die Kante emporkletterte, überschlugen sich in einem Moment seine Gedanken, während er sich im nächsten wie ein Fremder von außen beobachtete, kühl, höchstens verwundert über diese halsbrecherische Aktion. Schauspieler in einem fremden Film. Der Mann unter ihm hatte ihn fast erreicht. Er ähnelte den anderen: trainiert, fleischig, kurz geschoren, dunkel gekleidet. Sein Gesicht kannte Jan aus der Golden Bar. An der Unfallstelle hatte er ihn nicht gesehen. Es waren also noch mehr! Und sie waren ihnen buchstäblich auf den Fersen.

Im nächsten Moment langte der Typ nach Jans Bein.

»Die zwei versuchen, über die Fassade nach oben zu entkommen«, keuchte Jack in Els Headset. »Ich bin dran.«

Bell und El wachten neben den Fahrstühlen und dem Ausgang zum Treppenhaus.

»Sam«, befahl El dem in der Lobby Wartenden, »auf die Terrasse im Innenhof!«

»Schon unterwegs … Ich sehe sie. Fuck! Hier kommen die höchstens im freien Fall an.«

»Würde unser Problem lösen«, keuchte El, mit Bell über die Treppen unterwegs in die oberste Etage.

Durch Flure, gelassen und unauffällig vorbei an der Empfangsdame zur Poolbar, von wo aus sie auf die Außenterrasse gelangten. Auf der etwa vierzig Gäste am Pool ihre Drinks nahmen und den Ausblick genossen. Genossen hatten, bis vor wenigen Sekunden wohl. Immer mehr Köpfe wandten sich zum Ende der Terrasse, wo Fitzroy Peel weit über das Geländer gebeugt stand und mit einem Ruck Jan Wutte hochzog. Alle Aufmerksamkeit gehörte den beiden. Ein Mann hinter der Bar griff zum Telefon, zwei weitere Angestellte eilten in Richtung der verdächtigen Besucher. In der wachsenden Aufregung – »Einbrecher?«, »Terroristen?!« – bahnten sich Bell und El unbehelligt und rasch einen Weg durch das Publikum. Erste hochgereckte Handybildschirme leuchteten.

Jan Wutte musste sich von der Anstrengung und dem Schock erholen, rang nach Luft, die Hände auf die Knie gestützt. Peel stützte ihn, blickte sich nervös um. Riss Wutte hoch und zog ihn fort. Er hatte sie entdeckt.

Bell und El beschleunigten ihre Schritte, ohne loszurennen. El wollte nicht zu sehr auffallen. Im Zweifelsfall würden sie sich als Security ausgeben. Was schließlich ihre Aufgabe war. Wenn auch nicht für dieses Hotel. Über Headset wies er Jack an, noch außerhalb der Balustrade zu warten, bis sich die Aufmerksamkeit von der Stelle abgewandt hatte.

Peel und Wutte liefen entlang des Geländers von ihnen weg, suchten nach einem Ausweg. Immer mehr leuchtende Mobiltelefone filmten mit. Das Ende der Terrasse bildete eine etwa zwei Meter hohe Wand, die zum Nachbargebäude gehörte. Unter einem Metallgerüst, das tagsüber als Schattenspender diente, standen einige Bistrotische und Stühle. Im Vorbeilaufen packte Wutte ein Tischchen und einen Stuhl. Peel nahm noch einen Stuhl mit. Sie stellten den Tisch an die Wand, einen Stuhl daneben, den anderen Stuhl darauf.

Ein Teil der Gäste hatte sich vorsichtshalber zurückgezogen. Andere hatten spätestens jetzt beschlossen, dass von den beiden Gestalten keine Gefahr ausging, und näherten sich der Szene, immer auf der Suche nach der besten Perspektive für die Kamera. Erste Stimmen kommentierten für ihre zukünftigen oder sogar Live-Zuschauer. Kein Mensch achtete mehr auf die Stelle, an der nun Jack über die Balustrade kletterte.

Wutte sprang als Erster auf die Stühle, behände wie eine Gemse, und gelangte mit einem Klimmzug auf das Nachbardach. Dass der Samariter kein völliges Weichei war, hatten sie schon während der Kneipenschlägerei festgestellt. Peel folgte fast ebenso gewandt, seine lange Gestalt machte es ihm noch leichter. Langsam nervten El die Typen.

»Lenk die anderen ab«, kommandierte er Jack über das Set.

»Achtung, Waffen!«, brüllte es hinter ihnen. Jack. Erschrockene Gesichter, Panik in den Blicken. Köpfe und Handys wandten sich zurück zum Pool. Menschen liefen durcheinander, duckten sich, warfen sich zu Boden. Jack passte sich an. Niemand wusste, wer gerufen hatte. Bell und El nutzten den Moment. Mit wenigen Sätzen war El auf dem oberen Stuhl und weiter auf dem Dach. Bell hinter ihm.

Surreal. Fitzroy hätte sofort zur Polizei gehen sollen. Stattdessen rannte er über ein dunkles Dach. Vielleicht dreißig Meter lang, auf beiden Seiten für ein paar Meter leicht abgeschrägt, dahinter ging es steiler bergab. Schornsteine standen ihnen im Weg, doch sie konnten sich daran vorbeischlängeln. Vor ihnen leuchtete es aus einem Oberlicht in den Nachthimmel. Nicht abzusehen, was hinter diesem Dach folgte. Ein Stück weiter der fahle Schimmer der Stadt im Nachthimmel. Sie hatten keine Wahl. Hinter ihnen waren jetzt zwei Schatten. Mindestens.

Seine Kartenpartie konnte Fitzroy vergessen.

Vielleicht hätten sie auf der Hoteldachterrasse den Schutz der Menge suchen können. Dazu hätten sie ihren Verfolgern jedoch ein paar Meter entgegengehen müssen. Dagegen wehrte sich jede Faser in seinem Körper. Wer wusste, wozu diese Typen fähig und bereit waren, auch in aller Öffentlichkeit? In so einem Moment denkst du nicht. Willst fort von der Gefahr. Rennst. Kletterst. Springst.

Das Knattern der Demo-Hubschrauber wurde lauter. Jan und Fitz erreichten das Ende des Dachs. Der Lärm war nun ohrenbetäubend. Waren die Demonstrationen so nahe? Alles um Fitzroy wurde weiß.

Erschrocken blickte er hoch, die Hand gegen die blendenden Strahler vor den Augen.

Der Hubschrauber hatte sie im Visier! Eine grellweiße Lichtscheibe von etwa zehn Metern Durchmesser zitterte über das graufarbene Metall des Daches. Er spürte den Wind der Rotoren.

Und hätte – absurd – fast aufgelacht. Die Polizeischeinwerfer erleuchteten das Dach des Gebäudes vor ihnen. Nur einen Meter tiefer gelegen, eine lange Fläche aus Bitumen, aus der hohe Schornsteine wuchsen wie ein versteinerter Wald, umrandet von einem kniehohen Mäuerchen. Neben ihm war Jan ebenso erstarrt. Nach dem ersten Schreckmoment sprangen sie und rannten. Begleitet von der Lichtscheibe, die mit den Schornsteinen bizarre Schattenspiele trieb.

Sie hatten das halbe Dach überquert, als Fitzroy sich nach ihren Verfolgern umblickte. Neben der Beleuchtung ihres Fluchtwegs hatte der Polizeistrahler einen weiteren positiven Effekt. Die Killer mieden das Rampenlicht. Fitzroy beobachtete, wie sie bewusst den Sichtschutz der Schornsteine suchten. Solange die Polizei Fitzroy und Jan im Licht hielt, würden die anderen nicht angreifen! Vielleicht sollten sie einfach stehen bleiben und nach oben winken. Zu verstehen geben, dass sie sich ergaben und auf Polizisten warten würden. Die Geschichte beenden. Fitzroy hatte mit der ganzen Sache nichts zu tun gehabt, bis Jan aufgetaucht war. Sollte die Polizei Wills Tod aufklären. Das war ihr Job. Und Fitzroy würde doch noch seine Partie schaffen.

Seine Backe brannte. Etwas Spitzes, Scharfes musste sie getroffen haben. Aus den Ziegeln des Schornsteins neben ihm spritzen Splitter.

»Die schießen!«, brüllte Jan und zerrte Fitzroy hinter einen der Schlote.

29

Auf der Fahrt zum Hotel des Nobelpreisträgers in Berlin-Mitte scannte Maja die öffentlich verfügbaren Informationen über das Dinner in der Orangerie. Mindestens zehn Milliardäre aus sieben Nationen waren anwesend, wenigstens zwei Dutzend Fast-Milliardäre, diverse hoch- und höchstrangige Politiker sowie Spitzenvertreter internationaler Organisationen. Dazwischen unzählige Menschen, die sie in der Schnelle nicht alle identifizieren konnte. Einige wurden schlicht als »Geschäftsmänner« bezeichnet, andere als Lobbyisten, Diplomaten, PR-Leute, Investoren, Finanziers oder einfach »Mäzene«.

Ein Anruf unterbrach sie. Ihr Bekannter aus der Einsatzzentrale, per Videofunktion, sein Gesicht im blassen Schein der Bildschirme ein weißer Geist.

»Das solltest du vielleicht sehen«, sagte er.

Auf Majas Bildschirm erschien schwarzbraune Dunkelheit, durchsetzt von Leuchten und Blitzen. Dann wieder blendend grell. Seine Kamera fokussierte auf ein Bild. Einen Bildschirm. Er filmte einen der Monitore in der Einsatzzentrale ab und schickte Maja die Aufnahmen live auf ihr Telefon. Legal war anders.

In dem Video wackelte eine weiße Lichtscheibe über Gebäudeteile. Jetzt erkannte Maja Schornsteine, Dachfenster. Die Bilder mussten von einer Drohne oder einem Hubschrauber stammen. Im Zentrum des Lichts liefen zwei Gestalten.

Maja hörte Stimmen aus der Zentrale. Die Kamera zoomte heran. Die Bilder blieben unscharf.

»Wir haben bessere Aufnahmen«, sagte ihr Gesprächspartner. Sein Gerät schwenkte zu einem weiteren Schirm. Darauf zwei Standbilder von Gesichtern. Unscharf, stark überbelichtet. Männergesichter, die gehetzt in den Himmel blickten. Sie erkannte Jan Wutte und Fitzroy Peel sofort.

Die Weiterfahrt konnten sie sich sparen.

»Das sind sie! Was ist da los?«

»Wissen wir noch nicht genau. Vor ein paar Minuten erreichte uns ein Anruf aus dem Hotel Raal in Mitte. Zwei Unbekannte waren über die Fassade geklettert und auf die Dachterrasse eingedrungen. Rannten allerdings gleich weiter auf das nächste Dach, als verfolgten sie jemanden oder flüchteten vor irgendetwas.«

»Oder irgendjemandem. Hat der Heli sonst niemanden gesehen?«

»Haben nichts gemeldet.«

»Wie kommt der da überhaupt hin?«

»War von der Hauptdemo unterwegs Richtung Kreuzberg, deshalb haben wir ihn vorbeigeschickt. In dem Hotel sind diverse Gipfelteilnehmer einquartiert, wenn auch nur zweite oder dritte Ebene. Inzwischen sind die beiden aber ohnehin fast am anderen Ende des Häuserblocks.«

»Ich brauche die genaue Adresse. Könnt ihr sie im Auge behalten?«

»Hängt von der Entwicklung an den echten Brennpunkten ab. Außerdem können sie jetzt ohnehin bald nirgendwo mehr weiter. Sie haben noch genau ein Dach vor sich.«

Jan rannte durch den gleißenden Lichtkegel, sprang über Mauersimse, balancierte schräge Dächer entlang, lief zwischen Schloten Slalom, zur Deckung gegen mögliche Geschosse. Die Welt außerhalb verschwand in umso schwärzerer Dunkelheit. Fuck! Er war seine eigene Game-Figur! Die Dachkacheln und Teerpappe unter seinen Füßen aber waren so echt wie der Abgrund zur Straße da draußen in der Finsternis, das Knattern der Rotoren und ihr Brausen, das ihm den Staub in die Augen und keuchende Lunge trieb.

Schräg vor ihm die lange Gestalt von Fitz. Sein Game-Partner im Zickzackkurs. Wie viele Dächer hatten sie überquert? Keine Ahnung! Irgendwann war dieser Häuserblock zu Ende.

Und dann?

Die winkenden Gestalten erschienen völlig überraschend. Jan lief in Fitz' Rücken. Hielt der einfach an! Der Lichtkegel weitete sich. Immer mehr Menschen. Starrten hoch zu dem Heli. Manche schüttelten die Fäuste. Zeigten den Mittelfinger. Andere winkten ihnen. Ihnen? Jan und Fitz? Kommt her!? Was waren das plötzlich für Leute auf dem Dach? Ein Transparent, dem Hubschrauber entgegengestreckt.

Dieses Haus ist befreit!

Du liebe Scheiße! Von Killern zu Chaoten. Regen. Traufe.

Okay, ein Unterschied. Wenigstens für den Moment.

Immer mehr Gestalten sammelten sich unter dem Licht.

»Fuck the Cops!«

»Bullenschweine!«

»Haut ab!«

Das Dach war einen Meter höher. Helfende Hände streckten sich Jan und Fitz entgegen.

»Hierher!«

»Los, kommt!«

Jan packte zwei Unterarme, Finger schlossen sich fest um seine. Zerrten ihn über den Mauervorsprung.

»Was wollen die von euch?!«

»Hier seid ihr sicher!«

Schön wär's!

Jan, atemlos, Arme auf den Knien, blickte sich nervös um.

Wo waren ihre Verfolger? Die wollten sicher nicht ins Scheinwerferlicht.

Neben ihm Fitz. Keuchte. Zeigte nach hinten.

»Da kommen womöglich noch welche von denen!«

Eine Stimme: »Wo?«

Fitz: »Über das Dach!«

Stimme: »Sollen sie versuchen.« Lachte.

Lachte?

Jemand lachte! Der Typ hatte keine Ahnung. Dennoch. Das Lachen löste etwas in Jan. Ehrliches Lachen hilft. Immer.

Die Truppe zog Jan und Fitz in ihr Inneres. Es mussten Dutzende sein. Bierflaschen. Würstchen. Was war das hier?

Der Lärm des Hubschraubers wurde leiser, das Licht milder. Der Heli stieg. Hier konnte er nicht mehr viel ausrichten. Jan schielte zu den Dächern, über die sie gekommen waren. Sah er dort hinter den Schornsteinen Schatten?

»Wo kommen wir hier runter?!«, fragte er die nächstbeste Person. Hörte die Panik in seiner Stimme. Versuchte, sich zu beruhigen.

»Danke!«, sagte Fitz neben ihm. Zu einem Typen, fast so groß wie er. Bart, kinnlange schwarze Locken.

»Ist doch klar.«

»Ich bin Fitzroy.«

»Fitzroy. Ich bin Christo. Wieso kommt ihr nicht unten durch die Tür?«

»Längere Geschichte«, sagte Fitz. Sah über die Schulter.

Der Helikopter drehte ab. Stimmengewirr statt Rotorenknattern. Die Lichter der Stadt und Handyscreens mussten als Beleuchtung genügen.

Jans Augen suchte das Nachbardach nach den Killern ab. Er entdeckte niemanden.

Christo bemerkte seinen Blick.

»Keine Sorge. Während des Gipfels greift die Polizei hier nicht ein. Zu heikel. Außerdem würde es zu viele Kräfte binden. Und selbst wenn es ein paar versuchen würden« – er grinste – »wir haben unsere Mittel, sie zu stoppen.«

Die Polizei vielleicht. Aber um die geht es hier nicht.

Doch das konnte Jan ihm schlecht sagen.

»Die Polizei ist weg«, sagte El in sein Headset. »Sam, wie sieht es unten aus?«

»Party. Transparente in den Fenstern. Keine Polizei. Hausbesetzer.«

Sollten kein Hindernis sein.

Dafür, dass diese linken Anarchos Krieg kapitalistisch, imperialistisch und sowieso doof fanden, trug eine erstaunliche Anzahl dieser Feierabendrevoluzzer Combathosen, Militaryhemden und andere martialisch anmutende Klamotten. Einige der Männchen liefen herum wie Gorillas oder der Typ Kinobesucher, der sich nach dem Actionmovie im schwingenden Gang für Jason Statham hielt.

Wirklich entgegenzusetzen hatten diese Kerle mit ihren Cross-Training-Muskeln El und seinen Leuten wenig.

»Wir gehen rein«, sagte er.

Und schon sprinteten sie los.

30

»Da! Daaa!«

Aus den Schatten des Nachbardachs sah Jan die Orks auf sie zu rennen.

Bevor er sich bewegen konnte, schloss sich eine Front von zwei Dutzend Hausbesetzerinnen und -besetzern an der Grenze zum Nachbardach. Sie hielten ihre Handys hoch. Die Bildschirme leuchteten in der Nacht.

»Wer sind Sie?!«

»Polizei?!«

»Haben Sie einen Durchsuchungsbefehl?!«

Die Killer stoppten, rissen die Arme vor die Gesichter, wandten sich ab.

»Hey, was ist?!«, rief einer auf Jans Seite des Daches.

Taschenlampen strahlten die dunkelgrauen Gestalten an. Wenigstens ein Dutzend Telefone filmten mit. Leuchtkäferchen.

Die Killer hetzten zurück, hinter Schornsteine, tauchten ab in die Finsternis.

»Was sind denn das für welche?«, lachte Christo neben Jan. »Vampire?«

Wow!, dachte Jan nur, Handys gegen Pistolen. Gewinnen.

Christo klopfte Jan und Fitz auf die Schultern.

»Ihr seht, hier kommt kein Unbefugter herein.«

»Hört mal«, brüllte Maja ins Telefon, »wir haben eine Fahndung für den Typen draußen! Eben wurde er in Mitte gesehen! Nähe Hotel Raal!«

Jörn beobachtete sie von der Seite.

Ihr Gesprächspartner bedauerte. Nichts zu machen. Alle Kräfte wurden derzeit woanders gebraucht. Bullshit! Neben ihrem Namen blinkte in der Zentrale wahrscheinlich ein großes rotes Licht. Abwimmeln!

Wütend beendete sie die Verbindung und ließ die Stadt an sich vorbeifliegen.

Im Radio debattierten Kommentatoren die möglichen Konsequenzen eines italienischen EU-Austritts: Euro-Austritt, massive Abwertung der neuen Währung, Banken- und Unternehmenszusammenbrüche, Massenarbeitslosigkeit. Dazu der Dominoeffekt, der Spanien, Portugal und Griechenland mitreißen würde. Deren Anleihezinsen waren ohnehin schon auf Rekordniveau. Der Rest-Euro würde entweder auch explodieren oder massiv aufgewertet werden. Ein Desaster für Exportnationen wie Deutschland, die der Handelskrieg ohnehin schon in die Krise gestürzt hatte. Wer hätte das noch vor einem Jahr gedacht? Als die Wirtschaft brummte wie eine gekraulte Katze. Und jetzt! Ein noch schlimmerer Exporteinbruch für Deutschland und andere. Banken- und Unternehmenszusammenbrüche, Massenarbeitslosigkeit. Die Krise würde binnen Kurzem sie alle betreffen. Sie wollte nicht dran denken, was dann auf den Straßen los wäre. Wenn noch mehr Leute ihre Wohnungen verloren und das Geld nicht mal mehr für das Nötigste reichte. Laut jüngsten Umfragen würden schon jetzt AfD und Linke die stärksten Parteien. Genervt drehte Maja ab.

Ergebnisse der Vernehmungen aus der Golden Bar hatte sie noch keine erhalten. Bis die Kollegen ihre Protokolle geschrieben hatten, war der Gipfel vorbei. Wer brauchte noch Protokolle in Zeiten der Neuen Medien?

Wieder einmal checkte Maja YouTube, Instagram und die anderen auf Stichworte. Allen voran »Golden Bar«.

Voilà. Da fanden sich schon die ersten Videos der Schlägerei. Maja überflog eines nach dem anderen auf der Suche nach Jan Wuttes und Fitzroy Peels Gesichtern. Im sechsten tauchte Wutte für einen Augenblick auf. Mitten im Getümmel. Dann noch einmal. Im Bildausschnitt waren wenigstens dreizehn weitere Prügelknaben zu erkennen. Manche schubsten nur, andere verwendeten die geschlossene Faust. Oder sogar Flaschen. Wutte prügelte sich mit zwei Typen, die ihn fast um einen Kopf überragten und doppelt so schwer sein mussten wie er. Genauer: Er wurde von den beiden ordentlich vermöbelt. Maja stoppte den Film. Zwischen den beiden Muskelmännern wirbelte Peel herum. Also waren tatsächlich beide dabei gewesen. Sie ließ weiterlaufen. Schatten verdeckten für ein paar Sekunden das weitere Geschehen auf dem Bildschirm, verwackelte Bilder folgten. Der Filmer hatte weitergeschwenkt.

Sie sah sich die Sequenz noch einmal an. Wutte hatte auf jeden Fall eingesteckt. Sein Gesicht wollte Maja gerade nicht sein. Wie waren er und Peel von der Golden Bar auf das Dach in der Reinhardtstraße gekommen? Und warum?

»Was ist das hier?«

»Hauptquartier für die nächsten zwei Tage«, erklärte Christo. Neben ihm eine kleine, drahtige Brünette, Haare: Lockenexplosion, Augen: Lichter.

»Kim.«

Jan: *Schluck!*

Das Häuschen auf dem Dach beherbergte den Motor des Fahrstuhls. Die Wendeltreppe um den Liftschacht verstopften Menschen mit Bierflaschen und Plastikbechern. Diskussionen, Flirts. Unromantisch grelles Licht von Industrielampen an den Sichtbetonwänden verdarb niemandem die Stimmung.

Christo grüßte da- und dorthin. Fragte nach einem Platz für Fitz und Jan.

»Christo, gut, dass du da bist!« Eine junge Frau, so alt wie Christo, stämmig, dunkler Teint, Jeans, beige Bluse. Unter Strom, nur mühsam gebändigt – wieder: Wow! »Ich wollte dich gerade kontaktieren.«

Irgendwo hatte Jan sie schon mal gesehen.

»Wen schleppst du daher?«

»Haben bei uns Unterschlupf gefunden«, erklärte Christo. »Amistad Solgado«, stellte er die Frau vor.

»Cool«, sagte Fitz und reichte ihr die Hand. »Tolle Arbeit!«

»Danke.«

Sie zog Christo zur Seite, unterhielt sich flüsternd. Christo lauschte, nickte, antwortete.

Fitz verdrehte die Augen, als er Jans Blick sah.

»Eine der wichtigsten internationalen Menschenrechts- und Gerechtigkeitsaktivistinnen«, erklärte er Jan, »eine argentinische Bauern-, Arbeiter- und Studentenführerin.«

»Was macht sie dann in Berlin?«

Fitz wirkte irritiert.

»Veränderung organisieren?«

»Warum nicht in Argentinien?«

»Weil die hier es nicht können? Außerdem macht sie das dort auch.« Er beugte sich näher zu Jan, flüsterte: »Ihre Eltern waren arme Bauern, die mit einer ganzen Siedlung von einem Killertrupp der regionalen Großgrundbesitzer abgeschlachtet wurden, weil die an ihr Land wollten. Amistad war damals noch ein kleines Kind und die einzige Überlebende.«

»Wurden die nicht bestraft?«, fragte Jan.

»Soviel ich weiß, nicht. Aber du kannst Amistad ja fragen.«

»Vielleicht ein anderes Mal«, murmelte Jan bedrückt.

Amistad schenkte ihnen noch einmal einen Seitenblick, nickte, warf ihnen ein »Bis später« zu und verschwand in einem Nebenraum.

Im ersten Stock sah Jan mehrere Wohnungen, die an Computerwerkstätten erinnerten. Menschen in Hoodies kauerten vor Bildschirmen, Serverracks und -türmen, Lämpchen blinkten, Kabel wanden sich wie im Bauch eines Raumschiffs aus Filmen vor seiner Geburt.

»Eines der IT- und Kommunikationszentren«, erklärte Christo auf seinen verwirrten Blick hin.

»IT- und Kommunikationszentrum wofür?«, fragte Jan verdutzt.

»Wir sind hier kein Haufen planloser Verrückter«, erklärte Kim. Ihr Selbstbewusstsein irritierte Jan. Und gefiel ihm. »Da draußen sind über eine Million Menschen unterwegs. Sie müssen sich verständigen, austauschen, koordinieren. In über dreißig Metropolen weltweit finden derzeit ähnliche Demonstrationen statt. Auch mit ihnen tauschen wir uns aus, informieren uns gegenseitig und die Welt, koordinieren unsere Kommunikation, die Bilder, überlegen gemeinsam, welche Inhalte und Bilder wir produzieren – und provozieren – können, damit wir nicht von den klassischen Medien und Netzwerken abhängig sind.«

»Alles über ein paar solcher Zentren?«, fragte Jan ungläubig.

»Nein, sie liefern nur Teile der technischen Infrastruktur. Das meiste läuft über eine App auf Blockchainbasis, die sich alle, die wollen, runterladen und damit verschiedenste Dinge anstellen können. Besprechungen, Abstimmungen. Jeder kann mitmachen.«

»Und das endet nicht im Chaos?«, fragte Fitz.

»›Wir trauen keinen Institutionen. Nicht einmal unseren eigenen.‹ Zitat aus dem Arabischen Frühling«, sagte Christo. »Daran scheiterten häufig langfristige Erfolge Protestierender«, ergänzte Kim. »Für Langfristigkeit braucht man Institutionen. Mit einer richtig konstruierten Blockchain-App kann man das Vertrauen quasi institutionalisieren, in die App hinein, zu allen Mitmachenden. Bis jetzt klappt es ganz gut.«

Christo zwinkerte ihnen zu. »Außerdem haben wir hier einige sehr gute Leute, die uns Informationen beschaffen, an die man sonst nicht so leicht kommt. Einsatzpläne der Polizei und des Militärs, PR-Strategien …«

Insgesamt vier Räume bildeten dieses Nervenzentrum der Demonstrationen, stellte Jan fasziniert fest.

»*Eines* der IT- und Kommunikationszentren, sagtest du?«

»Klar haben wir mehrere«, erklärte Kim. »Falls eines ausfällt. Oder ausgeschaltet wird. Wer weiß, vielleicht seid ihr doch Undercover-Bullen? Bei Bedarf übernehmen Teams in anderen Städten. Ganz zu schweigen von der App. Die läuft über eine Blockchain und Meshs, ist also schwer abzudrehen oder zu manipulieren.«

»Beschaffen die auch Informationen, an die man nicht so einfach kommt?«, fragte Fitz.

»Was brauchst du?«

»Nur eine Adresse. Und/oder eine Telefonnummer.«

Christo redete kurz mit einem der Kapuzenmänner.

»Name?«, fragte er.

»Jeanne Dalli«, sagte Fitz und gab Zusatzinformationen.

»Dauert eine Weile«, sagte der Typ. »Ich finde euch dann.«

Fitz bedankte sich, der junge Mann fixierte schon wieder seinen Monitor.

Als sie das IT-Quartier verließen, kam ihnen ein Fahrradbote entgegen. Fitz hielt ihn auf.

»Übernehmen Sie eine kleine Extratour?«

»Kommt darauf an.«

Fitz drückte ihm fünfzig Euro in die Hand. *Fünfzig! Einfach so!*

»Haben Sie zufällig ein kleines Kuvert bei der Hand?«, fragte er ihn.

Der Mann suchte. Fand einen zerknickten Karton.

Fitz streckte Jan seine Hand entgegen: »Handy.«

Jan, irritiert.

Fitz: »Die Polizei könnte dich orten.«

Jan zögerte.

»Du bekommst es wieder«, sagte Fitz.

»Muss noch mal checken.«

»Deine Mutter?«

»Ja. Alter, ist die stinkig!«

Zwei Dutzend Nachrichten auf allen Kanälen mindestens. Fitz lugte auf den Screen mit den Messages.

»Für mich klingen sie besorgt. Zumindest ein paar davon.«

Vielleicht.

»Schick ihr noch eine Nachricht, dann her damit.«

Bin ok. Melde mich.

Widerstrebend reichte Jan ihm das Telefon.

Fitz steckte die Telefone in den Karton. Verschloss ihn.

»Stift, bitte«, sagte er zu dem Boten.

Immer höflich. Musste die Erziehung sein.

Auf den Karton schrieb er die Adresse seines Hotels und die Zimmernummer.

»Bringen Sie das bitte dorthin. Im Lauf der Nacht. Danke.«

»Mache ich«, sagte der Mann und verschwand.

»Jetzt haben wir beide keine Kommunikationsmöglichkeit mehr«, sagte Jan.

Aus den Innentaschen seiner Jacke zauberte Fitz zwei einfache Mobiltelefone hervor. Mit Tasten!

»Doch. In meinem Beruf hat man immer ein paar *Burner* dabei.«

»*Burner*? Komischer Beruf.«

»Wegwerftelefone. Nicht auf deinen Namen registriert. Prepaid-Karten. Kriegt man immer noch, wenn man sie braucht. Nummern gibst du nur denen, die sie wirklich kennen sollen. Deinen Mittelsmännern zum Beispiel.«

»Ist das legal?«

»Legal. Egal.«

Fitz reichte ihm eines.

»Für Notfälle. Meine Nummer ist eingespeichert. Sonst keine.«

31

Nicht alle waren müde, als sie das Estate betraten. Der Vorstandsvorsitzende eines internationalen Baukonzerns erzählte dem Vorsitzenden einer großen Hilfsorganisation mit Sitz in Genf begeistert von einer Motorradtour durch Ostasien im vergangenen Jahr. Auf seinem Handy präsentierte er Bilder von sich in Reisemontur und seiner mit Lehm vollgespritzten Maschine. Die Männer lachten über das so andere Outfit im Vergleich zu den Smokings, die sie alle trugen. Der Vorsitzende der Hilfsorganisation, ein Peruaner, zückte sein Telefon und erklärte: »Habe ich mir zum Fünfzigsten auch erlaubt.« Er zeigte Bilder eines dicken Motorrads. Seine Finger wischten über den Schirm. Mehr Lachen. Brüder im Geiste. Die kleinen Freuden großer Männer.

Jeanne machte sich nichts aus Autos oder Motorrädern. Sie fragte sich nur: Was taten diese eher untrainierten Männer, wenn die fetten Maschinen umfielen?

Ted steckte den Kopf mit Kemp Gellund und einem führenden Manager der Weltbank zusammen, ein spanischer Minister parlierte mit einer chinesischen Unternehmerin – wahrscheinlich auch eine Milliardärin, bei den Chinesen wusste man das nie so genau – und ihrem Mann. Jeanne war an einen libanesischen Geschäftsmann geraten und einen gambischen Konzeptkünstler, gehandelt als der kommende Superstar der Kunstwelt. Den italienischen Minister Maurizio Trittone bespielte George. Mehr oder weniger unauffällig umschwärmte sie ein Dutzend Leibwächter. Der Libanese und der Gambier wetteiferten um Jeannes Aufmerksamkeit, doch die galt dem Gespräch zwischen Trittone und George, von dem sie Bruchstücke aufgefangen hatte.

»... als Honorare für Beratung«, hörte Jeanne den Italiener sagen. »An Unternehmen, die von anonymen Gesellschaften auf irgendeiner Insel gehalten werden.«

Wieder quatschte der Libanese dazwischen. Jeanne lächelte.

»... finden wir sicher ein Modell«, sagte George mit einem Schulterklopfen. »Ein paar lukrative Aufsichtsratsposten in verbundenen Unternehmen nach Ihrem Abschied aus der Politik ...«

Ein Mann in schwarzer Livree und weißen Handschuhen führte sie gewandt an den anderen Barbesuchern vorbei zu einem halb separaten Teil, in dem sie die belebte Stimmung der Bar miterleben konnten, ohne von den anderen Gästen gesehen oder belästigt zu werden.

»... vielleicht verkaufen wir Ihnen ein paar Immobilien, Frankfurt, Paris, London, zum Sonderpreis, und Sie verkaufen sie zum Marktpreis ...«

Das klang ziemlich eindeutig. Manche würden es Belohnung für Gefälligkeiten Trittones nennen. Andere Bestechung, Korruption und Geldwäsche. Was wollte George von dem Italiener?

Jeanne fühlte Teds Hand an ihrem Rücken, diese typisch männliche Geste, die eine Mischung aus Besorgtheit und Hilfe ausdrücken sollte, dabei nichts anderes war als Steuerung und Andeutung von Festhalten, Kontrolle. Bis sie am unteren Rücken in die Grauzone zu Belästigung oder Intimität rutschte. Je nachdem. So wie Teds Hand nun.

»... oder Wertpapiere ...«, sagte George.

»Momentan besser nicht«, lachte Trittone, dann waren sie zu weit entfernt.

Jeanne ertappte sich dabei, den Moment nicht als Belästigung zu empfinden. Noch war ihre Beziehung zu Ted nicht ganz klar. Sie hatten ein paar Mal miteinander geschlafen. Für Jeanne nichts Verbindliches. Für Ted schien ihre Haltung ebenso angenehm, wie sie ihn provozierte. Er hielt sich für eine sagenhaft gute Partie, einen der begehrtesten Junggesellen weltweit. Eine Frau, die ihm nicht völlig verfallen war? Mal sehen.

Sie ließ seine Hand gewähren. Damit war klar, worauf dieser Abend hinauslaufen konnte. Konnte. Nicht musste.

Barkeeper eilten mit Tabletts voll gefüllter Champagnerkelche herbei. Ted löste seine Hand und nahm zwei davon. Lächelnd reichte er Jeanne eines. Ted konnte sehr gewinnend lächeln. Er war ihr bislang mit Abstand wohlhabendster Verehrer. »Ein reicher Mann kann nicht hässlich sein«, sagte ein chinesisches Sprichwort. Dem Jeanne nicht zustimmte. Aussehen war für Jeanne wichtig, das hätte sie unumwunden zugegeben. Aber nicht entscheidend. Ted sah nicht schlecht aus. Er achtete auf sich, war gut gepflegt, das war wichtig. Er konnte amüsant und aufmerksam sein. Und er bemühte sich um sie. Eigentlich zu gut, um wahr zu sein. »Was zu gut ist, um wahr zu sein, ist nicht wahr. Oder nicht so gut«, meinte eine andere Lebensweisheit.

Wie auch immer.

Maurizio Trittone hob sein Glas.

»Auf eine erfolgreiche Konferenz«, sagte er.

Für dich scheint sie ja schon erfolgreich zu sein, dachte Jeanne in Erinnerung an die eben gehörten Gesprächsfetzen.

32

Christo setzte sie an einen Küchentisch einer Wohnung im dritten Stock.

»Ich muss wieder los«, erklärte er. »Kim hier kümmert sich um euch, bis ihr euch eingelebt habt oder gehen wollt.«

Kim zeigte auf Jans und Fitz' Gesichter.

»War das die Polizei?«

»Ja«, antwortete Fitz sofort.

»Saft, Bier, Stullen«, sagte sie und wies auf den Kühlschrank. »Aber betrinkt euch bitte nicht.«

Hätte Jan gern getan. Doch er musste einen klaren Kopf behalten.

»Keine Sorge. Was machst du hier?«, fragte er, während er sich ein Glas Wasser einschenkte. Er beobachtete sie aus den Augenwinkeln. Sie hatte eine markante Nase. Stand ihr.

»Mitorganisieren.«

»Und sonst?«

»Soziologie studieren. In Heidelberg.«

Er hätte gern weiter gefragt. Leider hatte er keine Ahnung von Soziologie. Was war das überhaupt? Die Blöße wollte er sich nicht geben.

»Auch ein Wasser?«, fragte er stattdessen.

Sie lächelte ihn an.

»Danke, gern.«

Neben ihnen fingerte Fitz an seinem Handy herum.

»Da geht meine Partie dahin«, seufzte er. »Fast Mitternacht.«

»Und ihr?«, fragte Kim.

»Ich bin in Ausbildung zum Pfleger«, sagte Jan. »Und Fitz ...«

»Fitz*roy*«, beharrte der Genannte.

»... ist ein Spinner. Studierter Physiker, Ex-Investmentbanker, jetzt Profikartenspieler.«

»Nicht nur Karten«, murmelte Fitz.

»Kurioses Paar«, sagte Kim und beobachtete Fitz bei seinem Tun. Sie leerte ihr Glas, stand auf.

»Ich muss mal eine kleine Runde drehen. Bis gleich.«

Schon wieder weg! Schmale Figur, darüber diese Locken, fast Afro. Lockere Bewegungen, trotzdem entschieden. Toll!

»Könntest du deinen Blick mal darauf richten?«, spottete Fitz.

Vor sich hatte er den Block aus Wills Hotelzimmer und die Papiere mit den Sonnensystemmodellen ausgebreitet.

Paradigmenwechsel.

Er begann das oberste Blatt des Blocks zu schraffieren.

»Bringt uns das jetzt weiter?«, fragte Jan.

»Hast du eine bessere Idee? *Du* fandest den Block doch so interessant.«

»Jaja«, maulte Jan. Papier! Er drehte Fitz' Burner in der Hand. »Wie komme ich damit online?«

»Das At-Symbol öffnet den Browser«, erwiderte Fitz, ohne aufzusehen. Mit konzentrierten Bewegungen schwärzte er die obersten Zentimeter des Blattes ein.

Jan tippte derweil in die Suchmaschine.

»Sieh mal«, sagte er und legte das Gerät vor Fitz auf das Blatt.

»Eilmeldung: Wagen von Wirtschaftsnobelpreisträger Herbert Thompson in Berlin verunglückt.«

Ein Bild auf dem komischen kleinen Monitor zeigte das brennende Wrack. Wahrscheinlich aus einem Gaffer-Video. Die dürre Meldung darunter schrieb von einem Unfall. Die Identität der Opfer war noch nicht geklärt. Aber …

»Scheint, als hättest du die Polizisten richtig verstanden«, meinte Fitz. Er griff nach dem Blatt mit den Sonnensystemen. *Paradigmenwechsel.* Betrachtete es nachdenklich. Murmelte: »Was hattest du mit einem Wirtschaftsnobelpreisträger zu tun?«

Zwei junge Männer traten ein, liefen ins Nebenzimmer, ohne sich um Jan und Fitz zu kümmern.

Jan steckte den Burner wieder ein. Fitz schraffierte weiter.

In der grauen Fläche erschien links oben eine Kritzelei.

Wieder eine Kreisformation, diesmal fünf nebeneinander.

Die erste war ein einfacher Kreis. Der zweite Kreis war durch eine senkrechte Linie geteilt. Der dritte durch eine senkrechte und eine waagrechte geviertelt. Der vierte, durch eine weitere Senkrechte noch einmal geteilt, ließ Jan an eine Boule-Kugel denken. Die fünfte Formation schließlich erinnerte Jan eher an eine Brombeere, eine Kugel aus vielen kleinen Kugeln.

»Kannst du das Gekrakel daneben lesen?«, fragte Fitz.

»*The* …«, vermutete Jan.

»Das nächste könnte *formula* heißen«, meinte Fitz. »Formel.«

»*Of life*«, entzifferte Jan die letzten zwei Worte. So weit reichte sein Englisch. »Die Formel des Lebens?«

Das Haus war das auffälligste in der Reinhardtstraße. Ein schöner, wenn auch heruntergekommener herrschaftlicher Wohnungsbau aus dem neunzehnten Jahrhundert. Aus den Fenstern hingen Transparente und Fahnen.

Sie erlauben sich alles, solange wir ihnen alles erlauben!
Wir sind nicht gegen das System, das System ist gegen uns!
Dieses Haus ist befreit!

In den meisten Fenstern schien noch Licht. Auf der Straße davor unterhielten sich Menschentrauben. Irgendwoher schallte Musik.

»Großartig«, ätzte Jörn. »Das wird ein Spaß.«

»In dem Aufzug kommst du da nicht rein«, sagte Maja. »Nicht heute Nacht.«

»Ich lasse in diesem Land von solchen Asis bestimmt keine rechtsfreien Räume schaffen! Ich bin die Polizei!«

»Du weißt doch, wie's läuft. Und selbst wenn sie dich so hineinlassen, werden wir dann nichts finden. Ich gehe allein.«

»Da brauchst du ewig. Und während du in einer Wohnung bist, entwischt unser Täter schon durch das Treppenhaus.«

»Täter?! Geht's noch? Der Typ ist bestenfalls Zeuge! Der rechtsfreie Raum herrscht wohl in deinem Kopf!«

»Täter, Verdächtiger, Zeuge«, motzte Jörn, »momentan einerlei. Wir brauchen den Typ.«

Weil du ihn hast entwischen lassen.

»Was schlägst du vor?«, fragte Maja, bemüht um einen ruhigen Ton. Dass sie sich sogar innerhalb der Kollegenschaft um Deeskalation bemühen musste!

»Die Info kam vor über einer halben Stunde«, sagte Jörn. »Die können längst sonst wo sein.«

»Ich an ihrer Stelle hätte hier erst mal verschnauft. Außer sie müssen dringend woandershin. Überleg: Vor der Polizei brauchen sie sich hier nicht zu sorgen. Niemand wird dieses Haus räumen, während einen Kilometer entfernt Hunderttausende für bezahlbaren Wohnraum protestieren. Außerdem wären dazu mehrere Hundertschaften nötig, und alle Kräfte werden bei den Demos gebraucht. Die sind da drin sicher vor uns.«

»Dann eben nicht in dem Aufzug«, sagte er. Hielt den Wagen an, bevor sie das Haus erreichten, wendete und fuhr zurück Richtung Friedrichstadtpalast. »Ich habe mein Sportzeug im Kofferraum.«

»Was, willste jetzt Fitnesstrainer für Hausbesetzer werden?«

»Zelle«, murmelte Fitz.

Neben den fünf Kreisformationen mit dem Text »*Formula of life*/Formel des Lebens« war ein neues Wort aufgetaucht: Cell.

»Eine befruchtete Eizelle, die sich zu teilen beginnt«, sagte Kim und beugte sich zwischen ihnen über das Papier. Jan hatte sie nicht kommen gehört. Sie roch gut!

»Während der Furchung schnürt sich die Zelle zuerst einmal in der Mitte ab. So werden daraus zwei Zellen. Im nächsten Schritt schnüren sich die zwei Zellen wiederum quer ab, wie man sieht. So werden aus zwei Zellen vier. Im darauffolgenden Schritt werden aus vier Zellen acht. Und so weiter, bis das sogenannte Morulastadium erreicht ist.«

War nicht so Jans Thema. Schon wieder.

Fitz sah sie überrascht an. »Ey, du könntest recht haben!«

»Was, sagtest du, studierst du?«, fragte Jan. »Biologie?«

»Soziologie.«

»Morula…?«

»Maulbeere«, erwiderte Kim. »Weil der Zellhaufen ein wenig daran erinnert.«

Hatte er mit Brombeere gar nicht so falschgelegen.

»Welches Spiel betreibt ihr hier?«, wollte Kim wissen. »Eine Schnitzeljagd, oder was?«

»Wenn wir das wüssten«, antwortete Fitz.

Jan zeigte ihr das Blatt mit den Weltbildern.

»Dogma«, las sie laut. »Paradigmenwechsel.«

»Haben diese beiden Blätter etwas miteinander zu tun?«, fragte Jan. »Und wenn ja, was?«

»Ist das jetzt ein Rätsel?«

»Sozusagen. Auch für uns.«

»Wer hat das gezeichnet?«

»Ein…« – fragender Blick zu Fitz – »Quant?« Fitz nickte. »… der mit einem Wirtschaftsnobelpreisträger zu tun hatte.«

»Quant?«, fragte Kim. »Quantitativer Analyst?«

Langsam wurde sie Jan unheimlich. Er nickte.

»Schauen wir, was noch kommt«, meinte Fitz. »Wir haben ja kaum mit diesem Blatt begonnen.«

Inzwischen war er routinierter. Während ihres Wortwechsels hatte er bereits die Hälfte der A4-Seite schraffiert. Mehr Gekrakel. Kleine Schrift, die Zeilen dicht übereinander.

»Sauklaue«, schimpfte Fitz. »Für Menschen wie Will wurden Tastaturen erfunden…«

Jan versuchte, das Gekritzel zu entziffern.

»Unleserlich«, murmelte Kim.

Fitz hatte das Blatt fast fertig, als Jan eines der ersten Worte erkannte. *Picture.* Bild. Der ganze Text war auf Englisch! Natürlich.

Fitz legte den Stift zur Seite.

Betrachtete sein Werk.

»Okay, das ist ein Chaos. Gebt mir ein paar Minuten.«

»Frechheit, dass ich hier in Verkleidung reingehen muss«, moserte Jörn. »Darf ich eigentlich gar nicht.«

Er trug schwarze Trainingshosen und ein dunkelgrünes T-Shirt. Darüber eine blaue Trainingsjacke. Möglichst gelassen schlenderten sie auf das Haus zu. Niemand achtete auf sie.

»Wer eine Jogginghose trägt, hat die Kontrolle über sein Leben verloren«, grinste Maja. »Lagerfeld. Dabei verkauft er selbst welche. Jogger gibt dir *street cred.* Die brauchst du da drin.«

»Eine Wagenladung Handschellen bräuchte ich. Hocken sich einfach in fremde Häuser, die da drin.«

»Kein Wunder, bei den Mieten.«

»Sollen was arbeiten.«

»Tun die meisten, wetten?«

»Was? Sackkraulen. Studieren. Stütze.«

»Kannst ja eine Umfrage machen.«

»Den Teufel werd ich.«

»Die Leute haben es einfach satt, dass ihnen erklärt wird, wie gut es uns geht, während viele trotz Vierzigstundenmaloche um staatliche Hilfe bitten müssen, weil der Lohn nicht reicht. Sie finden keine bezahlbare Wohnung, ihre Schulen bröseln, es fehlen Lehrer, Bäder schließen, ohne Privatversicherung wartet man Monate auf einen Arzttermin ...«

»Kein Wunder, wenn alles die Flüchtlinge ...«

»Ach, fang nicht damit an ...«

»Wenn's doch stimmt. Haben nichts ins System eingezahlt und bekommen Milliarden ...«

Musste sie mit dem die ganze Nacht arbeiten?

»Nach dieser Logik dürftest du kein einziges einheimisches Kind unterstützen. Zahlen fünfzehn bis fünfundzwanzig Jahre keinen Cent ins System ein! Und bekommen trotzdem Gesundheitsversorgung, Betreuung, Bildung ...«

»Aber die Eltern ...«

»Viele nicht. Bekommen durch Steuererleichterungen, Kinderbeihilfe und andere Zahlungen letztlich mehr, als sie zahlen.«

»Trotzdem ...«

»Was?«

»Mit dir kann man das nicht diskutieren.«

»Weil ich recht habe?«

Er winkte ab.

»Wie kommen wir da jetzt hinein?«, fragte er.

Sie waren zehn Meter vom Eingang entfernt. Vor dem Haus standen kleinere und größere Gruppen redend beisammen.

»Wir gehen einfach. Als ob wir dazugehören.«

»Das will ich sehen.«

»Schau und lerne«, grinste Maja. »Und bleib da drinnen cool.«

»Ich bin immer cool.«

Ein attraktiver langer Kerl Mitte zwanzig lehnte am Torrahmen und legte ein Raubtiergrinsen auf, das vielleicht bei seinen Altersgenossinnen wirkte.

»Hey. Hab euch hier noch nicht gesehen. Du wärst mir aufgefallen.«

Da verließ sich jemand wirklich zu sehr auf sein Aussehen.

Er beäugte Jörn. »Der Turnlehrer auch.«

Schön ruhig, Jörn!

»Sören«, stellte er sich vor. »Zu wem wollt ihr denn?«

»Bist du der Blockwart hier, oder was?«

»Nee, bloß neugierig.«

Vielleicht wusste er ja etwas.

»Zu Jan und Fitzroy.«

»Fi... was?«

»Fitzroy. Und Jan.«

»Kenn ich nicht.«

»Kannst nicht alle hier kennen, oder?«, sagte Maja und ging an ihm vorbei. Jörn folgte ihr.

Vor ihnen teilte sich der Flur links und rechts zu je sechs bis acht Wohnungen, geradeaus lag das Treppenhaus. Überall waren Menschen, liefen, lehnten, redeten, tranken.

Maja zückte ihr Telefon. »Deine Nummer?«

Jörn gab sie ihr, holte sein Gerät hervor. Maja wählte.

»Du links, ich rechts. Wir bleiben verbunden. Für den Fall, dass … Einer von uns muss immer das Treppenhaus im Blick haben. Also nur abwechselnd in die Wohnungen.«

»Das dauert ewig.«

»Jammer nicht. Schnappen wir sie uns!«

33

»Okay, okay«, murmelte Fitz, über das graue Blatt mit den weißen Hieroglyphen gebeugt. »Okay.«

»Was denn nun?«, drängte Jan.

»Ich bin noch nicht fertig«, sagte Fitz.

»Worum geht es überhaupt? Hilft es uns?«

»Hm ...«

»Nun sag schon!«

»Ist schon gut. Will hat hier einen halben Roman aufgeschrieben«, sagte Fitz. »Allerdings in Stichworten. An ein paar Stellen notierte er ›Bild‹.«

Er griff sich den Bleistift, riss das graue Blatt vom Block und begann, auf der leeren Seite zu kritzeln.

Ein Viereck, geteilt in vier gleich große Felder. Getrennt durch etwas, das für Jan wie eine Straße aussah. In jedem Feld ein Name: Ann, Bill, Carl, Dana. Und ein paar Häuschen.

»Was ist das? Ein Dorf?«

»Yep. Zwei Bäuerinnen, zwei Bauern. Anns und Carls Felder liegen auf der Westseite, in der Ebene des Unterdorfs. Die Wachstumsbedingungen auf ihren Feldern sind gleich.

Bills und Danas Felder liegen auf der Ostseite, in den Hügeln des Oberdorfs. Dort herrschen etwas andere Wachstumsbedingungen als im Unterdorf. Auf Bills und Danas Feldern wächst Getreide unter den gleichen Wachstumsbedingungen, aber anders

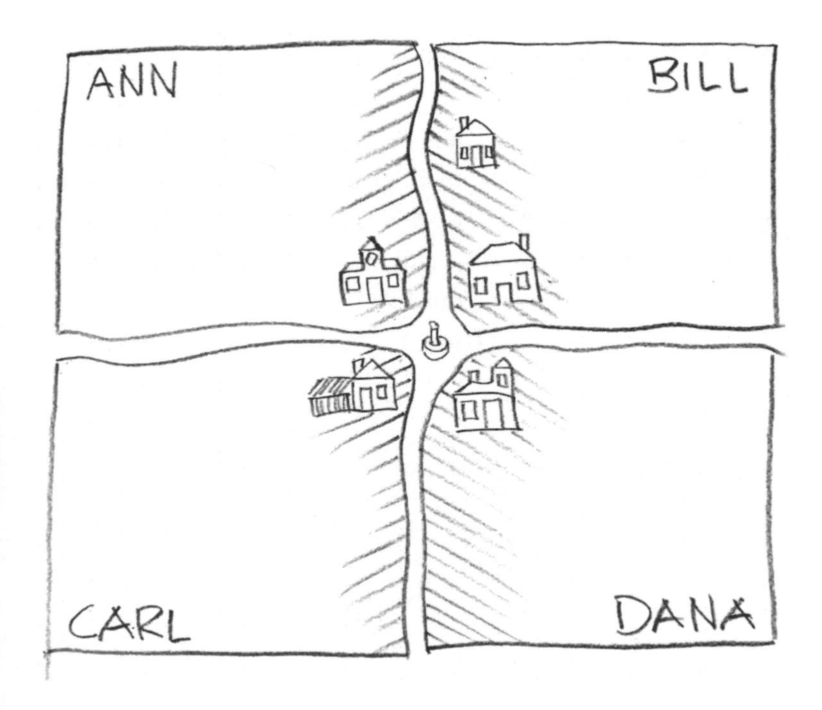

als bei Ann und Carl. Verantwortlich dafür sind die jeweiligen Wasser- und Wetterbedingungen oder unterschiedlicher Schädlingsbefall.«

»Das steht alles in diesem Gekritzel?«, fragte Jan.

»Wie gesagt, Stichworte. Will beschreibt die vier so: Ann ist fleißig, ordentlich und sparsam, nach dem Motto: ›Wenn jeder so wirtschaften würde, ginge es allen gut.‹«

»Eine ›schwäbische Hausfrau‹, würde man in Deutschland sagen«, meinte Kim.

»Genau. Der Zweite, Bill, ist der Wettbewerbstyp. Er will immer der Beste sein. Überall versucht er, einen Vorteil für sich herauszuschinden. Sein Motto: ›Wenn jeder auf sich schaut, ist auf alle geschaut.‹«

»Sehr sympathisch«, ätzte Kim.

»Ann und Bill säen natürlich Millionen von Körnern. Aber der

Einfachheit halber beginnt Will das Beispiel mit Ann und einem Korn.«

»Was wird das?«, fragte Jan genervt. »Eine Spielanleitung?«

»Keine Ahnung, du hast mich ja nicht zu Ende lesen lassen«, sagte Fitz. »Also, aus Anns Korn wächst, bei gutem Boden und Wetter, eine Ähre. Eine Ähre mit – wieder der Einfachheit halber – zehn neuen Körnern daran.«

Rasch zeichnete er eine Bäuerin mit Ähre und zehn Körnern.

»An dir ist wahrlich ein Künstler verloren gegangen«, spottete Jan.

»Ich weiß. Die Rechnung soll nicht kompliziert werden. Deshalb nehmen wir an, dass Ann von dem geernteten Getreide nichts selbst essen will und nichts verkauft. Im nächsten Jahr kann sie also statt eines Korns zehn Körner einsetzen.«

Fitz runzelte die Stirn bei dem Versuch, das weiße Geschreibsel zu entziffern.

»Das zweite Jahr läuft schlecht. Ein später Frost killt drei der zehn Setzlinge. Schädlinge fressen zwei weitere. Und im Sommer vertrocknen bei einer Dürre noch drei.«

»Bleiben zwei Ähren übrig«, sagte Kim. »Macht zwanzig Körner.«

»Picture«, sagte Jan. »Da … da kann ich es auch lesen.«

Fitz skizzierte: Bäuerin, kaputte Pflanzen, zwanzig Körner.

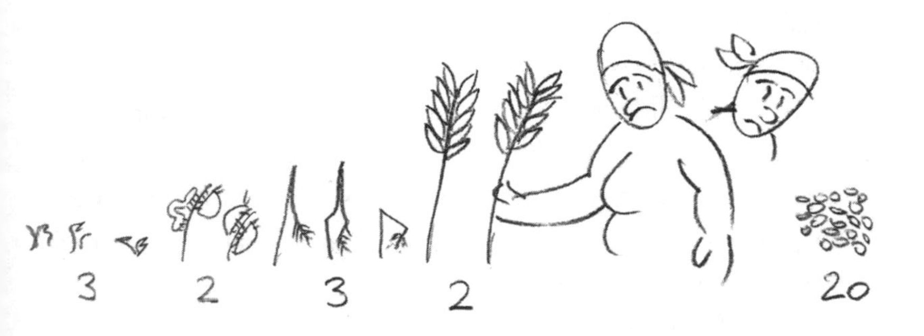

»Ihre Ausgangssituation für das nächste Jahr ist trotzdem besser als im ersten Jahr«, fuhr er fort. »Sie kann statt zehn nun zwanzig Körner einsetzen. Und so geht das immer weiter, Jahr für Jahr ein wenig anders.«

»Ich verstehe immer noch nicht, was das soll«, maulte Jan.

»Jetzt hab doch mal ein wenig Geduld«, forderte Kim.

Jan lief rot an. Blieb still und hoffte, dass Kim es nicht sah.

»Mach weiter«, forderte sie Fitz auf. »Da stehen doch irgendwelche Zahlen …«

»Ja. Will nimmt für Anns Feld über vier Jahre folgendes Wachstum an: Im ersten Jahr macht sie aus einer Ähre zwei. Im zweiten werden daraus sechs Ähren. Im dritten wieder nur sechs. Im vierten werden aus sechs Ähren zwölf.«

Er schrieb alles auf.

BASIS ANN	ERGEBNISSE			
1 ÄHRE	2 ÄHREN	6 ÄHREN	6 ÄHREN	12 ÄHREN
JAHR	1	2	3	4

»Nach vier Jahren hat Ann aus einer Ähre also zwölf gemacht«, fasste Kim zusammen.

»Auf Bills Feldern im Osten des Dorfes wächst das Korn über die Jahre anders«, fuhr Fitz fort. »Im ersten Jahr macht er aus einer Ähre vier. Deutlich besser als Ann. Dafür schafft er im zweiten Jahr auch nur vier, also gleich viel wie im Vorjahr. In Jahr drei werden daraus dafür acht und im vierten Jahr sogar sechzehn.«

Eine weitere Skizze.

BASIS BILL	ERGEBNISSE			
1 ÄHRE	4 ÄHREN	4 ÄHREN	8 ÄHREN	16 ÄHREN
JAHR	1	2	3	4

Jan stemmte die Fäuste in die Taschen und verbiss sich einen Kommentar. *Was bringen diese Zahlenspiele?*

»Bill hat aus einer Ähre binnen vier Jahren sogar sechzehn gemacht«, sagte Fitz. »In manchen Jahren erwirtschaftete Ann mehr, in anderen Bill. In der Summe machten die beiden in vier Jahren aus zwei Ähren achtundzwanzig.«

»Und jetzt?«, fragte Jan. »Müssen wir das Ganze für Carl und Dana noch mal rechnen? Wir wissen ja, was herauskommt.«

Fitz beachtete ihn nicht. Seine Nase sank fast auf das Papier.

»Stimmt«, sagte er. »Aber hier sind noch andere Zahlen. Wo Ann nach vier Jahren zwölf Ähren erwirtschaftet hat, bekam Carl achtzehn! Auf der anderen Dorfseite erntete Bill nach vier Jahren sechzehn Ähren. Dana dagegen stieg ebenfalls mit achtzehn aus! Insgesamt machten Carl und Dana in derselben Zeit aus zwei Ähren sechsunddreißig! Viel mehr als Ann und Bill.«

Fitz schrieb die Zahlen in die Zeichnung mit den vier Feldern.

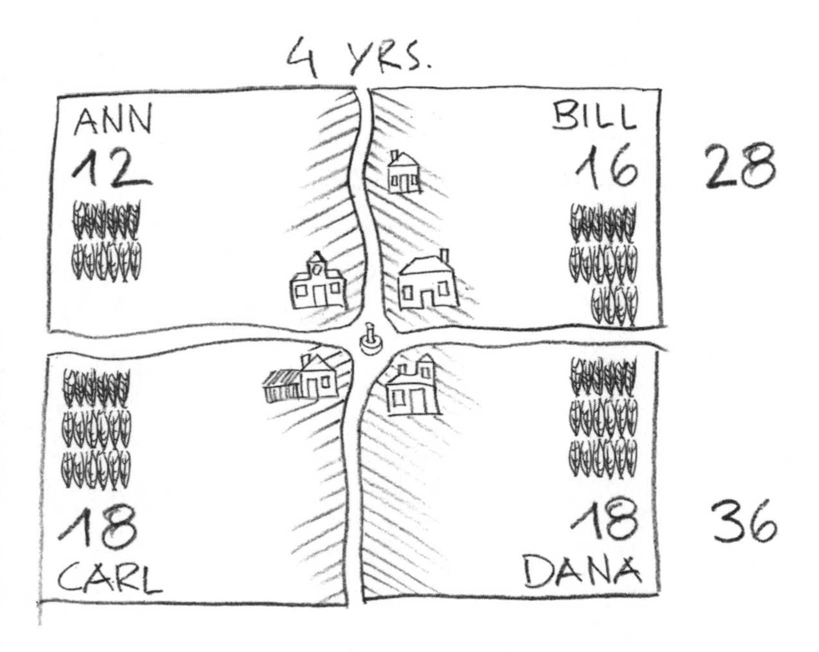

»Hatten sie eben besseren Dünger«, wandte Jan ein. »Oder Schädlingsbekämpfungsmittel. Oder Saatgut. Oder …«

»Nein, das schließt Will explizit aus.«

»Explizit«, schnaufte Jan.

»… alle Bedingungen sind gleich. Alle. *Ausdrücklich.*«

»Ich hab schon verstanden.«

»Und wie erklärt er das bessere Wachstum bei Carl und Dana dann?«, fragte Kim.

»Gute Frage«, sagte Fitz und deutete unten auf das Blatt. »Hier, am Ende, steht nur mehr ein kurzer Dialog zwischen Bill und Dana.« Er las vor:

»Bill: ›Wie macht ihr das?‹

Dana: ›*Schlau* wirtschaften. Erinnere dich, vor fünf Jahren: Meine Ernte war mies. Du dagegen hattest ein sehr gutes Jahr.‹

Bill: ›So ist das nun mal. Man hat gute und schlechte Jahre.‹

Dana: ›Damals fragte ich dich, ob du …‹« Er sah auf. Blickte Jan unschuldig an.

»Aus.«

»Wie – aus?«

»Aus. Schluss. Hier endet die Geschichte.«

34

»Das ist es?«, fragte Jan heiser.

»Das ist es«, sagte Fitz.

»Was soll das? Verdammte Scheiße!! Haben wir uns dafür fast zu Brei schlagen lassen?! Sind um ein Haar von Fassaden und Dächern gestürzt? Rennen vor der Polizei davon? Für eine verfickte Bauernhofgeschichte?!! Scheiße! Verdammte Scheiße! Alles für die Katz!«

»Jan«, hörte er Fitz wie durch Watte. »Jan!« Er rüttelte ihn an den Schultern. Stand nur unscharf vor ihm.

Erst jetzt realisierte Jan, dass er aufgesprungen war. Kim und zwei andere, die eben eingetreten waren, stierten ihn fasziniert bis verständnislos an.

Ihm doch egal.

»Jan«, wiederholte Fitz. »Wir mussten es versuchen. Besser, man unternimmt etwas, als man tut nichts.«

Komm mir nicht so!

»Genau diese Einstellung hat mir die ganze Scheiße doch erst eingebrockt! Ich hätte einfach weiterradeln sollen! Dann würde ich jetzt selig in meinem Bett schlafen!«

»Wovon redet ihr?«, fragte Kim. Gerunzelte Stirn. Stand ihr nicht.

»Vergiss es«, sagte Fitz. »Es war ein langer Tag.« Er ließ sich auf seinen Stuhl fallen. Starrte ins Leere.

In der eintretenden Stille fühlte sich Jan mit einem Mal sehr müde. Die anderen blickten verunsichert zwischen Fitz und ihm hin und her. Als sein Blick Kims traf, biss er sich peinlich berührt auf die Lippen. Setzte sich.

»Sorry«, sagte er.

»Nicht dafür«, erwiderte Fitz. »Du warst nur schneller.« Grinste Jan an. Dieses Spielergrinsen. Sicher, dass er gewinnen würde. Oder perfekt darin, es andere glauben zu machen. Erreichte sein Ziel.

»Also noch einmal, mit Gefühl: Was soll das?«, fragte Jan.

»Wenn du mich fragst, ist es eine Art Fabel«, sagte Fitz. »Ich tippe auf ein Wirtschaftsthema. Wegen Thompson. Will machte das gern. Irgendetwas möchte er damit erklären.« Er lachte. »Leider fehlt die Auflösung!«

»Wer hat eure Geschichte denn geschrieben?«, fragte Kim. »Warum fragt ihr die Person nicht einfach?«

Fitz zögerte. Jan zögerte.

»Der Autor ist tot«, sagte Fitz schließlich.

»Oh.« Betroffen wanderte ihr Blick zwischen den beiden hin und her. »Ein Freund?«

»Ja«, sagte Fitz.

»Tut mir leid.«

Sie legte ihre Hände auf Jans und Fitz' Schultern. Jan überlief ein Schauer. Angenehm. Das erste gute Gefühl an diesem Abend!

Maja war in der dritten Etage und hatte die beiden nicht gefunden. In jedem Stockwerk führten vom Treppenhaus je ein Flur links und rechts ab. Auf jedem Flur lagen mehrere Wohnungen. Einige hatten keine Türen, manche Vorhänge. Andere besaßen provisorische Türen. Maja vermutete, dass der Hausbesitzer alles entfernt hatte, was das Gebäude einigermaßen bewohnbar machte. Sie fragte sich, wie sie zu Strom und Wasser kamen, denn an den Decken leuchteten Birnen, und die Toiletten schienen zu funktionieren, auch wenn die meisten, die sie bisher gesehen hatte, in letzter Zeit niemand ernsthaft gereinigt hatte.

Sie hatte gerade eine Wohnung auf dieser Etage hinter sich, als sie am Eingang zur nächsten auf einen alten Bekannten stieß. An der Tür lehnte Sören im Gespräch mit einer attraktiven Blondine. Hatte keine Zeit verloren.

»Und?«, fragte er. »Schon gefunden, wen du suchst?«

Maja ignorierte ihn und betrat die Räume, an deren Eingang er stand. Niemand beachtete sie weiter. Weder in der Küche noch in den drei anschließenden Zimmern fand sie ihre Kandidaten. Die meisten Anwesenden schliefen inzwischen auf Matten oder in Schlafsäcken. Viele hatten heute Abend wahrscheinlich unter dem leuchtenden Peace-Zeichen gestanden, hatten staunend und begeistert emporgesehen. Morgen würden sie alle auf die große Hauptdemo gehen. Für einen Moment beneidete sie die jungen Leute für ihre Unkompliziertheit. Ihre Begeisterung. Ihre Naivität.

Wer mit zwanzig kein Kommunist ist, hat kein Herz. Wer es mit vierzig immer noch ist, hat kein Hirn. Und wenn man beides hatte?

Auch der Flur war inzwischen nicht mehr so belebt. Als sie die Wohnung verließ, lehnte noch immer Sören mit seiner Blondine an der Wand. Eine junge Frau mit Stoppellocken und eine mit auffällig schwarzem Bob liefen vorbei. Sonst war da niemand.

»Ich bin draußen«, sagte sie und warf einen Blick zu Sören im Flurabschnitt jenseits des Treppenhauses. »Jetzt du wieder.«

Sören verschwand in der Tür. Maja platzierte sich vor der nächsten Wohnung. Drei noch auf dieser Etage. Gedankenverloren folgte ihr Blick den zwei Frauen, bis sie in der hintersten Wohnung verschwanden.

»Das ist Nida«, stellte Kim die lange junge Frau mit dem Schneewittchengesicht, der schwarzen Brille und dem schwarzen Bob vor. Hoodie, enge Jeans mit Knielöchern, die unvermeidlichen Chucks. »Nida ist Ökonomin. Ich dachte, vielleicht kann sie euch bei eurer Geschichte helfen.«

Eine… was? Ökonomin? *Echt jetzt? Wie sollen die uns helfen?!*, fragte sich Jan. War ja lieb gemeint von Kim, sie konnte nicht wissen, dass nicht eine wirtschaftliche Zahlenspielerei, sondern eine Killertruppe und die Polizei ihr eigentliches Problem waren.

Nida nickte in die Runde, Jan und Fitz stellten sich kurz vor. Dann erklärte Fitz, worum es ging, und zeigte seine Zeichnungen.

»Hm«, war alles, was Nida dazu meinte.

»Da seid ihr ja!«, schallte es von der Tür.

Christo. Mit dem Hoodie-Typen aus der IT-Zentrale.

»Hier sind die Nummern von Jeanne Dallis Handys«, sagte er und streckte Fitz einen Zettel entgegen. »Die erste privat. Nummer zwei und drei beruflich.«

»Danke!«

»Gern.« Und verschwand, bevor Fitz noch etwas sagen konnte.

»Jan und Fitzroy, nicht?«, fragte Christo.

»Yep«, erwiderte Fitz. Die Telefonnummern hoben seine Laune.

»Der Flurfunk flüstert, dass da eine Tusse und ein Typ durchs Haus laufen und einen Jan und einen Fitzroy suchen.«

In Jans Magen verwandelte sich das Wasser zu Säure.

»Ich dachte, hier kommt niemand rein«, sagte Fitz scharf.

»Na ja, niemand wie die Typen vom Dach. Aber die zwei sehen ziemlich normal aus.«

»Woher wisst ihr überhaupt davon?«

»Internes Kommunikationssystem«, erklärte Christo. »Nur weil hier *viel* los ist, heißt das nicht, dass wir nicht wissen, *was* los ist.«

»Wenn sie zu denen gehören?«, flüsterte Jan zu Fitz.

»Eine Frau und ein Mann?«, antwortete Fitz leise. »Klingt nach den beiden vor meinem Hotel. Polizei.«

»Woher sollen die wissen, dass wir hier sind?«, zischte Jan. Seine Kiefermuskeln arbeiteten.

»Der Hubschrauber?«, erinnerte ihn Fitz spöttisch.

»Habt ihr etwas Ernstes ausgefressen?«, fragte Kim eher neugierig und belustigt als besorgt.

»Sehen wir Rätselkönige so aus?«, fragte Fitz zurück.

»Wo ist die Frau jetzt?«, fragte Jan.

Christos Blick verlor sich im Flur, dann sagte er: »Auf dem Weg hierher. Noch etwa zehn Meter entfernt.«

»Sie dürfen uns nicht finden!«, rief Jan.

»Es gibt Feuerleitern in den Hof«, sagte Christo. »Durch die Fenster nebenan …«

Jan war schon unterwegs. Der Nebenraum war eine Art Wohnzimmer, in dem fünf Gestalten auf Sofas herumlungerten und redeten. Jan interessierte sich nur für das Fenster. Da war wirklich eine Feuerleiter! Er öffnete das Fenster, blickte hinab.

Oder was von der Feuerleiter übrig war.

Vereinzelt erhellten Fenster den Hof. Warfen ihren Schein auf ein rostiges, verbogenes Gestell. Auf seiner Höhe hing es bereits einen halben Meter zu weit von der Fassade entfernt, die Verankerung aus der Wand gerissen. Eine Etage tiefer betrug der Abstand sicher einen Meter, weiter unten noch mehr. Das untere Ende konnte Jan nicht sehen. Führte dieses Skelett überhaupt bis auf den Grund? Er packte eine Strebe, rüttelte. Quietschend, wie ein eingerostetes Windrad, wackelte es in der Finsternis. Ob das Ding eine Person wirklich tragen konnte?

»Jan!« Fitz hinter ihm her. Hielt ihn fest. »Wenn es die Polizei ist … Vielleicht sollten wir das Ganze beenden. Alles wird sich aufklären.«

»Wenn das der Typ ist, der mich mitnehmen wollte …«

Jan riss sich los. Hob ein Bein über das Fensterbrett. Tastete mit den Zehen nach dem Gerippe.

In der Tür zur Küche standen Kim und Christo.

Hinter ihnen tauchte die Frau auf.

Die Frau von Fitz' Hotel.

Vierte Entscheidung

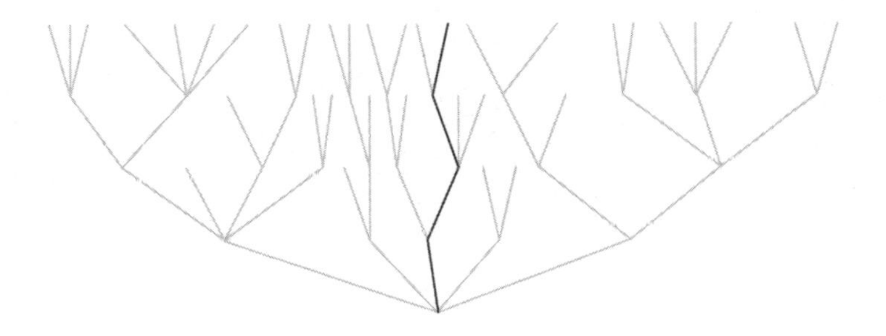

»Schließlich entstehen Mehrzeller und komplexe Organismen – das Leben selbst ist eine Ausprägung dieses mathematischen Prinzips.«

Will Cantor

35

Maja blickte sich in der Küche um. Die junge Frau mit dem schwarzen Bob, die Maja auf dem Flur gesehen hatte. Tisch, Stühle. Leer, zurückgeschoben, wie nach einem überhasteten Aufbruch. In der Tür zum nächsten Raum stand ein Pärchen. Sie war die Begleiterin von Schwarzer Bob. Die beiden sahen sie aus großen, nervösen Augen an.

Als hätten sie Maja erwartet.

Wandten ihre Blicke ins Zimmer hinter ihnen. Maja versuchte, einen Blick zu erhaschen.

Da drinnen waren sie!

Der Spieler. Eindeutig. Und dort am Fenster, schon halb draußen, Jan Wutte!

Maja, das Telefon ans Ohr gepresst, flüsterte: »Jörn, da sind sie! Letzte Wohnung links.«

»Wer bist du?«, fragte der Typ in der Tür. »Was willst du hier?«

»Verzeihung, natürlich. Maja. Und du?«

»Christo.«

»Sind Jan und Fitzroy da?«

Christo antwortete nicht.

»Ich wollte kurz was mit ihnen bereden«, sagte Maja. Sie streckte sich, blickte über seine Schulter. »Da drinnen sehe ich sie ja. Jan! Fitzroy! Habt ihr kurz Zeit?«

Verunsichert wandte sich Christo den beiden zu.

Fitzroy Peel trat hinter Christo. Flüsterte ihm etwas zu.

Christos Blick verhärtete sich.

»Sie sind von der Polizei?«

Mist! Die Spielregeln hatten sich gerade geändert. Bevor Maja etwas sagen konnte, fragte Christo: »Haben Sie einen Durchsuchungsbefehl?«

»Ist das dein Ernst?«, brüllte es von hinten. Jörn. »Willst du uns verarschen? Ihr seid illegal in diesem Haus und wollt uns den Zutritt verbie...«

»Jörn!«, fuhr Maja dazwischen.

»...ten? Wo sind die Kerle? Lasst uns durch!«

»Sind Sie auch von der Polizei?«, wollte Christo wissen.

Schwarzer Bob filmte jetzt von ihrem Platz neben dem Küchentisch. Das Mädchen mit den Stoppellocken gleichfalls, es umkreiste sie. Auch aus dem Raum hinter Christo tauchten Gestalten mit ihren leuchtenden Telefonen auf.

»Jörn«, versuchte Maja ihren Kollegen zu beschwichtigen. Ein Kopfnicken Richtung Handys. Hielt ihn zurück, als er Christo zur Seite schubsen wollte. »Du wirst gefilmt«, zischte sie.

»Ja?«, rief Jörn. »Mir scheißegal!«

»Jörn ...« Maja drängte ihn ab. Vergeblich.

»Das ist Behinderung polizeilicher Arbeit! Ihr helft einem Killer!«

»Bin ich nicht!«, rief Wutte vom Fenster. »Im Gegenteil, ich habe den Notruf informiert! Ihr wollt mir was anhängen!«

»Typisch«, zischte einer der Anwesenden.

»Ich bringe euch alle in den Knast, wegen Beihilfe!«, brüllte Jörn.

Wieder schubste er Christo, diesmal heftiger.

Das lief aus dem Ruder. Jörn, dieser Idiot!

»Jan Wutte!«, rief Maja. »Wir wollen Sie bloß als Zeugen befragen!«

»Das klingt bei Ihrem Kollegen ganz anders«, rief ein Filmender.

»Können Sie sich überhaupt ausweisen?«, fragte die junge Frau mit dem schwarzen Bob.

Jörn starrte sie fassungslos an. Maja packte ihn am Arm.

»Jörn!«

»Mir reicht's!«, fauchte er. »Personenkontrolle!« Tastete seine Trainingsjacke ab, dann die Hose.

Maja begriff sofort. Der Doppelidiot! Hatte seine Papiere in der Uniform gelassen! Die Blamage durften sie sich nicht erlauben. Maja zückte ihren Ausweis.

Jörn überspielte sein Versagen mit doppelter Wut.

»Eure Ausweise«, bellte er. »Dalli! Alle!«

Maja schloss die Augen, seufzte. Sie hasste es, mit Schwachköpfen zu arbeiten. Peel war nicht auf der Stelle geflohen, und Christo hatte redebereit gewirkt. Bis Rambo Jörn hereingeplatzt war.

»Zeigen Sie uns erst mal Ihren«, erwiderte Christo. »Bis jetzt haben wir nur den Ihrer Kollegin gesehen.«

Jörns Kaumuskeln arbeiteten, aber Majas schmale Lippen hielten ihn zurück. Ihr Blick wanderte über Christos Schulter. Entdeckte das offene Fenster.

»Wo sind Wutte und Peel?«, rief sie. »Und dieses Mädchen?«

Stoppellocke war verschwunden. Schwarzer Bob ebenfalls.

Maja stürzte ans Küchenfenster. In den düsteren Hof baumelten die rostigen, losen Überreste einer Feuerleiter. An dem schwingenden, quietschenden Gerüst kletterten zwei Gestalten hinab.

Verdammt, sind die lebensmüde? Die flohen lieber über diese Ruine, als mit ihnen zu reden? Na schön, nach Jörns Auftritt …

Oder sie waren doch nicht so harmlos, wie sie behaupteten. Ein Krachen, von oben stürzten einzelne Streben herab, klirrend schlugen sie mehrmals auf die Leiter und verschwanden mit weiteren Aufprallern lärmend in der Tiefe.

Dann sackte die ganze Konstruktion ab.
»Oh Gott!«

Die Erschütterung riss Jan die Leiter unter den Füßen weg. Er klammerte sich fest, das rostige Eisen schnitt in seine Handflächen, die Beine baumelten frei. Das kreischende Metall übertönte seinen Schrei. Von oben wirbelten Eisenteile auf sie herab. Sie prallten von der Leiter gegen die Hauswand und stürzten von dort weiter in den Hof. In einigen Fenstern sprang Licht an. Auch Fitz hatte den Halt verloren, hing nur mehr an einem Arm, drehte sich. Bekam mit der anderen wieder die Leiter zu fassen.

Mit einem Ruck stoppte der Sturz der Leiter. Fast verlor Jan erneut den Griff. Im letzten Moment fing er sich. Das Gerüst hatte sich etwa einen Meter gesenkt. Quietschte, brüllte, wankte, zuckte.

Wir müssen runter von dem Ding!

Licht im Erdgeschoss fiel in den Hof. Der Teilabsturz hatte ihnen geholfen. Die Leiter endete nun etwa drei Meter über dem Boden. Jan ließ sich mehr fallen, als dass er kletterte. Erreichte das schwankende Ende, die Beine in der Luft, weiter, hielt sich an der letzten Strebe. Ein schneller Blick auf den Boden, dann ließ er los.

Er landete hart, rollte sich ab, fasste sich. Spürte in seinen Körper. Knöchel. Knie. Handgelenke. Unterarme. Schultern. Alles in Ordnung. Sprang auf.

Neben ihm landete Fitz. Jan half ihm auf die Beine.

»Du Irrer!«, keuchte er.

»Weg hier, bevor das ganze Ding über uns zusammenbricht!«

Jan zog ihn aus dem Hof ins Treppenhaus.

Dort stand Kim. Mit wildem Haar und noch wüsterem Blick. Hinter ihr Nida.

»Kommt«, rief Kim. »Gleich sind die zwei Bullen da!«

Bell stand etwa dreißig Meter links vom Eingang des Hauses, El in derselben Entfernung rechts. Sam wartete im Hauseingang gegenüber und Jack mit dem Rover in der Parallelstraße auf der Rückseite des Gebäudes.

Mitternacht war vorbei.

Die Zivilpolizistin und ihr lächerlich verkleideter Partner waren immer noch im Haus. Ihr Erscheinen hatte der Geschichte einen weiteren Twist gegeben. Dass sie hier aufgetaucht waren, nachdem El sie schon bei Peels Hotel gesehen hatte, wäre zu viel Zufall gewesen. Sie waren ebenso hinter den beiden her wie Els Team. Ein Wettlauf, den er nicht brauchen konnte. Aber der nun einmal stattfand.

Seine Kiefer mahlten. Sie hatten wenige Möglichkeiten. Wollten sie die Situation in dem Haus aussitzen und da drin übernachten? Dann mussten sie irgendwann herauskommen. Für diesen Fall konnten El und sein Team sich rüsten.

Jeder von ihnen war Warten gewohnt. Nachtwachen in Afghanistan oder dem Irak oder dem Sudan oder Weltgegenden, von denen niemand wusste, dass sie dort operiert hatten. Während ihrer aktiven Zeit wäre das hier ein Sonntagsspaziergang gewesen.

Einige Fenster des Hauses leuchteten noch.

»Ich glaube, ich sehe sie.« Jacks Stimme in Els Headset. »Ja. Sie kommen hier aus einem Haus. Die Gebäude müssen verbunden sein. Sind in Begleitung. Vier Personen insgesamt.«

»Copy. Sind unterwegs. Halt uns auf dem Laufenden.«

Doch kein Aussitzen. Wäre vielleicht klüger gewesen.

36

Fitzroy hetzte neben Kim Richtung Friedrichstraße, die beiden anderen hinter ihnen. Vereinzelt fielen fette Tropfen aus dem dräuenden Gewitterhimmel.

»Ich hoffe, das war kein Fehler, euch zu helfen«, keuchte Kim.

»War es nicht«, sagte Fitzroy. »Wir haben nichts getan.« *Außer in ein Hotelzimmer eingebrochen. Nun, rein technisch gesehen auch das nicht. Sie hatten schließlich eine Karte gehabt.* »Ich erzähle es dir später. Wohin jetzt?«

»Mir nach.«

Friedrichstraße. Kim suchte im Verkehr. Noch einiges los um die Zeit, vor allem Taxis. Nervös sah Jan sich um. Die Polizistin und ihr Kollege waren nirgends zu sehen. Kim winkte einen Wagen herbei. Ein letzter Blick zurück vor dem Einsteigen.

Fitzroy erstarrte. Aus der Reinhardtstraße kamen drei dunkle, massige Gestalten gelaufen. Keine Polizisten.

»Los!«, rief er und stürzte in den Wagen. »Fahren Sie!«

»Was ist?«, fragte Kim.

Fitzroy schob die Tür zu.

»Erkläre ich später!« Zum Fahrer: »Fahren Sie schon!«

Die Gestalten hielten, blickten dem Taxi hinterher. Neben ihnen bremste ein dunkler Geländewagen.

»Sch…«, zischte Fitzroy, den Kopf nach hinten verdreht.

Jan hatte sie auch entdeckt.

Fitzroy hielt dem Taxifahrer zwei Hunderter unter die Nase.

»Das hier und noch einmal so viel drauf, wenn Sie den dunklen Rover da hinten loswerden.«

»Was, zum …«, stammelte Kim.

»Loswerden?«, fragte der Fahrer. »Sie meinen: abhängen?«

»Ja.«

»Verfolgen hatte ich schon. Aber abhängen …«

Er trat aufs Gas.

»Erklärung«, forderte Kim entschieden. »Jetzt!«

Fitzroy und Jan wechselten einen Blick. Fitzroy nickte. Ich.

»Ein Freund von mir wurde heute Abend ermordet«, erklärte er. »Jan war Zeuge. Aber, wie ihr mitbekommen habt, verdächtigt ihn die Polizei der Tat.«

Kim starrte ihn mit offenem Mund an. Der Regen wurde stärker. Der Fahrer schaltete die Scheibenwischer ein.

»Sorry«, murmelte Jan verlegen, »dass wir euch da mit reingezogen haben.«

»Und die da hinten?«, fragte Kim aufgebracht. »Das ist doch keine Polizei!«

Wenn er jetzt noch mehr erzählte, würde Kim ausflippen. Konnten sie gerade nicht gebrauchen.

»Andere Geschichte«, sagte er. »Ich schulde den Typen Geld.«

»Ihr seid total …«, stammelte Kim.

Draußen schüttete es jetzt. Ihr Fahrer lenkte auf der Busspur an einer Autoschlange vorbei. Dort hätte ihnen der schwarze Rover nicht folgen dürfen. Tat es natürlich trotzdem. Konnte nun sogar besser aufholen.

»Die kommen näher!«, sagte Fitzroy. Bemühte sich um Beherrschung.

»Sehe ich«, sagte der Fahrer. »Noch kurz Geduld.«

Er passierte eine grüne Ampel. Der Rover war nun direkt hinter ihnen, im prasselnden Regen spritzten seine Scheinwerfer Licht.

Blaulicht flackerte, ein Folgetonhorn jaulte auf. Hinter dem SUV scherte ein Polizeiwagen aus einer Ausfahrt. Hängte sich an ihre Verfolger.

»Jetzt noch Polizei«, stöhnte Jan. »Ich bin geliefert.«

»Wenn du nichts getan hast …«, sagte Kim, wie alle anderen den Blick nach hinten gerichtet. Das Blaulicht klebte am Rover.

»Du hast den Typen ja erlebt«, sagte Jan. »Dem ist das egal. Der hatte sein Urteil schon gefällt. Auf solch einen Mist kann ich verzichten.«

»Das wär's«, verkündete der Fahrer fröhlich.

Der Rover fiel zurück. Hielt am Straßenrand in einer Einfahrt. Der Polizeiwagen neben ihm.

»Darf die Bus- und Taxispur nicht benutzen«, erklärte der Fahrer. »Ich wusste, dass die Polizei gerade hier steht. War eben vorbeigekommen. Auf so einen haben die nur gewartet.«

Er bog ab. »Wohin wollen Sie eigentlich?«

»Fahren Sie noch um ein paar Ecken«, erklärte Fitzroy. »Und dann zum nächsten Taxistand.«

Er reichte ihm die versprochenen Scheine.

Kim warf Jan einen fragenden Blick zu.

Jan zuckte mit den Schultern.

»Er verdient gut.«

»Dann soll er den Typen doch ihr Geld geben.«

Fitzroy grinste. Die Kecke gefiel ihm.

»Verdammt!«, fluchte Maja vor dem besetzten Haus. Sie blickte noch immer suchend auf beiden Seiten die Straße hinunter. »Die sind weg.« Ging ein paar Schritte in die eine Richtung, dann in die andere. »Du hast dich da drinnen absolut unprofessionell verhalten«, fuhr sie Jörn an. Schnell überlegte sie, ob sie etwas in seinem Wagen gelassen hatte. »Lieber gar keinen Partner als so einen. Fahr nach Hause! Gute Nacht!«

»Na, hör mal …!«

Sie wandte sich um und marschierte in Richtung des Hotels, von dessen Dach Wutte und Peel gekommen waren, ohne sich noch einmal nach Jörn umzudrehen. Der Regen durchweichte ihre Jeans.

An einem nahen Taxistand ließ der Fahrer sie aussteigen. Der Wolkenbruch war vorbei, es nieselte nur mehr leicht.

»Ich fahre zu meiner Oma«, sagte Kim. »Dort übernachte ich, wenn ich in Berlin bin. Wenn ihr wollt, könnt ihr erst mal mitkommen. Und weiter überlegen. In ein Hotel oder nach Hause könnt ihr ja gerade schlecht.«

»Echt?«, fragte Jan verdutzt.

»Ich kann euch wohl kaum diesem irren Bullen überlassen.«

Jan fuhr sich verwirrt durchs Haar.

»Ja, klar, gern, voll …«

»Danke«, sagte Fitz. Sie könnten sich auch ein Hotel suchen. Und einen der jungen Leute ihren Ausweis herzeigen lassen. Aber besser kein Risiko eingehen.

»Kommst du noch mit?«, fragte Kim Nida. »Nach alldem würde ich natürlich verstehen …«

»Euer Rätsel …«, sagte Nida, »irgendwas hat das. Ich würde mir das gern noch einmal kurz in Ruhe ansehen. Wenn es okay ist.«

Kim zuckte mit den Schultern.

»Für mich schon. Für Oma auch.«

»Bloß: Wie komme ich in die Reinhardtstraße zurück?«

»Mit dem Taxi«, sagte Kim und zeigte auf Fitz. »Er zahlt.«

Sie grinste ihn an. »So wie die Fahrt zu Oma.«

Fitz grinste zurück.

»In Ordnung.«

Sie setzten sich in ein Taxi, Kim nannte eine Adresse.

»Was interessiert euch an dieser Geschichte eigentlich so brennend?«, fragte sie.

»Sie ist das Letzte, was wir von meinem toten Freund gefunden haben«, erklärte Fitz. »Wir hatten uns Hinweise erhofft.«

»Auf seine Mörder? Aus einer Fabel?«

»Von dem Zettel. Du warst dabei. Wir wussten zuerst nicht, was daraufstehen würde.«

»Stimmt«, gab sie zu. »Aber jetzt wissen wir es. Ich kann keine Hinweise entdecken.«

»Vielleicht verbergen sich welche. Es existiert eine Vorgeschichte. Ist jetzt zu kompliziert. Vielleicht gibt die Lösung der Geschichte ein Motiv.«

»Für einen Mord?«

»Wer weiß?«

»Das ist ja mal eine Challenge.« Kim wandte sich an Nida. »Und, hast du eine Idee für eine Lösung?«

Der Regen wurde wieder stärker.

»Der Klassiker wäre Spieltheorie«, sagte Nida.

»Ihr wollt jetzt spielen?«, fragte Jan ungläubig.

»Das hat nur bedingt mit Spielen zu tun«, sagte Nida. »In der Spieltheorie geht es darum, wie Entscheidungen getroffen werden, wenn mehrere Personen beteiligt sind. Sie dient als Grundlage für Lösungsstrategien in allen möglichen Entscheidungsprozessen und Konfliktsituationen: von der Wirtschaft über soziale Entwicklungen bis hin zu sozialen Unruhen und Kriegen.«

»Warum heißt das dann Spieltheorie?«

»Weil sie ihren Ursprung in Fragen rund um Spiele hatte. Und auch heute noch oft über Spiele modelliert wird. Aber eigentlich geht es um mathematische Modelle.«

»Schon wieder!«

»Vielleicht hast du schon einmal vom Gefangenendilemma gehört«, sagte Nida. »Das ist das bekannteste Beispiel.«

Jan schüttelte den Kopf.

»Stell dir zwei Kriminelle vor, die von der Polizei verhört werden. Sie sind in einer verzwickten Lage. Die Polizei kann ihnen einen Diebstahl nachweisen, verdächtigt sie aber auch eines Raubüberfalls. Wenn sie den Mund halten, gehen beide wegen Diebstahls je zwei Jahre ins Gefängnis. Wenn sie den Raubüberfall gestehen, wandern beiden jeweils für vier Jahre in den Knast. Wenn einer von ihnen aber den Raubüberfall gesteht und der andere schweigt, geht der Geständige als Kronzeuge nur ein Jahr ins Gefängnis. Der andere bekommt die Höchststrafe von sechs Jahren.«

»Können sie sich absprechen?«, fragte Jan.

»Sehr wichtige und gute Frage. Nein. Sie werden einzeln verhört und wissen daher nicht, was der andere sagt.«

Sie verschränkte die Arme, lehnte sich zurück und grinste in die Runde. »Was würdet ihr tun?«

Einen kurzen Moment herrschte Stille, dann sagte Jan: »Wir wären am Arsch.«

»Warum?«, fragte Nida.

»Wenn ich plaudere, gehe ich nur ein Jahr ins Gefängnis. Das wäre für mich persönlich das Beste. Blöderweise denkt das der andere für sich natürlich auch. Daher reden wir beide. Damit haben wir beide gestanden, und die Polizei sperrt jeden von uns für vier Jahre weg.«

»So ist es«, sagte Nida. »Welche Strategie wäre für beide die sinnvollste?«

»Mund halten«, sagte er. »Dann muss jeder nur zwei Jahre für Diebstahl hinter Gitter.«

»Insgesamt vier Jahre. Na, dann …«, meinte Nida.

»Aber das funktioniert nur, wenn der andere auch die Klappe hält! Wenn er redet, bekommt er wie gesagt die Kronzeugenregelung! Und ich sechs Jahre!«

»Perfektes Beispiel, dass zwei Individuen, die ihren Eigennutz optimieren wollen, nicht zusammenarbeiten.«

»Und sich stattdessen in die Scheiße reiten«, sagte Jan.

»Das ändert sich, wenn man das Spiel mehrmals wiederholt«, sagte Fitz.

»Du kennst das auch?«

»Ein wenig …«

»Quasi: Aus Schaden wird man klug«, meinte Jan.

»Nein«, sagte Nida, »eher nach dem Prinzip: Wenn du Spielverderber bestrafst, halten sie sich beim nächsten Mal an die Regeln. Weiß man spätestens seit Robert Axelrods Arbeiten in den Siebzigerjahren, *Tit-for-Tat* und so weiter.«

»Wie hilft uns das mit den Bauern?«, unterbrach Jan ungeduldig. »Und vor allem: Weshalb haben Carl und Dana nach vier Jahren *mehr*?«

37

Im Hotel Raal freute man sich nicht über ihren Besuch. Diskretionssache. Nachdem keinem der Gäste etwas geschehen war, wollte man so schnell wie möglich zum Alltag übergehen. Allnacht.

Fünf Sterne. Etwas anderes als das besetzte Haus, aus dem Maja gerade kam. Ein Manager führte sie zu Zimmer 756. Von hier mussten die Männer gekommen sein, erklärte er. Andere Hotelgäste hatten die Kletterer aus ihren Zimmern gegenüber gesehen und gemeldet. Das Badezimmerfenster hatte offen gestanden.

»Wer hat dieses Zimmer gemietet?«

»Ein gewisser Will Cantor. Laut Pass US-Staatsbürger.«

»Seit wann?«

»US-Staatsbürger oder Hotelgast?«

Maja war zu müde für lauwarme Witze. Sagte ihm ihr Blick.

»Heute.«

»Für wie lange?«

»Zwei Nächte.«

»Die Zeit des Gipfels.«

Sie inspizierte das Zimmer. Entdeckte nichts Interessantes. Auffällig war, was sie nicht fand: Laptop, Tabletcomputer, obwohl die Ladekabel an verschiedenen Steckdosen hingen. Arbeitsunterlagen.

»Bieten Sie Ihren Gästen Briefpapier, Notizblock, Schreibutensilien?«, fragte sie den Manager.

»Üblicherweise liegen die auf dem Schreibtisch«, sagte er. »Vielleicht hat der Zimmerservice vergessen, sie aufzulegen.«

Er sah in den Schubladen nach.

»Vielleicht können Sie das klären«, sagte Maja. Alles mochte wichtig sein.

»Die Gäste, von denen Sie sprachen: Sind sie noch wach?«

»Ich glaube nicht.«

»Wie viele Kletterer wollen sie gesehen haben?«

»Einer sprach von zweien. Einige meinen, es seien drei gewesen.«

Das Badezimmerfenster stand offen. Allein der Blick verursachte Maja Schwindel. Da hinaus sollte jemand geklettert sein? Auf Zimmerbodenhöhe verlief außen ein etwa zwanzig Zentimeter breiter, leicht abfallender Sims entlang der Fassade. Die Fassade selbst war verkleidet mit Pseudosandsteinquadern, zwischen denen fingerbreite Rillen den Kletterern vielleicht ein wenig Halt gegeben hatten. Um da hinauszusteigen, musste man ein sehr guter Freeclimber sein. Oder sehr, sehr verzweifelt.

Als Nächstes besichtigte sie die Dachterrasse und befragte das Personal. Der Manager blieb an ihrer Seite. Die wenigen verbliebenen Gäste waren vor dem Regen unter die überdachten Abschnitte geflüchtet.

Sie bestellte eine White Lady und fragte den Barkeeper: »Wie viele waren es?«

»Zwei, die über das Geländer geklettert kamen«, sagte er. »Vier, die auf das Nachbardach kletterten. Zuerst zwei. Dann noch mal zwei. Ich weiß aber nicht, ob das auch Klettermaxe waren.«

»Hotelsecurity?«, fragte sie den Manager.

»Keine von uns. Vielleicht von Gästen.«

»Die würden durch fremde Zimmer laufen?«

»Vielleicht hatte Mister Cantor seine eigene Security?«

»Hat er welche angemeldet?«

»Nein. Aber das heißt nichts.«

Maja besichtigte die Ecke, an der die Männer angeblich hochgekommen waren. Sie mussten Geckofinger haben.

Es war weit nach Mitternacht, der Ort nicht mehr so voll, wie er vor wenigen Stunden gewesen sein musste. Maja ließ sich die Musik- und Tonanlage zeigen. Schaltete die Musik ab, griff zum Mikrofon.

»Guten Abend, verehrte Damen und Herren. Ich bin von der Polizei. Falls jemand von ihnen den Vorfall vor etwa zwei Stunden miterlebt hat, bitte ich Sie um Ihre Unterstützung. Ich muss wissen, was Sie gesehen haben. Vielleicht hat jemand mitgefilmt. Sie finden mich an der Bar. Danke.«

Sie drehte die Musik wieder an.

Sie hielten in einer dunklen Straße vor einem Fünfzigerjahrewohnbau. Der Regen hatte aufgehört.

»Wir sind da«, erklärte der Taxifahrer.

Jan suchte nervös die Umgebung ab, bevor er den Wagen verließ. Den Frauen hörte er nur mehr mit einem Ohr zu. Diskutierende Studentinnen! Die zwei waren so in ihr Gespräch vertieft, dass sie einfach ausstiegen und weiterredeten, während Fitz anstandslos zahlte.

»Vielleicht arbeiten Carl und Dana nicht gegeneinander«, sagte Kim, »sondern doch irgendwie miteinander?«

»Indem sie den anderen mit Korn aushelfen, wenn die eine schlechte Ernte hatten?«, meinte Nida. »Solidarität, Altruismus?«

»Umverteilung«, sagte Fitz. »Von Reichen zu Armen. Nett, aber bringt nicht *beiden* mehr. Nur den Armen.«

»Der Mann mit dem Geld …«, höhnte Kim.

»Der eben dein Taxi bezahlt hat …«

»Er hat schon recht«, sagte Nida. »Davon geht die klassische Ökonomie aus. Wirtschaftliche Systeme streben ein Gleichgewicht an, ein *Equilibrium*. Soll heißen: Du kannst nicht einem etwas geben, ohne es einem anderen wegzunehmen.«

»Passiert viel öfter umgekehrt«, empörte sich Kim, »Umverteilung von Arm zu Reich. Deshalb wird die Vermögensungleichheit immer größer!«

Jans Aufmerksamkeit galt der kaum beleuchteten Straße, dem finsteren Bürgersteig. Um diese Zeit war hier in keinem der Fenster mehr Licht.

»Immerhin sorgt eine fairere Verteilung für sozialen Frieden«, wandte Kim aufgebracht ein. »Außerdem bringt Kooperation sehr wohl etwas! Dafür gibt es zahllose Beispiele …«

»Die da wären?«, fragte Fitz. »Rechne vor.«

»Ich kann das nicht rechnen«, erboste sich Kim. »Aber von Genossenschaften bis hin zu … Du bist doch der Rechner.«

»Das System hieß Kommunismus und ist gescheitert.«

»Davon rede ich nicht …!«

»Ich hätte gern statt Wunschdenken und Thesengeschwurbel mathematische Modelle, die mir vorhersagbar zeigen, dass dein genossenschaftliches System erfolgreicher sein wird«, sagte Fitz.

»Man merkt, dass du Physiker bist …«

»Diese Formeln gibt es nämlich nicht wirklich«, fuhr Fitz fort. »So krass es klingt, aber bis heute weiß niemand so richtig, wie Wachstum funktioniert. Philosophie und Soziologie schon gar nicht. Selbst die Biologie nicht.«

Sie hatten die Haustür erreicht. Kim sperrte auf.

»Durch Kapitalismus natürlich«, schnaubte sie, »oder was?«

»Ist genauso eine Ideologie wie der Marxismus und alle anderen«, warf Nida ein. »Schau dir seine bekanntesten Vertreter in ein paar Debatten auf YouTube an. Hayek, Friedman und die anderen: vorwiegend ›ich glaube‹, Behauptungen und Pseudologik.«

»Kapitalistische Nebelkerzen!«, rief Kim und trat endlich ein. »In einem Punkt muss ich Fitz aber recht geben …«

»Danke!«

»Eure spieltheoretischen Exerzitien helfen so oder so nicht bei der Lösung des Rätsels, warum Carl und Dana mehr erwirtschaften als Ann und Bill.«

Und noch weniger, um die mörderischen Verfolger zu finden, dachte Jan. Denn darum ging es bei ihren ganzen Überlegungen *eigentlich*. Noch einmal sah er sich um, bevor er das Haus betrat. Die Straße war dunkel und leer.

38

Der Fahrstuhl führte sie exklusiv direkt in Teds Suite. Seine Tür öffnete sich in einen loftartigen Raum, dessen Glaswand Jeanne einen Panoramablick über die Stadt gewährte.

Es war kurz vor Mitternacht. Jeanne wollte abwarten, wie sich die nächsten Minuten entwickelten, und sich dann entscheiden, wie der Abend enden sollte.

Ihr Blick schweifte über die Einrichtung, teure Stücke in einem für ihren Geschmack etwas zu glänzenden, protzigen Stil, für die überwiegende Mehrzahl der wohlhabenden Suite-Gäste aus den ehemalige Sowjetstaaten, dem arabischen Raum, China und Südostasien gestaltet, vielleicht auch Immobilien-, Glücksspiel- und Telekom-Milliardäre aus den USA oder Lateinamerika. Oder afrikanische Despoten. Bedarf gab es genug.

»Ah«, sagte Ted hinter ihr. Er griff zu einem dicken, großen Kuvert auf einem überdimensionalen Sideboard. Betrachtete es kurz, verstaute es in eine Schublade. Dann widmete er sich wieder Jeanne. Zwei Sitzgruppen befanden sich in verschiedenen Bereichen des Raums. Auf dem Tischchen der einen stand ein Eiskübel mit einer gekühlten Flasche Champagner. Als ob Ted heute noch mit Besuch gerechnet hätte.

»Hast du etwas zu feiern?«, fragte sie.

»Dass du da bist?«, antwortete er mit einem Lächeln. »Was darf ich dir anbieten?«

»Ein Glas davon«, sagte sie.

Ted öffnete die Flasche routiniert ohne lautes Plopp und schenkte zwei Gläser halb voll. Er reichte ihr eines und prostete ihr zu.

»Danke für deine reizende Begleitung heute Abend«, sagte er.

Sie tranken.

»Terrasse öffnen«, befahl Ted, und wie von Zauberhand schob sich die Glaswand zur Seite. Davor lag eine Terrasse in der Breite des Riesenraums. An ihren Rändern spendeten gedimmte Lichtstreifen gerade genug Helligkeit, um sich zurechtzufinden. Kühle Abendluft wehte sanft in den Raum. Der Regen hatte die Nacht aufgefrischt.

Sie traten hinaus. Die Brise spielte mit Jeannes Haar und dem leichten Stoff ihres Abendkleids.

»Du hast bezaubernd ausgesehen heute Abend«, sagte Ted.

»Danke.« Jeanne spürte, wie sie gegen ihren Willen errötete. Hier draußen im Dunklen konnte Ted es nicht sehen.

Sein Blick senkte sich in ihren. Seine sonst blauen Augen wirkten hier dunkelgrau. Er überragte sie um ein paar Zentimeter. So musste er sich nicht weit zu ihr herabbeugen. Ihre Blicke hatten sich verwoben, ließen einander nicht los.

Wenn das hier etwas werden sollte, durfte sie nicht wie eine Schatzjägerin oder ein potenzielles Trophy Wife vorgehen. Aber auch nicht naiv. Der Moment in der Orangerie fiel ihr ein. Aschenputtel. Das war sie nicht. Sie lächelte Ted an. Seine Lippen trafen ihre.

39

Behutsam drehte Kim den Schlüssel im Schloss. Sie schlich in die Wohnung und schaltete das Licht an. Mit dem Finger über den Lippen winkte sie die anderen hinein und streifte die Schuhe ab. Wie zum Hohn donnerte es draußen. Jan, Fitz und Nida folgten Kim in den winzigen Vorraum. Sie deutete auf die Schuhe. Das würde ein Geruchsvergnügen! Zwei Paar Chucks und zwei Paare von Füßen, die mehrere Verfolgungsjagden hinter sich hatten.

Direkt neben der Eingangstür führte eine weitere Tür in eine Minimalküche. Arbeitsfläche und Hängeschränkchen an der linken Seite, kaum einen Meter gegenüber die Wand. Daran hing ein Kalender mit Blumenbildern. Am Ende unter dem Fenster ein kleiner Tisch mit zwei Stühlen. Zu viert passten sie kaum hinein. Jan entdeckte nicht einmal eine Waschmaschine.

»Wer auf Toilette muss«, flüsterte Kim, »die Tür gegenüber.«

Fitz verschwand.

»Ich brauche noch eine Kleinigkeit zu essen«, sagte Kim. »Sonst jemand?«

»Gern«, sagte Jan.

Kim bestrich ein paar Brotscheiben mit Aufstrich aus dem Kühlschrank und füllte vier Gläser mit Wasser aus dem Hahn.

Fitz kehrte vom Klo zurück.

»Und jetzt?«, fragte Kim. »Lange schaffe ich nicht mehr. Ich muss morgen früh raus.«

»Müsste ich auch«, murmelte Jan. Gierig verschlang er ein Brot und leerte sein Glas.

»Dann hätte ich ja gar nicht mehr mitkommen müssen«, sagte Nida.

»Doch, doch«, beschwichtigte Kim sie. »Nach diesem Abenteuer muss ich erst einmal runterkommen, bevor ich schlafen kann. Aber macht fix. Irgendeine Idee?«

Fitz kramte die zerknitterten Blätter aus seiner Jacke, strich sie glatt und legte sie auf die Herdplatten.

»Eine Variante des komparativen Vorteils vielleicht?«, meinte Nida.

»Sehe ich nicht«, sagte Fitz. »Sind ja dieselben Güter.«

Wovon redeten die?

»Komparativer Vorteil?«, fragte Kim.

Aah! Danke, Kim! Bin nicht nur ich blank!

»Das Hauptargument für internationalen Freihandel.«

»Dafür kenne ich nur ein Argument«, sagte Kim. »Freihandel fördert Wohlstand. Aber wo ist er, der Wohlstand? Bei meiner Mindestrenten-Omi nicht. Bei mir auch nicht. Bei euch?«

»Bei mir nicht«, sagte Jan.

»Ein kapitalistisches Ausbeuterdogma«, sagte Kim.

»Nein, eine einfache Rechnung«, erwiderte Nida. »Von dem britischen Ökonomen David Ricardo, der sie schon 1817 entwickelte. Stell dir zwei Länder vor, in denen bestimmte Güter produziert werden. Ricardos Beispiel waren England und Portugal. Beide produzieren Stoff und Wein.«

»Englischer Wein?«, fragte Kim. »Uäähhh!«

»Ich weiß«, sagte Nida. »Andere Zeiten. Apropos, hast du etwas anderes zu trinken da?«

»Nur Wasser. Und billigen Rum. Aber der ist Omas Schatz.«

Nida verzog das Gesicht.

»Soll er bleiben. Machen wir Ricardo modern, mit China und

den USA, mit Stahl und Software. China stellt beides günstiger her. Trotzdem ist Handel zwischen den Ländern sinnvoll, wenn sich jedes Land auf das Gut konzentriert, das es *effizienter* herstellen kann. Hat jemand einen Stift?«

Kim fand einen in einer Lade.

Sie drehte eine von Fitz' Zeichnungen um und begann auf der leeren Rückseite des Blatts etwas zu skizzieren.

»In China produzieren neun Programmierer hundert Computerprogramme, in den USA braucht es dafür zehn Programmierer. In China schafft ein Programmierer demnach 11,11 Programme, in den USA schafft einer zehn Programme. Die Chinesen sind da also produktiver.« Sie notierte die Zahlen in der Skizze.

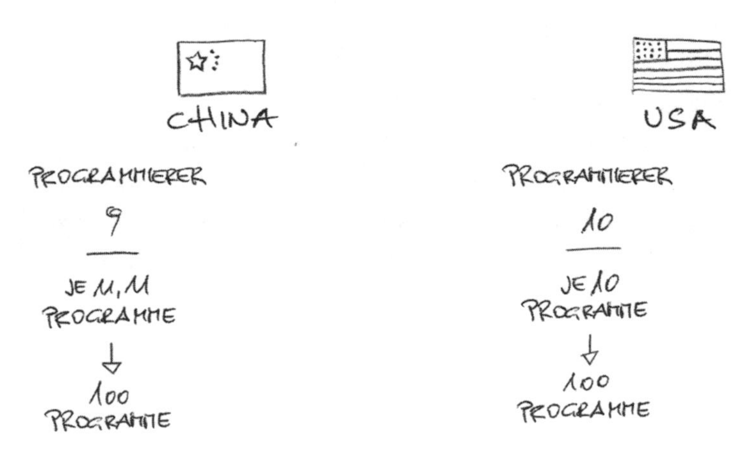

»Acht chinesische Stahlarbeiter produzieren hundert Stahlträger, das braucht in den USA zwölf Arbeiter. Ein US-Stahlarbeiter produziert demnach hundert durch zwölf, also 8,33 Träger, ein chinesischer 12,5. Deutlich mehr als die Amis!

Insgesamt stellen beide Länder zusammen zweihundert Programme und zweihundert Stahlträger her.«

»Woah, woah, Moment«, unterbrach sie Kim. »Das muss ich erst mal verdauen.«

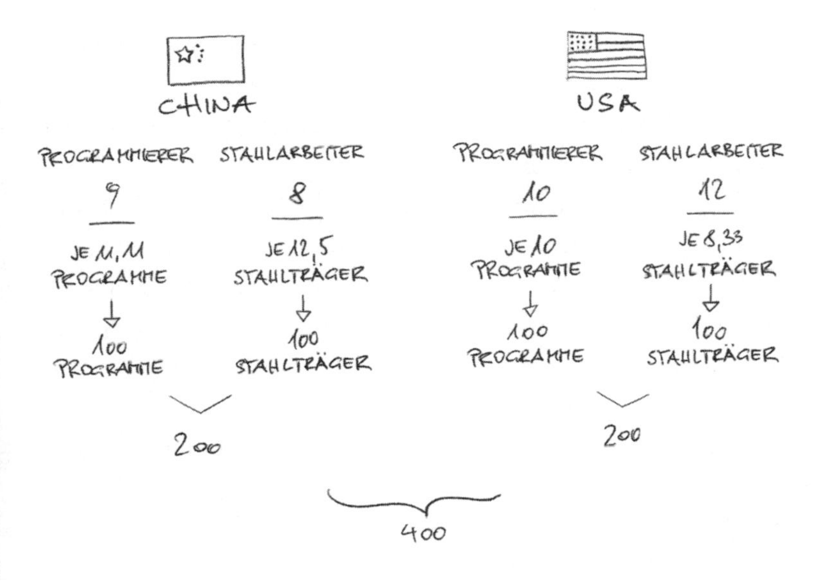

Jan war schon früher ausgestiegen. Statt Nidas Zeichnungen betrachtete er Kim, wie sie ihre Haare aus dem Gesicht strich. Die kleine Falte zwischen ihren Brauen, als sie Nidas Zeichnungen konzentriert beobachtete.

»Was musst du erst verdauen?«, krähte eine Stimme von der Tür.

»Du isst doch eh viel zu wenig!«, sagte die alte Frau. Sie war nicht größer als Kim, aber den Türrahmen füllte sie gut aus. Die grauen Haare standen wirr in alle Richtungen. Über das Nachthemd hatte sie einen verschlissenen Bademantel gezogen, die Füße steckten in abgetragenen Puschen.

»Wer sind diese Leute?«

»Freunde, Omi. Nida, Jan, Fitz.«

Omi musterte sie kritisch von oben bis unten.

»Du und deine Freunde. Wisst ihr, wie spät es ist? Was macht ihr da?«

»Dinge besprechen. Geh ruhig wieder schlafen.«

»Kann ich doch jetzt nicht mehr! Geht ins Wohnzimmer. Hier ist ja kein Platz. Los! Außerdem muss ich aufs Klo.«

Kim gab den anderen zu verstehen, dass sie Oma zu gehorchen hatten. Sie zogen um ins Wohnzimmer.

Der Raum war nicht viel größer als die Küche, fast ausgefüllt mit einem mindestens dreißig Jahre alten Ecksofa und einem rustikalen Tischchen dazu. An der Wand hingen tatsächlich ein röhrender Hirsch und ein comichaft gemalter Junge beim Pinkeln mit riesigen Augen. Eine billige Wanduhr. In einer einfachen Vitrine stapelten sich Geschirr und Gesellschaftsspiele.

Sie ließen sich auf der Couch nieder und breiteten ihre Papiere erneut aus. Nida setzte zum Sprechen an, als Oma von der Toilette kam.

»Macht Platz, ich will zuhören.«

»Omi«, versuchte Kim, wurde jedoch mit einem Blick zum Schweigen gebracht. Fitz bot ihr seinen Platz an.

»Das ist mal ein Gentleman!«

Fitz setzte sich auf den Boden.

»In Ordnung, könnt weitermachen«, krächzte Omi.

»Gentlemen and Ladies«, sagte Kim, »meine Omi, Sieglinde.«

»Wie die Kartoffel!«, krähte die Alte.

Nida räusperte sich irritiert, bevor sie fortfuhr: »Dann … wo waren wir? Chinas Produktivität. Ist bei der Stahlproduktion höher als bei der Softwareproduktion, deshalb spezialisiert es sich auf Stahl. Wenn die frei gewordenen neun Programmierer …«

»Arbeitslos gewordenen neun Programmierer«, unterbrach sie Kim.

»… als Stahlarbeiter gleich produktiv sind wie die anderen Stahlarbeiter …«

»Wasn das fürn Quatsch?«, fuhr Omi dazwischen. »Wie sollen denn Softwareprogrammierer Stahlarbeiter werden?«

Jan verbiss sich ein Lachen.

»… kann China 112,5 Stahlträger zusätzlich herstellen«, fuhr Nida stoisch fort. »Statt hundert Programmen und hundert Stahlträgern produziert China nun 212,5 Stahlträger. Das sind mehr als davor USA und China in Summe. Einen Teil davon schicken sie in die USA. Das ist Handel.«

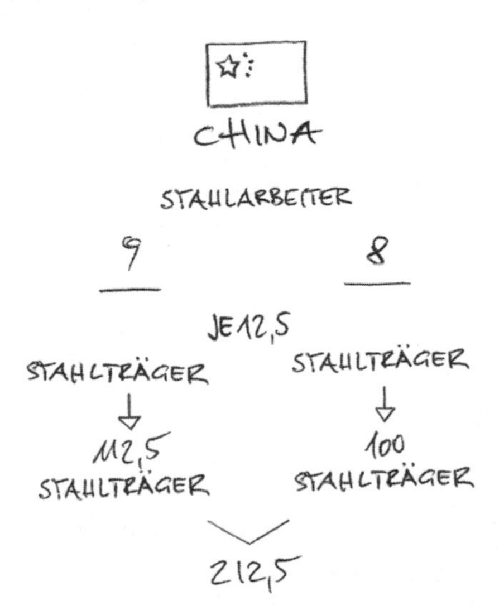

»Wer will denn von Programmierern produzierte Stahlträger?«, murmelte Omi.

Nida ließ sich nicht irritieren.

»Die USA programmieren dafür nur mehr Software. Jetzt können die frei gewordenen …«

Kim: »Arbeitslos gewordenen …«

»… zwölf Stahlarbeiter hundertzwanzig Programme schreiben.«

»Stahlarbeiter, die Software schreiben!«, meckerte Omi. »Es wird immer besser!«

Nicht lachen, Jan! Nicht!

»Wir reden von einem vereinfachten Modell, welches das Prinzip erklärt«, sagte Nida geduldig. »Niemand behauptet, dass in der Realität Stahlarbeiter über Nacht Softwareprogrammierer werden müssen. In einer modernen Wirtschaft mit ganz vielen verschiedenen Berufen kann der Stahlarbeiter einen anderen Job erlernen.«

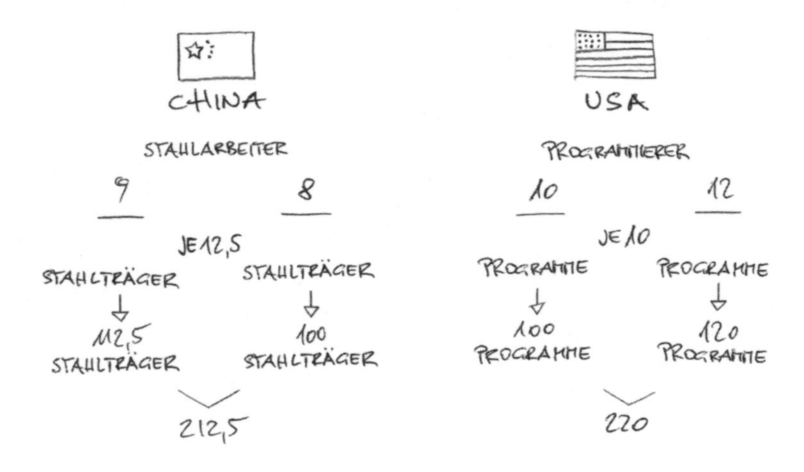

»Wann genau, nach seiner Vierzigstundenwoche in der Maloche, Kindererziehung, Elternpflege, Einkaufen …?«, entgegnete Omi.

»Sie haben natürlich recht. Solche Veränderungen brauchen Zeit. Deshalb schlug etwa der Ökonom Karl Polanyi vor, Prozesse ungelenkten Wandels zu verlangsamen.«

»Auf den hat offenbar keiner gehört«, feixte Omi.

»Das ändert aber trotzdem nichts an der grundsätzlichen Vorteilhaftigkeit des komparativen Vorteils«, stöhnte Nida.

»Wir reden hier über ein vereinfachtes Modell. Die USA erzeugen nun nicht mehr hundert Programme und hundert Träger, sondern zweihundertzwanzig Programme. Auch mehr als vorher USA und China in Summe. Und wiederum: Ein Teil davon geht nun nach China.«

»Wenn die Chinesen die Programme nicht vorher schon kopiert haben«, warf Jan ein.

Nida ignorierte ihn.

»Gemeinsam steigern die USA und China ihre Produktion durch Handel um zwanzig Programme und zwölf Komma fünf Träger. Der Gesamtwohlstand wächst.«

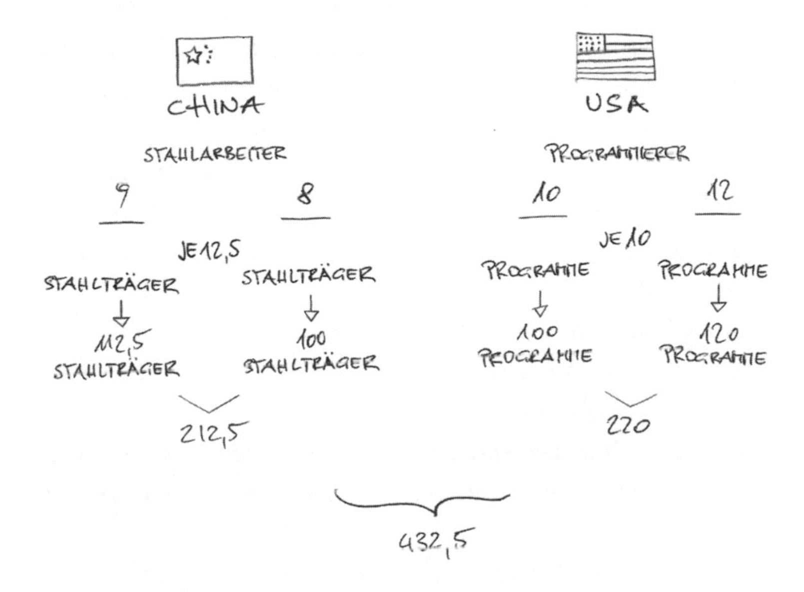

»Wenn du diese Wirkung, etwa durch Handelskriege, zerstörst, senkst du den Wohlstand auf beiden Seiten wieder.«

»Jetzt musst du nur mehr Kunden für so viele Computerprogramme und Stahlträger finden«, ergänzte Omi bissig. »Ich brauche beides nicht.«

Kims Augen funkelten, wenn sie sich ärgerte, das hatte Jan schon festgestellt. Wie alt sie wohl war? Studentin. Konnte so alt sein wie er oder Mitte zwanzig oder irgendwo dazwischen. Ob sie bei allem so engagiert und intensiv war wie in dem besetzten Haus und ihrem Interesse für diese alberne Bauerngeschichte? Warum hörte sie da so konzentriert zu, wo das doch er tun müsste? Sein Blick wanderte wieder zu Nida, der Kim gerade aufmerksam lauschte.

»Praktisch ist es wie üblich viel komplizierter«, sagte Nida. »So haben etwa schon in den Dreißiger- und Vierzigerjahren Ökonomen wie Ohlin, Stolper und Samuelson darauf hingewiesen, dass Globalisierung in reichen Ländern Reiche tendenziell reicher und Arme ärmer macht. Wir wissen das seit Jahrzehnten! Und übrigens umgekehrt: In armen Ländern kann sie die Armen reicher machen. Wie man an den Beispielen Indien und China in den letzten Jahrzehnten gut beobachten konnte. Wenn die jeweiligen Gesellschaften zu doof sind, diesen zusätzlichen Gesamtwohlstand anständig zu verteilen, kann der komparative Vorteil nichts dafür!«

»Mein Vater arbeitete in der Autoindustrie«, sagte Kim, »und er wurde nicht von Arbeitern in China ersetzt. Sondern durch Roboter in Deutschland.«

Sie nahm Nida den Stift ab und strich in beiden Ländern die Arbeiter durch. Daneben zeichnete sie stattdessen einen Roboterarm.

»Das ist ein wichtiger Punkt«, sagte Nida. »Inzwischen werden auch die Programmierer teilweise ersetzt.« Sie holte sich den Stift zurück und strich die Programmierer durch. »Und Ärzte und andere hochqualifizierte Berufe. Aber nicht durch billigere Programmierer oder Ärzte in fremden Ländern. Sondern durch künstliche Intelligenz.« Sie zeichnet einen Roboterkopf neben die durchgestrichenen Programmierer. »Was die Roboter für die Arbeiter waren, wird die künstliche Intelligenz für die Akademiker.«

40

Els Faust hätte den Türgriff am liebsten zerdrückt.

Stattdessen hatte er verständnisvoll und demütig den Polizisten zugenickt. Artig »Danke« gesagt, als Jack Autopapiere und Führerschein ausgehändigt bekam. Und das Ticket.

Die Papiere waren kein Problem. Sie waren perfekt gemacht.

Ob der Taxifahrer sie absichtlich an der Polizeistreife vorbeigeführt hatte? Vermutlich. Sie hatten sein Kennzeichen. Doch der Spieler und der Samariter waren nicht so dumm. Sicher waren sie irgendwo ausgestiegen und hatten ein neues Taxi geheuert. Um damit an ihre endgültige Destination zu fahren. Wenn sie eine hatten.

Seit einer Stunde fuhren El und seine Leute nun ziellos durch die Stadt. Als hätte der Auftraggeber etwas geahnt, meldete er sich in dem Augenblick, als El ihn anrufen wollte.

»Hat sich die Kleinigkeit erledigt?«, fragte er ansatzlos.

»Beim Unfall der Zielpersonen gab es einen Zeugen«, sagte El. »Der konnte entkommen. Danach kontaktierte er eine zweite Person. Wir konnten sie bis in ein besetztes Haus verfolgen. Kurz danach haben wir sie verloren.«

Am anderen Ende kurze Stille.

»Sie haben Mist gebaut«, sagte der Auftraggeber. »Was wissen die zwei?«

»Dass der Unfall keiner war. Danach haben sie sich Zugang zu Will Cantors Hotelzimmer verschafft.«

»Was wollten sie dort?«

»Ist uns nicht bekannt.«

»Profis?«

»Nein.«

»So wie Sie. Kennen Sie die Identitäten?«

El beherrschte sich. Gab sie durch.

»Bringen Sie Ihren Job zu Ende«, sagte der Auftraggeber. »Sonst können Sie die zweite Tranche vergessen. Ich höre von Ihnen.«

Els Kiefer mahlten. Wie fand man zwei Menschen in einer Dreieinhalb-Millionen-Stadt?

»Ich Idiot«, zischte Fitz.

Erschrocken zuckten Nida und Jan zusammen. Fitz suchte hektisch in seiner Jackentasche. Präsentierte Jan triumphierend den Zettel.

»Jeanne Dallis Nummern! Hatte ich in dem Aufruhr ganz vergessen!«

Er zückte seinen Burner.

»Es ist mitten in der Nacht«, erinnerte ihn Jan.

»Da organisiert die noch etwas oder schreibt an einem Bericht oder einer Präsentation. Oder macht Party. *Work hard, party hard.* Den Typ kenne ich, glaub mir. Ich war selbst einer.«

Freizeichen. Wenn Jeanne Dalli wach war, musste sie eine unbekannte Nummer sehen. Mitten in der Nacht. Fitzroy würde nicht drangehen.

Jeanne Dalli auch nicht.

Bitte hinterlassen Sie eine Nachricht.

Das tat er nicht. Dank der IT-Cracks in dem besetzten Haus hatte er noch zwei andere Nummern von ihr.

Fitzroy hatte mit Leuten wie Jeanne Dalli gearbeitet. Jung, top ausgebildet, ehrgeizig, Finanzbranche. Er wusste, wie sie sich organisierten. Er wusste, wie sie dachten.

Würde ihn unmittelbar nach dem Versuch auf dem ersten seiner beruflichen Handys eine unbekannte Nummer auf seinem zweiten anrufen, er würde sich Gedanken machen. Beide Nummern hätte er nicht ganz so vielen Personen gegeben.

Trotzdem. Es blieb eine unbekannte Nummer.

Bitte hinterlassen Sie eine Nachricht.

Hätte Fitzroy zwei berufliche Mobiltelefone und ein privates, und jemand versuchte ihn mitten in der Nacht, Berliner Zeit, Nachmittag bis Abend in den USA, direkt hintereinander auf allen drei Geräten zu erreichen, gab es nur ganz wenige Möglichkeiten: entweder, einer der Handvoll Menschen, denen er alle drei Nummern gegeben hatten, versuchte, ihn zu erreichen. Was hieß, dass es wichtig *und* dringend war. Oder – doch an diese Möglichkeit würde Dalli wahrscheinlich gar nicht denken – ihr Unternehmen hatte ein Sicherheitsproblem.

Jeanne Dalli schien nichts davon zu denken. Oder sie hatte keines der drei Telefone gehört. Dafür gab es nicht sehr viele Erklärungen.

41

Jeanne schreckte hoch. Um sie war es fast völlig finster. Im Halbschlaf wurde ihr nur langsam bewusst, wo sie war. Neben ihr atmete Ted ruhig und regelmäßig. Sie trug eines seiner Hemden als Nachthemd. Es hatte sich über die Hüften hochgeschoben. Ihr Abendkleid lag irgendwo im Wohnzimmer, ihre Unterwäsche verstreut ebenda. Bis ins Schlafzimmer waren sie nicht gekommen. Nicht beim ersten Mal. Durch die gut isolierten Fenster klang die Stadt wie von ganz fern. Jeanne lauschte in die Dunkelheit. Hörte nichts, außer Teds Atem und leise ihren Herzschlag. Das verknitterte Hemd drückte im Rücken. Sie zog es gerade und schloss wieder die Augen. Horchte noch einmal in die Finsternis, dann in ihr Inneres. Mit einem Lächeln schlief sie wieder ein.

42

»Wir stecken in einer Sackgasse.« Jan gähnte. Er nahm noch einen Schluck von dem Rum. Fitz hatte einen Hunni auf Omis Couchtisch gelegt. »Kaufen Sie sich einen neuen.«

»Willst du mich zur Alkoholikerin machen?«, hatte Omi gerufen. »Dafür bekomme ich zehn!«

Kim hatte die Flasche geholt. Jans Gedanken schweiften ab. »Stimmt das eigentlich, was du während des Münzwurfspiels gesagt hast? Das mit der Vermögensverteilung?«, fragte er Fitz.

»Man spricht von Pareto-Verteilung, benannt nach einem italienischen Ökonomen des späten neunzehnten, frühen zwanzigsten Jahrhunderts. Die meisten Menschen haben kaum etwas, wenige fast alles. War und ist in den meisten Gesellschaften so.«

»Wir haben Münzen geworfen. Die Verteilung in dem Spiel war Zufall.«

»Ja.«

»Aber im richtigen Leben hängt das Vermögen nicht vom Zufall ab. Sondern von Fleiß, Anstrengung, Können und Wissen.«

»Quatsch«, rief Omi, »im richtigen Leben hängt es nur davon ab, als wer du geboren wurdest und wen du kennst.«

»Wovon redet ihr?«, fragte Kim.

Fitz holte eine Münze hervor und erzählte ihnen in kurzen Worten von dem Spiel.

Kim nahm Fitz die Münze ab. Flippte sie gedankenverloren.

»Das passt«, sagte sie schließlich. »Fleiß, Anstrengung, Können, Wissen als Grund für Erfolg ist der beliebteste Mythos unserer sogenannten Leistungsgesellschaft. Aber überlegt einmal: Fleiß, Können, Anstrengung und Wissen selbst hängen stark vom Zufall ab. Wir wissen, dass fünfzig Prozent oder mehr der Intelligenz eines Menschen genetisch angelegt sind. Ähnlich ist es bei vielen anderen Fähigkeiten.«

Sie flippte die Münze. Fing sie.

»Sind also Zufall. Andererseits: Die höchste Intelligenz nützt dir wenig, wenn du heute als Kind einer Subsistenzbäuerin im Südsudan geboren wirst.«

»Oder als Tochter eines Säufers, der nicht mal lesen oder schreiben kann«, murmelte Omi.

Flipp.

»Schon deine Chancen, überhaupt die ersten Jahre zu überleben, sind gering. Dein Erfolg hängt auch davon ab, in welche Familie du geboren bist.«

Wieder wirbelte das Metallscheibchen durch die Luft. Landete auf ihrer Hand.

»Wenn deine Familie von Wissen und höherer Bildung wenig hält, gehörst du später mit viel höherer Wahrscheinlichkeit zu den schlechter ausgebildeten Niedriglöhnern.«

»Kannste sagen«, bekräftigte Omi leise.

Flipp.

»Gene, Familie, soziales Milieu, Ort, Zeit – alles Zufall.«

Sie fing die Münze, schnalzte sie auf ihren Unterarm. Zahl. »Manche haben schon bei der Geburt verloren.«

Omi lächelte bitter in sich hinein.

»Du willst mir erklären, dass Erfolg reiner Zufall ist?«, fragte Jan.

»Der Zufall ist zumindest wichtiger, als wir gern annehmen und als viele erfolgreiche Menschen zugeben. So wichtig, dass einer der bedeutendsten Philosophen unserer Zeit, John Rawls, seine ›Theorie der Gerechtigkeit‹ darauf errichtet hat: Wie würden wir eine Gesellschaft gestalten, wenn wir nicht wüssten, an welche Stelle in dieser Gesellschaft uns der Zufall der Geburt werfen wird?«

»Und zu welchen Ergebnissen kommt er?«, fragte Fitz, bevor er noch einen Schluck Rum nahm.

»Damit füllte er ein ganzes Buch, eben *Eine Theorie der Gerechtigkeit*. Bill Clinton traf ihn regelmäßig zum Essen.«

»Hat auch nichts geholfen«, sagte Omi. Sie rappelte sich auf, humpelte zu der Vitrine. Kam mit einem der Spiele zurück. Monopoly.

»Omi, doch nicht jetzt!«, rief Kim.

»Was ihr da beschreibt, ist wie bei Monopoly«, sagte Omi, während sie das Spielbrett auspackte und auflegte. »Am Ende gewinnt immer einer alles. Da hast du auch diese Vermögensverteilung. Wenn halbwegs gleich schlaue Leute das Spiel öfter spielen, werden meistens verschiedene gewinnen.« Sie warf den Würfel, der quer über das Spielfeld sprang. »Entscheidend ist, dass die Würfel dich rasch auf einige der guten Grundstücke bringen. Alles Glück und Zufall.«

»Omi hat nicht ganz unrecht«, sagte Kim und ließ den Blick durch das winzige Zimmer wandern. »Im richtigen Leben müssen manche gar nicht erst mühsam Grundstücke zusammenkaufen und Häuser bauen, sondern starten gleich mit dem Besitz der wertvollsten Stadt.«

»Du meinst«, sagte Nida, »sie erben ein Riesenvermögen.«

»Ohne einen Finger dafür gerührt zu haben. Dann haben die anderen von vornherein kaum eine Chance.«

»Die kumulative Dynamik des Zufalls!«, sagte Nida. »Marx nannte es Akkumulation und gab dem Kapitalismus die Schuld. Doch das Phänomen ist viel älter als der Kapitalismus, es ist seit Jahrtausenden bekannt! Reichtum vermehrt sich stärker – durch ebendiese Dynamik.« Sie nahm den Würfel auf und ließ ihn über das Brett zu Fitz springen.

»Stimmt«, sagte Fitz, »neuerdings bei den digitalen Behemoths wie Amazon, Facebook, Google und Co. Sie sitzen an der Quelle des neuen Öls – unseren Daten. So schnell haben nicht einmal die amerikanischen Räuberbarone des neunzehnten Jahrhunderts einen solchen Reichtum aufgehäuft!« Gedankenverloren spielte Fitz mit dem Würfel.

»Schon lange vor dem Kapitalismus der Neuzeit schrieben Tora und Bibel deshalb das Jubiläumsjahr vor«, sagte Nida. »Daher kommt unser Wort Jubiläum. Alle neunundvierzig oder fünfzig Jahre sollten Schulden erlassen und Sklaven befreit werden.«

»Schon die alten Babylonier kannten ein ähnliches Konzept«, ergänzte Fitz. »Das sollte wieder für einigermaßen Ausgeglichenheit in der Gesellschaft sorgen.«

»Allerdings weiß niemand, ob es wirklich durchgeführt wurde«, sagte Nida. »Aber es waren die ersten Ideen, um diese Dynamiken zu bändigen.«

»Jene, die haben, denen wird gegeben«, sagte Omi. »Wusste schon Jesus.«

»Der Matthäuseffekt«, bestätigte Nida.

Der Würfel sprang jetzt wie die Unterhaltung von einem zum anderen über die Grundstücksfelder. Jan warf.

»Der Teufel scheißt auf den größten Haufen«, sagte er.

»Ja, auch der Volksmund weiß Bescheid«, lachte Nida.

Fitz drehte den Würfel zwischen den Fingern. Ließ ihn kullern.

»Selbst einer der großen Verfechter freier Märkte, der Ökonom August von Hayek, gab zu: Das Spiel des Marktes ist nicht fair.«

Der Würfel blieb mit der Zwei oben liegen.

»Sieglinde, Sie sind genial!«, sagte Nida. »Wissen Sie, dass Monopoly ursprünglich genau dafür entwickelt wurde?«

»Auch Spielerin?«, fragte Fitz lächelnd.

»In diesem Fall«, erwiderte Nida sein Lächeln. »Anfang des zwanzigsten Jahrhunderts entwarf in den USA die Stenotypistin Elizabeth Magie ›The Landlord's Game‹. Sie hing den Ideen eines Sozialreformers ihrer Zeit, Henry George, an und wollte zeigen, wie arbeitsloses Einkommen aus Grundbesitz zu dieser ungleichen Vermögensverteilung führt.«

»Das ist aber ein anderes Spiel«, meinte Omi.

»Tja, weitgehend vergessen ist nämlich, dass Elizabeth Magie eine *Erweiterung* des Spiels vorsah: eine Art der von Henry George vorgeschlagenen ›Single Tax‹ auf Landbesitz. Sie verändert den Spielverlauf völlig! Statt dass einer gewinnt, werden die meisten Spieler immer wohlhabender!«

Fitz, der schon halb im Sofa lag, fuhr hoch.

»Wie war das?!«

»Klingt ein bisschen so wie bei unseren Bauern«, sagte Jan.

»Das muss ich mir genauer ansehen«, murmelte Fitz.

»Diese zweite Variante wird aber heute nicht mehr gespielt?«, fragte Jan.

»Nein«, sagte Nida. »Wir spielen nur mehr die, in der der Zufall regiert, nicht die Vernunft.«

Nachdenklich warf Kim den Würfel.

»Ein Spiel mit vielen Gewinnern passt wohl nicht in unsere Welt.«

Wo blieben Omis Kommentare?

Der Kopf der alten Frau war auf die Brust gesunken. Ihre Hände lagen faltig auf dem Bademantel, unter dem sich die dünnen Schenkel abzeichneten.

»Omi? Omi!«

Ihr Kopf fuhr hoch, überrascht blickte sie um sich.

»Wer … was …?!« Sie gab sich einen Ruck.

»Geh schlafen, Omi«, sagte Kim. Sie reichte ihr die Hand und half ihr auf die Beine.

Fitz gähnte, streckte sich in alle Richtungen.

»Ich glaube, es ist Zeit für uns alle.«

Die anderen stimmten ein.

»Ich bringe sie schnell ins Bett«, sagte Kim, »dann zeige ich euch, wo ihr schlafen könnt.«

»Gute Nacht, Damen und Herren!«, wünschte Omi.

Gute Nacht.

Ein nettes Bild gaben sie ab, fand Jan, die beiden Rücken nebeneinander zu der Tür neben der Vitrine, Omi schlurfend, Kim sie behutsam stützend.

Vor dem Hotel versuchte Maja es noch einmal in der Zentrale.

Nein, keine Verstärkung. Auch Oskar war wieder im Einsatz, Jörns Partner.

Es gab noch keine Erkenntnisse von Technik, Forensik oder über die Identität der Opfer aus dem verbrannten Auto.

Keine Protokolle aus der Golden Bar.

Keine weiteren Sichtungen von Wutte oder Peel.

Maja beschloss, ein paar Schritte zu Fuß zu gehen und das nächstbeste Taxi anzuhalten.

In den Straßen war es ruhig geworden. Die kühler werdende Luft kündigte den nahenden Herbst an.

Ihr Mobiltelefon vibrierte. Eine Mail. »Video«, erklärte der Betreff. Den Absender erkannte Maja als einen der zwei Augenzeugen, die sich auf der Dachterrasse gemeldet hatten.

Unscharf, verwackelt. Laute Musik, Menschen riefen. Hinter all den Menschen liefen zwei Gestalten zum Nachbardach. Große, dunkle Schatten. Zu mächtig für Wutte und Peel. Mussten die anderen beiden sein. Dann waren sie auch schon verschwunden. Maja spielte den Abschnitt noch einmal ab. Zu weit hinten, zu unscharf, zu kurz. Wenig zu erkennen. Was auch an ihren Augen liegen konnte. Es war nach zwei Uhr nachts. Sie war seit achtzehn

Stunden auf den Beinen. Nach drei Stunden Schlaf. Hatte einige Cocktails intus. Und dann noch ein paar.

Ein gelbfarbenes leuchtendes Dachschild näherte sich. Sie winkte.

Maja ließ sich auf die Rückbank des Taxis fallen. Nannte die Adresse in Friedrichshain. Schloss kurz die Augen. Merkte gar nicht mehr, wie sie einschlief.

43

Röhrend hob der Jet in den schwarzblauen Frühmorgenhimmel ab. Hinter ihm reihte sich eine Perlenkette weiterer Flugzeuglichter auf dem Rollfeld, vom Learjet bis zur 747.

Melanie Amado hatte mit ihrem Mikro auf einer Außenterrasse Position bezogen. Wind fuhr ihr durchs Haar, der Lärm der Flugzeugmotoren bildete eine dramatische Kulisse.

»Im Minutentakt starten hier in Berlin die Privatjets superreicher Gipfelteilnehmer, von denen die meisten erst gestern angekommen sind. Gerüchten zufolge wollen manche direkt zu ihren *Doomsday*-Ressorts in Neuseeland. Kommentare von Italiens Wirtschaftsministers heute Nacht…«

Auf dem Bildschirm wurde Maurizio Trittone eingeblendet. »Wir werden uns bei Bedarf um italienische Unternehmen und Arbeitnehmer kümmern. Jemand wie General Motors braucht von uns jedoch keine Unterstützung zu erwarten…«

Amado: »…führten umgehend zu Spekulationen über eine bevorstehende Insolvenz des Autoherstellers, welche sowohl das Unternehmen als auch die US-Regierung dementieren. Trotzdem eröffneten die asiatischen Börsen heute tiefrot, angeführt von Automobil- und Zuliefererwerten, zumal Trittone festhält…«

Trittone: »…dass Italien sowohl aus dem Euro als auch der EU austreten wird, wenn…«

»Haben die alle den Verstand verloren?«, fragte Jeanne. Sie warf sich neben Ted auf das Sofa in dem dunklen Wohnzimmer und starrte auf den riesigen Bildschirm, vor dem er hockte, während er auf seinem Handy wischte und tippte. Er trug nur Shorts, sie noch immer eines seiner Hemden.

»Komm wieder ins Bett«, sagte sie. Wie spät war es? Kurz nach fünf Uhr morgens, zeigte der Fernseher.

»Da draußen glüht der Äther«, sagte er.

Jeanne holte ihre Telefone aus der Handtasche. Jemand hatte sie nachts zu erreichen versucht.

»Trittone muss doch wissen, was er damit auslöst.«

»Natürlich weiß er das ...«

Auf allen drei Geräten. Jeanne hatte nur wenigen Menschen alle drei Kontakte gegeben. Die Nummer war unterdrückt.

»Ich habe gestern Abend ein Gespräch zwischen ihm und George mitgehört«, sagte Jeanne. »Klang für mich, als sagte er Trittone Geld und Jobs als Entgegenkommen für Gefälligkeiten zu«, sagte sie. »Womöglich für ein paar einfache Aussagen zum richtigen Zeitpunkt?«

Die Anrufer hatten keine Nachricht hinterlassen. Dann war es nicht wichtig. Sie öffnete ihre Börsen-App.

Asien war ein Blutbad. Europa und die übrigen Märkte würden folgen. Wenn das so weiterging, würden in den kommenden Wochen und Monaten zahlreiche Firmen brutal einsparen oder pleitegehen, Millionen ihre Arbeit verlieren, ihre Kredite und Wohnungen nicht mehr bezahlen können. Und die Wut würde weiter wachsen.

»Ja, mit Leuten wie Maurizio kann man gut Geschäfte machen.« Ted lächelte vor sich hin, das Gesicht von den Bildschirmen in weißblaues Licht getaucht. »Und sie sind so billig!«

»Hast du etwa ...?«

Jetzt blickte er sie an.

»Was?!«

»Geschäfte mit Maurizio gemacht.«

»Ich mache keine Geschäfte mit Leuten wie Maurizio. Dazu sind Leute wie George da.«

»George arbeitet viel für dich.«

»George arbeitet nicht für mich, sondern für sich. Er will Geld verdienen, so wie wir alle. Wenn er Probleme für mich löst, verdient er viel Geld. Ebenso, wenn er den nötigen offiziellen Abstand zwischen mir und den Maurizios dieser Welt hält, während er gleichzeitig unser aller gemeinsames Interesse – nämlich viel Geld zu verdienen – in Einklang bringt und koordiniert. Wie er all das macht, will ich gar nicht wissen.«

»Das Konzept der glaubwürdigen Abstreitbarkeit brauchst du mir nicht zu erklären.« Hielt er sie für blöd? »Hat also George ›ein Problem‹ für dich gelöst?«

Ted lachte: »Nein! Jede andere Antwort auf deine Frage wäre doch kein glaubwürdiges Abstreiten.«

Sie schmiegte sich an ihn.

»Ich bin keine Journalistin oder Staatsanwältin.«

»Dafür bist du aber ganz schön neugierig.«

»Wer das Bett teilt, sollte das vielleicht auch mit seinen Gedanken tun?«, sagte sie.

Ted wurde ernst, fast besorgt wirkte sein Blick für Jeanne mit einem Mal.

»Hast du einmal überlegt«, fragte er, »dass ich mit einem solchen Vorgehen auch dich schütze? Was du nicht von meinen Geschäften weißt, kann man dir im Ernstfall auch nicht vorwerfen.«

Gerührt von seiner Fürsorge, bemerkte Jeanne gleich darauf irritiert, dass sie ihm diese nicht abkaufte.

»Sieh dir das an«, sagte er und drehte ihr seinen Bildschirm zu, »wie die Kurse von GM und den anderen Autoherstellern rutschen ...«

So viel zum Abstreiten. Und zur Fürsorge. Gut zu wissen, auf welcher Basis eine eventuell ernstere Beziehung mit Ted stehen würde. Aber hatte sie ernsthaft etwas anderes erwartet?

»Die du gestern geshortet hast und die ohne Trittones Statement heute wohl nicht so stark verlieren würden …«

Heute Nacht werden Vermögen gemacht.

Mit der Wette auf die fallenden Kurse würde er definitiv ein kleines Vermögen machen. Klein für seine Verhältnisse.

»Da hatte ich wohl einen guten Riecher«, sagte Ted. »Und falls George tatsächlich Trittone etwas zugesagt hat, war es gut angelegtes Geld.«

»Das kann man sagen. Hast du auch gegen italienische, andere europäische und Schwellenländerstaatsanleihen gewettet?« Wieder dieses Lächeln. »Und wenn die Kurse dann ganz, ganz im Keller sind, kommen du, Kemp Gellund und die anderen als Retter in der Not?«

»Da und dort«, sagte er. »Wir können nicht die ganze Welt retten.«

Jeanne begriff.

»Ihr wartet, bis die Unternehmen und Staaten pleite sind, und fischt die Filets aus den Konkursmassen und Bad Banks.«

Heute Nacht werden Vermögen gemacht.

Große Vermögen. Auch für Teds Verhältnisse.

Er setzte sich auf und wandte sich zu den Glasfronten, vor denen am Nachthimmel die letzten Sterne von allerersten Blautönen abgelöst wurden. Irgendwo da draußen würde bald die Sonne aufgehen.

»Märkte steigen, Märkte fallen.«

»Und mit ihnen Unternehmen und Millionen von Arbeitsplätzen.«

»Solche Töne höre ich von dir zum ersten Mal«, sagte er. »Es gibt nun mal Auf und Ab, wie im Leben. Auf das klärende Gewitter folgt der Sonnenschein.«

»Das richtige Gewitter kommt aber erst noch«, sagte Jeanne. »Und es wird schlimmer als 2008. Fliegst du auch nach Neuseeland?«

So wie viele seiner Milliardärskollegen hatte er sich vor ein paar Jahren diskret neben der neuseeländischen Staatsbürgerschaft dort ein großzügiges, rundum gesichertes Anwesen mit Bunkern, Landebahn, Vorräten für Jahre, allzeit bereitem Sicherheitspersonal und allem anderen notwendigen Armageddon-Luxuspipapo angeschafft. Ihrer aller größte Sorge war, ob sie beim Weltuntergang ihrem Personal trauen konnten.

»Fliegst du etwa nicht mit?« Er lachte. »Scherz! Ich glaube nicht, dass wir das müssen. Höchstens auf einen Urlaub.«

44

Fitzroys Lider fühlten sich an wie Sandsäcke. Jan schlief unruhig auf dem anderen Abschnitt des L-förmigen Sofas. Im Wohnzimmer von Kims Großmutter. Auf dem Sofatisch lag noch das Monopoly und stand die leere Rumflasche. Omi war in ihrem Schlafzimmer verschwunden, Kim und Nida in einer Kammer daneben. Fitzroy quälte seinen steifen Körper in die Senkrechte. Die nächtlichen Gewitter hatten den Himmel aufgeklart, durch die Baumkronen vor dem Fenster blitzte tiefes Morgenblau. Fitz rieb sich die Augen und schlich in das fensterlose Minibad.

Zehn Minuten später stand er geduscht und erfrischt in der Küche und suchte eine Espressomaschine. Er fand einen altmodischen Filterhalter, Filter, Kaffee. Setzte Wasser auf. Mit seinem Handy suchte er online nach neuen Nachrichten über Thompson und Will. Es war noch nicht einmal sechs Uhr, er hatte vielleicht drei Stunden geschlafen. Thompsons Tod war inzwischen Gewissheit, auch wenn eine endgültige Bestätigung der Polizei fehlte. Zur Identität des zweiten Passagiers gab es noch immer keine Angaben.

Danach versuchte er Singapur. Dort war es fast Mittag. Als sich eine Frauenstimme meldete, brachte er nur ein Krächzen hervor, vor Müdigkeit, aber auch Überraschung. Er räusperte sich und versuchte es noch einmal.

»Ashton Cooper, ich bin Journalist beim Wall Street Journal« – in genau dem Moment schlich Nida ziemlich zerrupft an der Küchentür vorbei, warf ihm einen verwunderten Blick wegen des Gehörten zu und verschwand gegenüber der Küche im Bad – »und hätte gern eine Stellungnahme zum Tod von Herbert Thompson.«

»Auf der News-Seite der Universität finden Sie eine Stellungnahme der Universität«, erwiderte seine Gesprächspartnerin routiniert.

»Da er seine Rede auf dem Gipfel nicht mehr halten kann, steht das Manuskript zur Verfügung?«

»Darüber weiß ich nichts. Wie war der Name noch mal?«

So leicht brachte sie ihn nicht aus dem Konzept.

»Ashton Cooper, Wall Street Journal.«

»Moment, bitte.«

Im Hintergrund hörte er die Tasten ihres Keyboards klickern.

»Ich finde da keinen Ashton Cooper beim Wall Street Journal«, sagte sie.

»Ich bin freier Mitarbeiter«, antwortete er. »Wir werden nicht immer aufgeführt.«

Sie zögerte, dann sagte sie: »Ich verbinde Sie mit dem Institut.«

Nach ein paar Freizeichen meldete sich eine andere Frauenstimme. Fitzroy wiederholte sein Anliegen.

»Tut mir leid, mir ist darüber nichts bekannt. Und selbst wenn, könnte ich Ihnen nicht so einfach Auskunft geben.«

»Sie haben also etwas?«

»Nein. Professor Thompson hielt sich nur einmal im Monat für ein paar Tage hier auf. Und zu der Rede wurde er erst vor einer guten Woche eingeladen.«

»Wissen Sie denn, warum es darin geht?«

»Leider nicht, er war seit der Einladung nicht mehr hier.«

»Sie wissen aber, dass er eingeladen wurde, sie zu halten.«

»Das stand in einem Instituts-Newsletter.«

»Wer kann denn das Manuskript der Rede …«

»Hören Sie, ich verstehe, dass das Ihr Job ist, aber ich kann Ihnen nicht mehr sagen. Wir haben hier wirklich nichts. Guten Tag.«

Freizeichen.

Konnte er ihr glauben. Oder nicht. Fitzroy sah dem Kaffee beim Tropfen zu.

Nida kam aus dem Bad, nun wacher und frisiert, in Jeans und T-Shirt.

»Journalist beim Wall Street Journal?«, fragte sie mit einem schiefen Grinsen. »Ich dachte Ex-Banker und jetzt Spieler.«

»Ich bin eine vielfältige Persönlichkeit.«

»Oder eine gespaltene. Bekomme ich auch einen Kaffee?«

Ted telefonierte seit fast einer Stunde ununterbrochen. Aus den Gesprächsfetzen konnte Jeanne nur erahnen, worum es ging. Unternehmens- und Risikoanalysen, die mehrere Teams im Hauptquartier von Syllabus durchführen mussten. Jeanne war inzwischen voll eingebunden. Für die Kollegen war es spätabends, aber das waren sie gewohnt. *Living the fast life.*

Dazwischen Telefonate mit George und mit Milliardärskollegen, Investoren, Bankern, Hedgefondsmanagern, mit denen gemeinsam er Firmenübernahmen plante. In den nächsten Stunden würde sich vieles sehr schnell entwickeln, sie mussten vorbereitet sein. Vorstandschefs gigantischer Konzerne würden mit grandiosen Gesten Angebote für Beteiligungen machen. Doch hinter den Gesten roch man den Angstschweiß, und die großspurigen Worte waren in Wahrheit nichts anderes als ein mühsam kaschiertes, flehentliches Betteln um Rettung. Bei den meisten jedoch nicht um der Unternehmen und ihrer Millionen von Arbeitern und Angestellten willen, sondern um den Macher-Status dieser Supermanager innerhalb ihres elitären Kollegenkreises zu bewahren. Notenbanker und Politiker würden Lösungen vorschlagen, ohne dabei zu vergessen, dass ihr Verhandlungsgegenüber ein möglicher zukünftiger Arbeitgeber war.

Auf dem Fernseher lief Bloomberg, auch wenn keiner von ihnen beiden mehr zusah. Tokio, Shanghai, Hongkong hatten den Handel mehrfach ausgesetzt, weil die Kurse der meisten Aktien zu stark gefallen waren. Italienische Staatsanleihen waren mittlerweile nahe am Ramschstatus. Wenn die italienische Regierung nicht zur Besinnung kam, war das Land am Ende des Tages insolvent. Egal, ob es im Euro blieb oder ausstieg. Pensionen und Beamte würden nicht mehr bezahlt werden, Rentner in Mülltonnen wühlen oder sich umbringen, Banken kollabieren, Bankkonten gesperrt und Kapitalverkehrskontrollen eingeführt werden, sodass man nur mehr kleine Beträge abheben konnte, während die einsetzende Inflation die bescheidenen Ersparnisse vernichtete. Die Arbeitslosenrate würde explodieren. Das Gesundheitssystem würde zusammenbrechen, Angehörige selbst die Medikamente und das Essen für die Patienten mitbringen müssen, wie in Griechenland oder einem Entwicklungsland. Weitere europäische und Schwellenländer würden folgen.

Ted schleuderte eines seiner Telefone aufs Sofa.

»Ich brauche Bewegung!«, rief er. »Üblicherweise gehe ich um die Zeit joggen.«

»Ich auch«, sagte Jeanne.

»Dann können wir das genauso gut gemeinsam tun«, sagte Ted. »Ich ziehe mich um. In zehn Minuten können wir los.«

Er verschwand im Schlafzimmer mit dem angeschlossenen Ankleideraum. Jeanne schlüpfte schnell in ihr Abendkleid, Unterwäsche in einer Hand, Handtasche in der anderen, und wollte aus dem Zimmer gehen, als sie auf dem Sideboard ein aufgerissenes A4-Kuvert entdeckte, aus dem die Ränder einiger Papiere ragten. Dann erinnerte sie sich. Den Umschlag hatte Ted gestern

Abend bei ihrer Ankunft hier gefunden und in einer Lade des Sideboards verschwinden lassen. Jeanne zögerte, bevor ihre Neugier siegte. Auf dem Kuvert fand sie weder Absender noch Adressat. Fast zwei Finger dick, schwer. Ted verwendete selten Papierunterlagen, höchstens wenn es um Verträge ging. Das musste ein besonders umfangreicher sein. Mit spitzen Fingern zog sie die obersten Papiere ein Stück weiter aus dem Umschlag. Es handelte sich um festes Material. Die Buchstaben darauf waren wenigstens einen Zentimeter hoch, auf dem Blatt fanden sich gerade einmal sechs Zeilen:

Sehr geehrte Damen und Herren … Es folgte eine Aufzählung von Titeln wie Präsidenten, Exzellenzen, Minister und andere, die sich über die nächsten zwei Blätter fortsetzte und in einer Begrüßung *heute Abend* endete. Jeanne war nichts über eine Rede bekannt, die Ted an diesem oder einem der folgenden Abende halten sollte. Er vermied derlei öffentliche Auftritte, wenn es nicht um die Präsentation eines neuen Unternehmens oder von Unternehmenszahlen ging. Sie zog ein weiteres Blatt hervor.

Viel zu lange haben wir einen Weg beschritten, der uns dorthin geführt hat, wo wir heute stehen. Ich selbst habe diesen Weg lange mit entwickelt, gepriesen, habe ihn überzeugt vertreten und verteidigt und wurde dafür vielfach ausgezeichnet, sogar mit dem Nobelpreis. Wir …

Nobelpreis.

Schlagartig wurde Jeanne klar, was sie in Händen hielt.

Aber wie kamen Herbert Thompsons Notizen zu seiner Eröffnungsrede in ein Kuvert auf einem Sideboard in Teds Wohnsuite?

Fieberhaft zog sie die übrigen Papiere ein Stück weit aus dem Kuvert. Unter den losen A5-Kartons fand sie einen gehefteten A4-Stapel von mindestens hundert Blatt.

Wealth Economics. By Herbert Thompson and Will Cantor.

Will Cantor?! Bis vor ein paar Monaten hatte sie bei Syllabus

Invest mit einem Will Cantor zusammengearbeitet! Er hatte ihr komische Fragen zur Ökonomie gestellt. Später behauptete er, mit jemand Renommiertem zusammenzuarbeiten! Thompson? Hastig stöberte sie weiter. Fand schließlich noch ein einzelnes A4-Blatt eines Hotelblocks, voll mit kleiner, kaum leserlicher Schrift und ein paar Kritzeleien. Jeanne versuchte, das Geschreibsel zu entziffern, kam aber nicht weit. Irgendwas mit Bauern.

Aus dem Schlafzimmer hörte sie Ted schon wieder telefonieren, die Stimme näher kommen.

Rasch schob sie die Unterlagen zurück in den Umschlag und platzierte ihn, wie sie ihn gefunden hatte. Sie wandte sich mit einem Schwung um, der wirken musste, als verließe sie soeben den Raum.

»Du bist noch da?«, stellte er fest. Bereits im Lauf-Outfit, das Telefon in der Hand.

Jeanne hielt ihre Unterwäsche hoch.

»Die musste ich noch aufsammeln«, sagte sie mit einem Grinsen. »Ich hoffe, ich habe alles.«

Sein Augenzucken Richtung Kuvert war ihr nicht entgangen. Er kam auf sie zu, küsste sie kurz, griff nach dem Umschlag.

»Dann bis gleich.«

Ted klappte ein Bild über dem Sideboard auf, dahinter kam ein Zimmersafe zum Vorschein.

»Mein Höschen fehlt noch«, sagte sie und lief zurück in den Raum.

Ted gab den Code ein. Jeannes Anwesenheit kümmerte ihn nicht. Er warf das Kuvert hinein, schloss die Safetür und schob das Bild wieder an die Wand.

»Hab es!«, rief Jeanne. »Ich bin in fünf Minuten in der Lobby.«

45

Jan schreckte hoch. Verfolgt von schwarzen Hünen! Sie packten ihn!

Etwas hatte ihn aus dem Schlaf gerissen. Sofort sprang sein Körper in den Alarmmodus. Alles war anders als sonst! Geruch, Licht, Luft. Sein Herz raste, seine Schläfen hämmerten. Der Duft von frischem Kaffee stieg ihm in die Nase.

Fitz. Saß auf seinem Teil des Sofas. Jan war schwindlig. Er zwinkerte. Neben Fitz – Nida. Langsam kehrte die Erinnerung zurück. Die vergangene Nacht. Irgendwann schließlich schwarzer Schlaf. Jans Puls beruhigte sich. Wann war Nida aus dem Kämmerchen gekommen? Jan hatte sie nicht gehört. Die beiden studierten ein Papier. Wie konnten sie schon wieder wach sein?! Als Spieler musste Fitz eine Nachteule sein. Aber Nida?

Jan wusste, dass er nicht mehr einschlafen würde. Vor den beiden auf dem Sofatisch mit dem Monopolybrett lagen ihre Notizen und der Hotelblock, zuoberst das grau schraffierte Papier. Daneben dampften zwei Tassen Kaffee. Jan rubbelte sich über das Gesicht, um aufzuwachen.

Ohne aufzusehen, zeigte Fitz auf die Tasse.

»In der Küche gibt es noch mehr.«

Im Bad begutachtete Jan seine blauen Flecken. Schön war anders. Angenehm auch. Immerhin sah sein Gesicht nicht mehr so schlimm aus. Ein paar Schrammen, fast verwegen. Geduscht und mit einer Tasse Kaffee kehrte er zurück ins Wohnzimmer. Aus Omis Schlafzimmer und der Kammer hörte er nichts. Kim schlief sicher noch.

Er trat zum Fenster. Im Schutz des schweren Vorhangs riskierte er einen Blick auf die Straße. Der Asphalt glänzte noch vom Regen der vergangenen Nacht. Ein paar Blätter und Zweige hatte das Gewitter auf den Bürgersteig hinuntergeprügelt. Kein Mensch auf der Straße. Auch von den Hulks keine Spur. Offen würden sie sich allerdings wohl kaum zeigen.

»Alter, ihr spinnt, voll«, flüsterte Jan. Er hätte mit Fitz gern das weitere Vorgehen besprochen, doch vor Nida wollte er nicht über die Morde reden.

Als Antwort trank Fitz Kaffee und brütete über dem Papier.

»Eine Zelle, zwei Zellen, vier Zellen, acht Zellen, viele Zellen«, sagte Jan. »Erinnert mich an diese Geschichte mit den Reiskörnern auf dem Schachbrett.«

Zum ersten Mal sah ihn Fitz an.

»Gar nicht so blöd«, murmelte er dann.

»Was?«

»Die Zelle. Die Reiskörner. Beide beginnen mit einer Einheit. Dann zwei. Dann vier. Acht. Sie verdoppeln sich bei jedem Schritt. Exponentielles Wachstum.«

Sogar Jan wusste, was das war.

»Aber warum wäre das die Gleichung des Lebens?«, fragte er.

»Exponentielles Wachstum … nicht lineares«, murmelte Fitz. »Das könnte es auch sein. Du rechnest sie anders.«

»Sag mal! Ist für euch Mathematiker jedes Problem eine Rechnung? Wie bei Hammer und Nagel!«

»Beim linearen Wachstum *addierst* du immer dieselbe Konstante. Bei unseren Zellen wären das eine Zelle *plus* eine ergibt zwei. *Plus* eine ergibt drei. Wir haben aber vier. Du musst also *multiplizieren*. In diesem Fall mit der Konstante zwei. Das ist wie … Vielleicht kann ich es mit den Bauern erklären. Und wir kommen so dahinter, was es mit ihnen zu tun hat.«

Er nahm das zweite Blatt der Bauernfabel.

»Wahnsinnig interessant«, sagte Jan. »Ich habe Hunger.«

»Hast du dauernd. Nehmen wir Anns Geschichte. Im zweiten Jahr setzt sie zehn Körner ein. Wegen Frost, Schädlingen und Dürre bleiben ihr nur zwei Ähren, macht zwanzig Körner.«

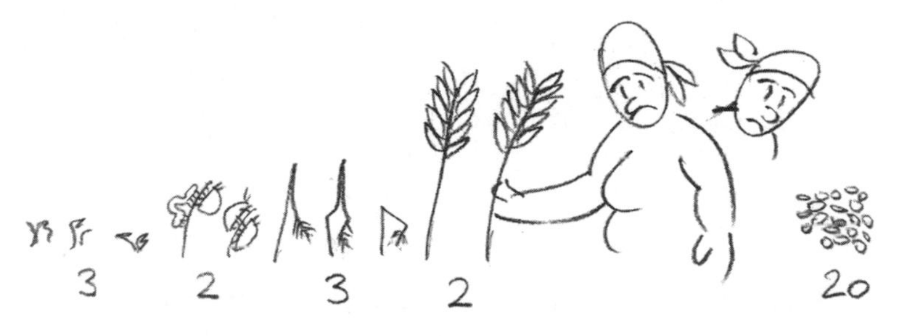

»Ich ess gleich deine Papierkörner!«

»Aus ursprünglich zehn gesäten Körnern wurden zwanzig. Wie viel ist ihr Wohlstand also in diesem Jahr gewachsen?«

»Unterzuckert kann ich nicht rechnen.«

»Ihr Wohlstand hat sich verdoppelt«, sagte Fitz, nahm von einem Tellerchen, das Jan bis jetzt übersehen hatte, zwei Zuckerwürfel und warf sie in Jans Kaffee.

»Nicht! Ich hasse …«

»Ihr Wachstumsfaktor in diesem Jahr war also zwei. Du rechnest zehn mal zwei macht zwanzig Körner.«

»Ich rechne gar nichts.«

»Weichen wir kurz von Wills Geschichte ab.«

»Zum Beispiel zu der Frage, was *wir* essen?«

Jan fand Fitz' Begeisterung, sobald es um Zahlen ging, ebenso nervend wie faszinierend. Selten erlebte er Menschen, die völlig in etwas aufgehen konnten. Außer in Computerspielen. Und Kinder, die konnten das auch.

»Sagen wir, im dritten Jahr bleibt Ann wegen Frost und Dürre von den zwanzig Körnern nur eine einzige Ähre übrig.« Fitz schien ihn nicht einmal gehört zu haben. »Zehn Körner.«

Wieder eine kleine Zeichnung. Er konnte das gut.

»Wie stark ist ihr Wohlstand in diesem Jahr also gewachsen?«

»Gar nicht. Er ist geschrumpft. So wie mein Magen!«

»Wie hoch war die Wachstumsrate? Womit muss man zwanzig Körner multiplizieren, um zehn Körner zu erhalten?«

»Das schaffe sogar ich: mit ein halb. Oder 0,5.«

»Ein Mathegenie!«

»›Negativwachstum‹ nennen Politiker das gern«, sagte Nida.

»Verarschung«, schnaubte Jan. »So wie Freisetzung statt Entlassung.«

»Und wie rechnet man das über die zwei Jahre?«, fragte Fitz.

Brummend nahm Jan den Stift. Fitz führte sich auf wie ein Oberlehrer.

»Zehn mal zwei mal 0,5 macht zehn. So.«

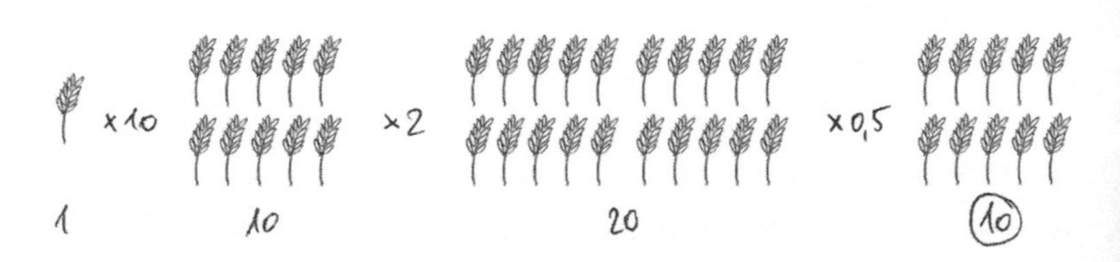

»Geht doch! Diese Geschichte ist natürlich stark vereinfacht, aber sie verdeutlicht das grundlegende Prinzip: Wachstum aus eigener Kraft ist ein *Multiplikator* dessen, was man bereits hat. Die meisten Menschen machen den Fehler, Wachstum als *Addition* zu rechnen.«

Auch Nida hörte jetzt interessiert zu, stellte Jan fest.

»Dass das oft falsch ist, sieht man schnell, wenn Ann *alle* Pflanzen verliert. Selbst wenn ihr Feld eine Wachstumsrate hergeben würde, aus null Körnern können null Ähren wachsen. Eine Multiplikation mit Null ergibt immer Null. Ann kann aus eigener Kraft nicht mehr wachsen. Sie verhungert.«

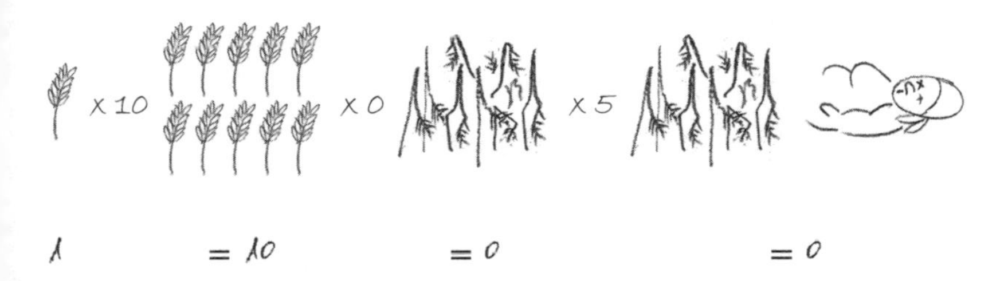

»So wie ich gleich«, warf Jan ein.

»Würde man nun – fälschlicherweise – irgendwas addieren, hätte Ann plötzlich wieder zehn Körner. Aber woher sollen die kommen? Vom Himmel fallen sie nicht.«

»Aus der Küche. Da gehe ich jetzt nämlich hin.« Jan erhob sich.

»Oder Bill, Carl oder Dana geben ihr etwas ab«, sagte Nida.

»Das wäre dann *additives* Wachstum. Wie ein Lottogewinn.«

»Fein«, sagte Jan, »mir reicht ein Stück Brot.«

Fitz und Nida folgten ihm.

»Was ich aus eigener Kraft erwirtschaften kann, hängt also davon ab, was ich davor hatte«, sagte Jan. »Eigentlich logisch. Doof, wenn ich nichts habe. Erinnert mich an deine Geschichte mit dem Zeitdurchschnitt, mit den Aktien und dem Zinseszins. Die wachsen auch multiplikativ?«

»Exakt! Du hast es ja *tatsächlich* verstanden!«, sagte Fitz, während Nida im Bad verschwand.

Die entscheidende Frage musste er Jan aber noch beantworten, jetzt, da Nida gerade draußen war: »Hilft uns multiplikatives Wachstum denn, Wills Mörder zu finden?«

46

Fitzroy bezahlte Brötchen und Marmelade und verabschiedete sich aus der Bäckerei, in die Kim ihn geschickt hatte. Auf der Straße wählte er eine von Jeanne Dallis Nummern.

»Jeanne Dalli?«, meldete sich eine Frauenstimme.

Die frische Morgenluft wirkte mit einem Mal gar nicht mehr so kühl. Er hatte sich nur ungefähr überlegt, was er sagen wollte.

»Mein Name ist Fitzroy Peel, ich war ein Freund Ihres Ex-Kollegen Will Cantor.« Am anderen Ende hörte er nur Atmen, etwas beschleunigt. Laufband. Oder irgendein Park. »Will ist tot«, sagte Fitzroy, bevor sie womöglich auflegte.

»Will? Will ist …? Ich habe ihn seit … Woher haben Sie diese Nummer?«

»Ich würde Sie nicht um diese Zeit belästigen, wenn es nicht wichtig wäre«, sagte er. »Will starb gestern Abend bei einem Autounfall. Hier in Berlin.«

»Meine Güte!«, stieß sie hervor. »Aber warum rufen Sie …«

»Er konnte noch ein paar Worte sagen. Darunter Ihren Namen.«

»Mein Gott! Der Zweite, den ich kannte, der heute Nacht bei einem Autounfall starb.«

Nun war es an Fitzroy, überrascht zu sein. Oder so zu tun.

»Der Zweite? Wer war der andere?«

»Herbert Thompson, der Wirtschaftsnobelpreisträger.«

Fitzroy hörte ihren Atem lauter. Sie schien nicht angehalten zu haben. Vielleicht lief sie sogar schneller. Fitzroy beschloss, sein Wissen über die Verbindung der zwei Fälle vorerst für sich zu behalten. Vielleicht brauchte er es noch.

»Das tut mir leid«, sagte er. »Kannten Sie Thompson gut?«

»Eher beruflich. Ich habe ihn ein paar Mal gesehen.«

»Und wann haben Sie Will zuletzt gesehen?«

»Ich hatte keine Ahnung, dass er in der Stadt ist«, sagte sie. »Woher wissen Sie das alles?«

»Ich war mit ihm verabredet. Doch er tauchte nicht auf.«

Er bog in die Straße ab, in der Kims Großmutter wohnte. Unwillkürlich hielt er nach ihren Verfolgern von vergangener Nacht Ausschau. Er entdeckte niemanden.

»Sie sind Brite«, sagte sie.

Was Fitzroy bestätigte.

»Und warum nannte Will meinen Namen?«

»Genau das ist die Frage.«

»Ist es denn noch wichtig?«

»Ich denke schon. Es war kein Unfall. Will wurde ermordet.«

Jetzt kam Jeanne aus dem Tritt. Fing sich wieder. Trabte langsamer weiter. *Wealth Economics. By Herbert Thompson and Will Cantor!* Zum Glück war ihr schon vom Laufen heiß, sonst wäre die Hitze, die in ihren Kopf hochstieg, ihren Begleitern aufgefallen. Das war sicher ein Zufall! Ted glich sein Tempo an. Mitch hinter ihnen wäre fast auf sie aufgelaufen.

»Wie bitte?!«

»Es war kein Autounfall. Es sollte nur so aussehen. Und ich muss wissen, warum.«

»Warum gehen Sie nicht zur Polizei?«, fragte Jeanne ihn.

Ted warf ihr einen fragenden Blick zu.

»Die Polizei glaubt es nicht«, sagte Peel.

»Warum sollte *ich* das tun?«

»Mit Herbert Thompson verbrannte eine bislang nicht identifizierte Person in dem Fahrzeug. Diese Person …«

»… war Will?!« Wieder geriet Jeanne aus dem Tritt. Sie hielt an. Ted und Mitch bremsten irritiert. »Will Cantor?«

Moment mal.

»Aber wenn Sie das der Polizei erzählt haben, hätte sie ihn doch sicher schon identifiziert.«

»Es ist komplizierter«, sagte der Anrufer. »Im Übrigen weiß die Polizei inzwischen wahrscheinlich Bescheid. Die Bestätigung ist nur mehr eine Frage der Zeit. Die Polizei glaubt trotzdem nicht an Mord.«

»Offiziell ist von einem Unfall die Rede.«

»Sehen Sie.«

»Ich verstehe nicht, was ich damit zu tun habe. Warum soll Will ausgerechnet meinen Namen genannt haben? Hat er sonst noch etwas gesagt?«

»Meinen Namen«, sagte der Mann. »Und den Ort, an dem der einzige Zeuge mich finden würde. Was er auch tat.«

»Sie waren bei dem angeblichen Mord gar nicht dabei?«

Teds Miene verdüsterte sich, als er das M-Wort hörte. Jeanne schenkte ihm einen kurzen Blick und zuckte die Achseln.

»Habe ich nie behauptet«, erwiderte der Mann.

»Sie sagten, die Polizei glaubt Ihnen nicht.«

»Ich sagte, die Polizei glaubt *es* nicht. Den Mord.«

»Ich weiß nicht, was ich von diesem Gespräch halten soll.«

»Also noch mal. Bevor Will starb, nannte er genau zwei Namen. Meinen und Ihren. Ich vermute, dass er uns damit etwas sagen wollte.«

Ted hatte sich abgewandt, er telefonierte selbst wieder.

»Ich kenne Sie nicht einmal«, sagte Jeanne.

»Ich Sie auch nicht. Das macht es umso interessanter: Was haben wir gemeinsam?«

»Außer, dass wir Will kannten?«

»Als ich Will vor etwa neun Monaten zuletzt traf, hatte er ein paar Fragen zu einem Spielerthema, aber auch einer Investmentstrategie, dem Kelly-Kriterium. Ich konnte ihm einige seiner Fragen beantworten, nicht aber jene, bei denen es um ökonomische Themen ging. Er sagte, das mache nichts, bei Syllabus Invest gäbe es Ökonomen. Er nannte Ihren Namen.«

Jeanne fing wieder an zu laufen. Die Bewegung lenkte sie von den schockierenden Nachrichten ab. Wenn diese stimmten.

»Das muss acht Monate her sein, oder mehr«, sagte sie, als sie sich an die Begegnung erinnerte.

»Worum ging es dabei?«, fragte der Anrufer. Wie hieß er noch gleich? Fitzroy Peel? Jetzt meinte sie sich daran zu erinnern, dass Will einmal von ihm gesprochen hatte. Sie hatten gemeinsam studiert oder zusammengearbeitet oder so ähnlich. War Peel ein häufiger Name? Ambrose vom Vorabend kam ihr in den Sinn.

»Mein Eindruck war, dass er mich anmachte. Auf unglückliche Nerd-Weise. So wie in der Schule früher. ›Wollen wir gemeinsam Hausaufgaben machen?‹ Sie wissen schon.«

»Welche Hausaufgaben wollte er denn mit Ihnen machen?«

»Er wollte mehr über Entscheidungsstrategien und -methoden in der Ökonomie wissen. Redete wirres Zeug. Ich gab ihm ein paar Hinweise, damit er sich einlesen konnte. Entscheidungstheorie, Spieltheorie, Heuristiken, Nutzenfunktion. Das meiste davon kannte er ohnehin ansatzweise. Klar, bei seinem beruflichen Hintergrund.«

»Mehr nicht?«

»Ein paar Mal versuchte er es noch. Erzählte immer wieder Neues. Dass er mehr gelesen hätte. Irgendwelche wissenschaftlichen Papiere entdeckt hätte. Ich sollte sie bitte lesen.«

Jeanne überfielen Gewissensbisse. Will war zwar ein schräger Kerl gewesen, aber im Grunde wirklich nett und interessant.

Doch sie hatte ihn nicht ernst genommen. Jetzt war er angeblich tot. Gar ermordet.

Wenn der Tote Will war. Solange es keine polizeiliche Bestätigung gab, konnte jeder, der Nachrichten las, behaupten, der mysteriöse Unbekannte sei sonst jemand. Will Cantor zum Beispiel. Mit hoher Sicherheit wusste man bislang nur von Thompson als Passagier. Der Name brachte noch eine Erinnerung.

»Da fällt mir ein: Ein paar Monate später, ich war schon weg von Syllabus, traf ich Will noch einmal. Da erzählte er mir, dass er in der Sache jetzt mit jemandem ›ganz oben‹ zusammenarbeite.«

»Sie meinen, das könnte Thompson gewesen sein.«

»Keine Ahnung.«

»Vielleicht fällt Ihnen noch etwas ein. Es wäre sehr wichtig. Können wir uns persönlich treffen?«

»Ich habe wirklich keine Zeit ...«

»Nur ein paar Minuten. Vielleicht zu einem schnellen Frühstück. Dann können Sie vorher unter der Dusche noch nachdenken.«

Jeanne antwortete nicht gleich. Peel setzte nach: »Hören Sie, wenn Will ermordet wurde, war auch Herbert Thompson Opfer eines Mordes. Ein Nobelpreisträger. Sollte Ihnen das nicht wenigstens ein paar Minuten Gespräch wert sein?«

Jeanne setzte automatisch einen Fuß vor den anderen, sie spürte den Asphalt unter den Sohlen, ihr Atem zog kühl durch Mund und Rachen, kehrte wärmer zurück, leise rauschte der Puls in ihren Ohren, die rhythmische Bewegung half ihren Gedanken, sich ebenso zu ordnen. *Wealth Economics. By Herbert Thompson and Will Cantor.*

»Um acht Uhr im Hotel The Estate. An den Tischen in der Lobby wird einer auf meinen Namen reserviert sein. Seien Sie pünktlich, sonst bin ich weg.«

Fünfte Entscheidung

»Auf jeder Hierarchieebene erscheinen Einheiten, die das Prinzip auf Kosten der anderen ausnützen.«

Will Cantor

47

»Entscheidungstheorien, Spieltheorie. Heuristiken«, wiederholte Jan, nachdem er einen Bissen hinuntergeschluckt hatte. »Nutzenfunktion…«

Gemeinsam saßen alle im Wohnzimmer beim Frühstück, das sie auf dem Sofatisch angerichtet hatten.

»Ich versteh nur Bahnhof. Worum geht es dabei?«

»Ich weiß ja nicht genau, warum das für euch wichtig ist, aber die Entscheidungstheorie studiert – wie der Name sagt – Entscheidungen von Individuen«, erklärte Kim. »Im Gegensatz zur Spieltheorie für Gruppenentscheidungen, die wir ja gestern Nacht schon hatten. Sie untersucht – vereinfacht gesagt – einerseits, *wie* man entscheidet, und andererseits, wie man entscheiden *sollte.*«

»Ist nicht so schwierig«, mischte sich ihre Großmutter ein. »Du entscheidest dich für die beste Lösung.«

»Genau, Omi. Oft hast du es bei einer Entscheidung aber mit Unklarheiten oder unbekannten Faktoren zu tun. Da kommt dann etwa Wahrscheinlichkeitsrechnung ins Spiel.«

»Schon wieder rechnen«, stöhnte Jan zwischen zwei Bissen. Er aß mit einem Appetit, als hätte er drei Tage nichts bekommen.

»Oder du entscheidest dich einfach für die anständige Variante«, sagte Omi und biss herzhaft in ihr Marmeladebrötchen, das sie sichtlich genoss.

»Eine Möglichkeit«, sagte Kim. »Im Alltag kürzt man oft ab.

Wenn man es eilig hat, verwendet man zum Beispiel sogenannte Heuristiken. Die Entscheidung ist vielleicht nicht perfekt, genügt aber für den Moment.«

»Über den Daumen …«, warf Jan ein.

»Genau. Moralische Regeln, wie Omi gerade erwähnte, könnte man teilweise auch als Heuristik begreifen. Oder man denkt gar nicht nach und entscheidet …«

»… aus dem Bauch«, sagte Jan.

»Ja, unsere Sprache hat für all das Bilder. ›Aus dem Bauch‹ sind Intuition oder Instinkt. Kann klappen, kann aber auch höllisch schiefgehen.«

»Der Bauch hat immer recht«, sagte Omi, zufrieden ihr Brötchen kauend. »Vor allem mit einer frischen Konfitürestulle drin.«

»Wenn du dich in vertrautem Umfeld bewegst, kann das zutreffen«, sagte Kim. »Aber Intuition beruht auf Erfahrungswissen. Die Intuitionen eines Großstadtbewohners werden ihm in der Wüste oder dem Dschungel selten helfen. Oder sogar schaden. Genauso ist es mit den Intuitionen des Urwaldbewohners in der Großstadt.«

»Im Großstadt*dschungel*«, sagte Omi kauend, »da müssten sie sich doch dann auch zurechtfinden.«

»Das ist trotzdem ein anderer«, antwortete Kim geduldig.

»Weiß ich doch«, gab Omi zu.

»Und Instinkte sind überhaupt etwas ziemlich Tierisches, können dich also in der komplexen Gesellschaft, die wir moderne Menschen geschaffen haben, höllisch fehlleiten. Die spielen uns daher gern Streiche, so wie die Intuitionen auch, wenn es darum geht, richtige Entscheidungen zu treffen. Das ist auch ein Teil der Entscheidungstheorie«, sagte sie, »herauszufinden, welche psychologischen Faktoren dich davon abhalten, eine vernünftige Entscheidung zu treffen. Vorurteile gehören dazu, oder der bekannte Bestätigungsfehler …«

»Der was?«, fragte Jan. Er hörte Kim sehr gern zu, auch wenn sie eine kleine Klugscheißerin war.

»Die Menschen glauben, dass sie sich die Fakten ansehen und sich dann eine Meinung bilden. Tatsächlich handeln sie meistens umgekehrt: Sie suchen sich die Informationen, die ihre Meinung bestätigen.«

»Und wenn sie keine finden, dann schaffen sie sogar welche und nennen sie ›alternative Fakten‹«, warf Nida ein.

»Genau«, lachte Kim. »Und Fakten, die deinem Glauben, deinen Ansichten widersprechen, ignorierst du.«

»Oder nennst sie Fake News«, sagte Fitz. »Ich hätte da auch Real News: Ich soll Jeanne Dalli in weniger als einer Stunde im Hotel The Estate treffen. Du solltest mitkommen, Jan.«

»Wo ist denn das Estate?«

Fitz zeigte Jan eine Karte auf seinem Handy. »Unter den Linden. Wir nehmen am besten ein Taxi.«

»Wir müssen auch in die Richtung«, rief Nida, »zur Demo im Tiergarten. Können wir mitfahren?«

»Na, und ich?«, fragte Omi.

»Du?«, fragte Kim.

»Also, hör mal, die wollen mir meine mickrige Pension noch weiter kürzen!«, rief Omi. »Um irgendwelchen Bankvorständen ihre Boni zu retten! Ich lass mir das nicht länger gefallen!«

»Ja, dann«, sagte Kim mit einem Grinsen, »willkommen!«

»Klingt allerdings eigenartig«, keuchte Ted, nachdem Jeanne ihm das Gespräch geschildert hatte. Er hatte sein eigenes Telefonat beendet und hatte zu ihr aufgeschlossen. Jetzt rief er Mitch herbei, der mühelos einige Meter hinter ihnen trabte.

»Erzähl Mitch das Ganze«, sagte Ted. Er atmete tief und routiniert, ein trainierter Läufer. Seine Stirn glänzte, aber noch lief kein Schweiß.

Jeanne schilderte dem Sicherheitschef eine Kurzfassung.

»Hat dieser Peel gesagt, wo er ist?«, fragte Mitch.

»In der Stadt.«

»Ich meine, wo in der Stadt?«

»Ich habe ihn nicht gefragt.«

»Hast du die Nummer, von der er dich angerufen hat?«

Das Telefon steckte in der Hüfttasche von Jeannes Laufhose. Sie fingerte es heraus, ohne ihren Lauf zu unterbrechen.

»Unterdrückt«, teilte sie Mitch mit.

»Was denkst du?«, fragte ihn Ted.

»Schwer zu sagen. Klingt ziemlich verrückt. Die offizielle Version lautet bislang Unfall. Ich glaube nicht, dass an dieser Geschichte etwas dran ist. Aber wir gehen der Sache sicherheitshalber nach.«

»Apropos sicherheitshalber … Soll ich den Typen treffen?«, fragte Jeanne.

Mitch wechselte einen Blick mit Ted.

»Von meiner Seite gibt es keine Einwände«, sagte Mitch dann. »Die Hotellobby ist sicher. Dafür sorgen wir und andere.«

»Ich fände es gut«, sagte Ted. »Vielleicht wissen die tatsächlich etwas.«

»Sollten wir nicht gleich die Polizei rufen?«, fragte Jeanne.

»Können wir dann immer noch«, sagte Mitch.

Sie liefen ein paar Schritte, Jeanne dachte an Will, bevor Mitch fragte: »Was haltet ihr davon, wenn wir das Gespräch mithören?«

»Ihr wollt mit dabei sein?«, fragte Jeanne.

»Nein«, sagte Mitch. »Wir könnten unter dem Tisch oder in der Nähe ein Mikro montieren. Oder du schaltest uns eines deiner Handys für ein kleines Mithörprogramm frei.«

»Sicher nicht!«, lachte Jeanne überrascht und wusste nicht, ob er den Vorschlag wirklich ernst gemeint hatte.

»Dann also das Mikro.«

»Ich weiß nicht«, sagte Jeanne. »Ich glaube, ich würde mich

unwohl fühlen. Nicht normal agieren können.« Sie ließ ein paar Schritte ihre Gedanken zusammenrütteln. »Nein, ich möchte das nicht.«

»Wie du willst. Dann halten wir uns dezent im Hintergrund.«

»Wir könnten Zeichen ausmachen«, schlug Jeanne vor. »Falls ich Hilfe brauche. Oder ihr die Polizei rufen sollt.«

»Das ist eine gute Idee«, sagte Ted.

»Wenn ich mir mit beiden Händen gleichzeitig an beide Ohren fasse, brauche ich Hilfe. Wenn ich mir zwei Mal hintereinander an die Nase tippe, holt ihr die Polizei.«

»Ohren: Hilfe, Nase: Polizei«, wiederholte Mitch. »In Ordnung.«

Sie waren unterwegs zurück zum Hotel. Jeanne beschleunigte ihr Lauftempo.

»Du hast mit diesem Will Cantor bei Syllabus gearbeitet?«, fragte Ted. »Was war das für einer?«

»Ein Quant«, sagte Jeanne.

Ted nickte. »Kluge Köpfe.«

Dann sprachen sie nichts mehr. Sie benötigten ihren Atem für den Endspurt. Während der Boden unter ihren Füßen härter wurde, schaltete Jeanne kurz ihre Gedanken aus, um sich ganz auf ihren Körper zu konzentrieren.

48

In Majas Kopf dröhnten Glocken, Schellen, Klingeln, Melodien aller Tonlagen um die Wette. Sie presste die Augen fester zusammen, in der Hoffnung, den Lärm aus ihrem Hirn zu jagen.

Aber der war nicht in ihrem Kopf.

Neben ihrem Bett klingelte und vibrierte das Telefon. Von draußen bimmelte die Türglocke. Verzweifelt tastete sie nach dem Gerät auf dem Nachtschränkchen. Kam hoch. Die Nummer kannte sie nicht. Wer nervte da draußen? Wie spät war es? Sie quälte sich hoch, drückte den Anruf weg, während sie im Pyjama durch die Wohnung zur Tür lief.

»Wer ist da?«, rief sie in die Gegensprechanlage.

»Morgen! Jörn hier!«

Die Stimme klang so nah! Es klopfte laut gegen die Tür. Erst jetzt realisierte sie, dass es der Klingelton der Wohnungs- und nicht der Haustür gewesen war. Ein Blick durch den Gucker bestätigte ihre schlimmste Befürchtung. Vor seine von dem Fischauge verzogene Fratze hielt Jörn eine Tüte.

»Lass mich rein! Ich habe Frühstück dabei!«

Spinnt der?!

Maja hatte innen eine Kette vorgelegt und zog die Tür einen Spalt weit auf.

»Was tust du hier?«

Tüte. Und zwei Pappbecher mit Kaffee.

»Frühstück.«

»Das ist keine Antwort.«

»Köstritz hat mich geschickt. Nach deinem Auftritt in dem Hotel gestern Abend gab es wohl Beschwerden. Ich soll dich bei unseren Ermittlungen im Zaum halten.«

»Du?!! Mich?! *Unseren* Ermittlungen?! Hat der Köstritz einen Vogel?!«

Das durfte ja wohl nicht wahr sein!

Bagger wühlten durch ihr Gehirn. Sie schloss die Augen. Die Tür.

Half ja nichts.

Maja holte tief Luft. Löste die Kette und öffnete die Tür wieder einen Spalt.

»Warte eine Minute, bevor du hereinkommst, und dann direkt in die Küche, vorn rechts«, sagte sie und verschwand ins Bad.

Der Anblick im Spiegel war nicht erfreulich. Maja zwang sich unter eine kalte Dusche. Ein paar Minuten später betrat sie ihre Küche. Auf dem kleinen Tischchen hatte Jörn bereits gedeckt. Maja gefiel nicht, dass er dafür in ihren Küchenschränken hatte kramen müssen. Und dem eigenartigen Friedensangebot traute sie noch weniger.

Aus dem alten kleinen Fernseher berichtete eine Sprecherin von den Ereignissen der Nacht. Abgesehen von einigen Straßenzügen in Kreuzberg und nahe Bellevue waren die Demonstrationen friedlich geblieben. Die leuchtenden Drohneninstallationen und Handymassenbilder der Demonstrierenden waren nicht nur in Berlin, sondern in zahlreichen anderen Städten weltweit inszeniert worden. Eine Aussage des italienischen Wirtschaftsministers Maurizio Trittone hatte die asiatischen Börsen im Morgenhandel in den Keller geprügelt. Für die europäischen erwarteten die Experten noch Schlimmeres. Weitere schlechte Nachrichten folgten.

Chinesische Schlachtschiffe hatten ein indonesisches Fischerboot versenkt, worauf Indonesien, Japan und Südkorea ihre Truppen in höchste Alarmbereitschaft versetzt hatten. Russland zog im Schatten der größeren Krisen Truppen nahe dem Baltikum und der Ukraine zusammen. Saudi-Arabien drohte Katar offen mit Annexion, unausgesprochenes Ziel der fast bankrotten Saudis war die Staatskasse des hyperreichen Ministaates, wie ein Kommentator erklärte. Die Welt war verrückt geworden. Maja hörte zum Glück alles nur wie durch Watte.

»Kein Wort zu unserem Fall«, stellte Jörg fest.

»Immerhin«, sagte Maja und ließ sich missmutig auf den Stuhl sinken. Konnten sie weiterhin unter dem Radar fliegen.

»Ich habe mir diesen Auftrag nicht ausgesucht«, sagte Jörn. »Machen wir also das Beste daraus.«

So wie gestern Abend?

Ihr Handy ersparte ihr eine Antwort. Aufdringlich brummte es in ihrer Hosentasche.

Es war Horst Becker, Leiter der Spurensicherungsgruppe.

»Schon wach?«, fragte er.

»Rufst du wegen der Brandleichen an?«

»Das solltest du dir schnellstens ansehen.«

In dem Großraumtaxi hatten sie alle auf den beiden einander gegenüberstehenden Rückbänken Platz gefunden. Jan musste in Fahrtrichtung sitzen, sonst wurde ihm übel. Neben ihn hatte sich Kim gesetzt. Ihre Haare rochen nach frischem Shampoo, er spürte ihren Schenkel an seinem.

»Nida«, sagte Fitz zu der Ökonomin, »frisch mir bitte kurz die Nutzenfunktion auf.«

»Jan wird sich freuen. Ist schon wieder Mathematik.«

Jan verdrehte die Augen.

»Tja, im ganzen Leben steckt Mathe«, sagte Fitz.

»In meinem zum Glück nicht«, murmelte Jan.

»Schon verblüffend«, sagte Fitz, »Mathematik ist das einzige Fach, in dem die Menschen stolz darauf sind, doof zu sein.«

»Ich lasse die Mathematik ohnehin weg«, unterbrach Nida ihr Geplänkel, »die ist zu kompliziert. Nutzenfunktionen helfen bei vielen Entscheidungen. Im Prinzip beschreibt eine Nutzenfunktion, wie viel dir ein Gut oder eine Dienstleistung nützt. Wenn eine arme Person hundert Euro bekommt, ist das für sie viel mehr wert als für einen Millionär. Oder anders: Je mehr Geld du hast, desto weniger zusätzlichen Nutzen bringt dir jeder neue Euro.«

»Das sage ich dir dann, wenn ich mal so viel Geld habe«, meinte Jan.

»Das sagen dir die, die es schon haben«, erwiderte sie.

»Klar, damit ich nicht auf die Idee komme, etwas davon abhaben zu wollen.«

»Wissenschaftler wollen herausgefunden haben«, sagte Kim, »dass für US-Bürger ab zirka 75 000 Dollar im Jahr jeder weitere Dollar kaum mehr einen Zugewinn an Glücksgefühl bringt.«

»Warum wollen Millionäre dann noch mehr?«, hakte Omi ein.

»Gute Frage«, sinnierte Kim.

»Weil sie weiterhin ihren Nutzen steigern wollen«, sagte Nida. »Und nach dieser Theorie hat das sogar die teuflische Folge, dass sie das mit ein paar Euro nicht mehr können. Für eine spürbare Nutzensteigerung brauchen sie gleich Millionen. Oder Milliarden.«

»Sie wollen also doch ihr Vermögen steigern!«, krähte die Alte. »Kann man natürlich auch um die Ecke erklären, Nutzen klingt nicht ganz so gierig.«

»Aber nicht alle sind gleich«, sagte Nida. »Nach dieser Theorie hat jeder Mensch seine eigene Nutzenfunktion. Manche sind zu mehr Risiko bereit, um etwas zu gewinnen, andere zu weniger.«

»Quatsch!«, fuhr Omi dazwischen. »Manche haben es leichter, ein Risiko einzugehen, weil sie mehr besitzen. Da müssen sie nicht alles aufs Spiel setzen. Wer weniger hat, muss besser aufpassen.«

»Wie die Bäuerin«, dachte Jan laut, »die nicht auf null fallen darf…«

»Wovon redet der?«

»Und bei welchen Entscheidungen soll das helfen?«, fragte Jan.

»Zum Beispiel, wie du dein Geld anlegen sollst. Deine Bank wird dich fragen, ob du risikofreudiger bist und dafür mehr Ertragschancen bekommen willst oder risikoscheuer und dafür weniger Ertrag.«

»Aber zur Bank gehe ich doch, damit *die* mir sagt, wie ich mein Geld am besten vermehre. Außerdem habe ich sowieso kein Geld. Also, habt ihr vielleicht ein brauchbareres Beispiel für den Nutzen dieser Nutzenfunktion?«, fragte Jan.

»Zum Beispiel bei der Frage, ob du mehr arbeiten sollst, um mehr zu verdienen«, sagte Nida geduldig, »oder ob das Geld, das du durch mehr Arbeit verdienst, dich überhaupt so viel glücklicher macht, dass sich die Mehrarbeit lohnt.«

»So viel kann ich gar nicht arbeiten, dass ich so viel verdiene«, wandte Jan ein. »Reich wird man anders, das habt ihr mir schon erklärt. Zufall, multiplikatives Wachstum, Monopoly, jene, die haben, denen wird gegeben… Eure Nutzenfunktion nützt mir genau *nichts* bei der Entscheidung, wie ich zu 75000 Dollar pro Jahr komme.«

»Unternehmern hilft das Konzept bei der Preisbestimmung«, sagte Nida. »Je mehr von etwas da ist, desto mehr nimmt der sogenannte Grenznutzen ab. Wenn hundert Menschen um *ein* Brötchen bieten, wird das Brötchen teuer. Wenn es hundert Brötchen gibt, werden sie billig.«

»Sorry, aber auch an diesem Konzept kann etwas nicht stimmen«, widersprach Jan aufgebracht. »In Deutschland fehlen

Zehntausende Pfleger. Ich bin quasi *ein* Brötchen für hundert Leute. Trotzdem werde ich scheiße bezahlt. Dagegen sind alle Vorstandsposten besetzt, da herrscht also kein Mangel, trotzdem bekommen die Typen ein Vermögen. Erklär mir das mal mit deinem Grenznutzen.«

»Wirst noch zum Kommunisten hier!«, lachte Kim.

»Muss man ja, bei so dämlichen Erklärungen!«

Sie hatten das Gebiet um den Potsdamer Platz erreicht. Der Verkehr wurde dichter, Straßen waren gesperrt.

»Wenn ihr zu den Demos wollt, muss ich euch hier rauslassen«, sagte der Fahrer, »und ihr geht zu Fuß weiter. Zum Estate biege ich jetzt ab.«

»In Ordnung«, sagte Kim. »Wir steigen aus.«

Der Wagen hielt, Kim und Nida umarmten Jan und Fitz – zu kurz, wie Jan fand –, Omi schüttelte ihnen die gepolsterte Hand. Im Aussteigen winkte Kim mit dem Handy. »Unsere Nummern haben wir euch gegeben, meldet euch, wenn ihr fertig seid. Ich will wissen, wie diese verrückte Geschichte ausgeht! Bis später!«

Bis später!

In einem großen Bogen ostwärts fuhr der Fahrer weiter bis Unter den Linden. »Muss diese Route nehmen«, erklärte er, »sonst komme ich da wegen der Absperrungen nicht hin.«

Auf dem Boulevard angekommen, nahm er wieder die Richtung zum Brandenburger Tor. Hier waren sie gestern Nacht entlanggelaufen. Sie passierten das kleine Camp der Protestierenden vor der Bank. Diese waren nun direkt vor der Bank, belagerten den Eingang. Viele sahen gar nicht aus wie Demonstranten, manche trugen Anzug, stellte Jan fest.

»Was ist da los?«, fragte er.

»Bei der Bank?«, fragte der Fahrer. »Ist nicht die einzige, habe ich heute schon bei einigen gesehen. Die Leute wollen ihr Geld. Haben nach den Frühnachrichten wohl Angst, dass sie bald keines mehr bekommen. So wie in Griechenland oder Zypern vor ein paar Jahren. Oder dass es überhaupt einkassiert wird.«

»Ein *Bankrun*?«, fragte Fitz erstaunt. Lachte. Obwohl das nicht lustig war. »Gestern noch gegen die Banken, heute können sie nicht offen genug sein.«

Der Fahrer wurde langsamer.

»Da vorne ist das Estate.«

49

Unter dem kalten Licht der Halle hatte das Wrack nichts mehr von einer Skulptur. Wie ein Kadaver lag es da, an dem die Techniker wie weiße Maden nach Verwertbarem suchten. Rund um das Wrack lagen zahllose transparente Tüten, gefüllt mit Splittern und anderen Teilen. Auf zwei langen Tischen entlang der Hallenwand sah Maja weitere Tüten und Werkzeuge. Sie trat ganz nah an das kalte graue Metallgerippe heran. Jörn hing wie eine Klette an ihr.

»Ganz schöner Aufwand«, sagte sie.

»Starb womöglich ein Nobelpreisträger darin«, sagte Horst Becker, Leiter der Truppe.

»Noch immer nicht bestätigt«, erwiderte Maja. Bei den Kollegen für die Identifikation der Leichen waren sie bereits gewesen. »So viele Leute wie du hier hätte ich für den Fall gern draußen.«

»Deshalb hast du sie nicht«, sagte Horst, ohne aufzusehen. »Weil wir hier im Verborgenen arbeiten. Und du draußen im Licht.«

»Hat die Arbeit im Verborgenen schon Erkenntnisse gebracht?«

»Wir wissen, dass wir nichts wissen.«

»Der Spruch lässt nur einen Philosophen weise wirken. Ein Polizist steht damit ziemlich doof da.«

Sobald Horst sich aufrichtete, überragte er Maja um einen Kopf.

»Den Grund für das Feuer konnten wir noch nicht ausmachen«, erklärte er. Mit ein paar Schritten war er bei den verstreuten Tüten. »Die Glassplitter gehören teils zum Wagen, teils stammen sie von Flaschen.«

»Molotowcocktails?«, fragte Jörn.

»Bei denen, die im Feuer lagen, lässt sich das nicht mehr feststellen. Jene außerhalb des Flammenbereichs waren normaler Müll, den irgendwelche Ferkel schon vorher dort liegen ließen.«

»Fingerabdrücke? DNA-Spuren?«

»Haben wir genommen. Fingerabdrücke brachten keine Ergebnisse, DNA dauert, weißt du ja.«

Er hielt vor einer einzelnen Tüte, die ein zackiges schwarzes Stück von der Größe eines kleinen Tellers enthielt.

»Das hier ist interessant«, sagte er, hob es auf und ging damit zu dem Wrack. Er legte es an eine zerstörte, zerfranste Partie, die einmal die Stoßstange gewesen sein musste. Es passte wie ein Puzzlestein.

»Beim Aufprall splitterten Stücke von der Stoßstange ab«, erklärte er. An die Rückseite der Tüte war ein Foto geheftet. Es zeigte den Fundort des Splitters. »Anders als die anderen Splitter lag er außerhalb des Feuers.« Vorsichtig zog er das schiefe Dreieck aus seiner Umhüllung. Eine der Spitzen war von einer dünnen Kruste überzogen.

»Ist das Blut?«, fragte Maja.

»Ja. Proben sind bereits bei der Analyse.«

»Wie kommt das da hin? Von den Insassen kann es nicht stammen.« Sie wandte sich an Jörn. »Hat dieser Jan Wutte nicht behauptet, er habe einem der angeblichen Mörder ein spitzes Teil, das er zu packen bekam, in die Hand gerammt?«

»Der hat viel behauptet.«

»Das Blut hier könnte diese Behauptung immerhin stützen«, sagte Horst.

Missmutig wandte Jörn sich ab.

Els Schlaf war so gut geschult, dass er beim ersten Signal seines Headsets hellwach war. Er hatte sich im Beifahrersitz des Rovers eingerichtet. Auf dem Fahrersitz Jack. Der Sprachassistent teilte ihm den Anrufer mit: der Auftraggeber.

»Ja.«

»Haben Sie Wutte und Peel?«

»Noch nicht.«

»Sie haben mehr Glück als Verstand. Wir haben erfahren, dass sie um acht Uhr im Hotel The Estate sein werden. Lobby.«

»Wo sind sie jetzt?«

»Wissen wir nicht.«

»Verstanden.«

Ende des Gesprächs.

Eldridge weckte Jack. Gleichzeitig suchte er auf dem Smartphone das Estate.

Unter den Linden, nicht weit vom Pariser Platz und dem Brandenburger Tor.

Er schilderte Jack die Neuigkeiten und zeigte ihm die Karte.

»Wir wissen nicht, aus welcher Richtung sie kommen«, sagte Jack. »Es sind zu viele Zugänge, um sie alle abzusichern.«

»Wir beobachten die wichtigsten«, sagte El.

»In Hotelnähe werden wir nicht aktiv werden können«, meinte Jack.

»Immerhin haben wir sie dann wieder im Auge«, sagte El.

»Bis zum Estate brauchen wir unter den momentanen Umständen bis zu einer halben Stunde«, sagte Jack. »Wir müssen los.«

Er beorderte Sam und Bell zurück zum Wagen.

50

The Estate war einer dieser Kästen, die gern ein altehrwürdiges Schloss wären. Dabei war es auch nur ein verkleideter Stahlbetonkasten. An der großzügigen Auffahrt hielt eine Schranke ungebetene Gäste ab. Daneben brusthohe Stahlbarrikaden. Fahrgäste mussten davor aussteigen und Sicherheitskontrollen wie am Flughafen passieren.

Vielleicht hätte Fitz besser einen anderen Treffpunkt vereinbart. Mit klopfendem Hals stellte Jan sich an. Beobachtete, dass die zwei Personen vor ihnen ihre Taschen durchleuchten lassen und durch einen Scanner gehen mussten. Keine Ausweiskontrolle. Jans Nervosität verringerte sich trotzdem nicht. Fitz vor ihm leerte seine Taschen, ging durch den Scanner, sammelte seinen Kram wieder ein, während Jan bereits den Scanner passierte.

Und dann war er durch.

Am Eingang standen drei Typen in goldverziertem Frack und Zylinder sprungbereit. Zwei davon Schwarze. Wie in alten Filmen. War das noch zeitgemäß? *Politisch korrekt?* Sie liefen durch die Drehtür, so musste keiner der Lakaien eine der Schwingtüren daneben öffnen.

Drinnen empfing sie die gleiche Welt wie in Will Cantors Hotel. Wahrscheinlich noch reicher. Nicht, dass alle im Maßanzug herumgelaufen wären. Den Unterschied hätte Jan ohnehin nicht erkannt. Manche waren gekleidet wie er und Fitz. Trotzdem waren die Gäste hier anders. Bewegten sich anders. Verhielten sich anders. Mit einer Selbstverständlichkeit und einer Selbstsicherheit, die einem wahrscheinlich nur entsprechende Erziehung von klein auf verlieh. Oder außergewöhnlicher Erfolg. Stallgeruch. Für Jan waren sie alle *reich*. Laut Kims Studie hieß das, sie waren alle glücklich. Nicht jeder sah so aus.

Vielleicht waren manche weniger reich. Jan stellte sich das so vor: Wenn du von lauter Armen umgeben bist und eine Million hast, fühlst du dich reich. Zwischen lauter Milliardären dagegen bist du mit deiner Million ein Totalversager. Sicher hatten Kim und Nida auch dafür irgendwelche mathematischen Ausdrücke.

Andererseits waren das lauter Menschen. Auch wenn sie jede Menge Kohle hatten, konnten sie krank werden. Todkrank. Alt. Oder sie waren unglücklich verheiratet. Oder hoffnungslos verliebt. Wer wusste das schon?

Jan hatte ein gesundes Selbstbewusstsein, trotzdem fühlte er sich unwohl. Er musste an Kims Erklärung denken. Er war in einer anderen Welt groß geworden. Hier würde ihn seine Intuition womöglich ins Verderben führen. Fitz dagegen bewegte sich wie ein Fisch im Wasser. Er wandte sich direkt an eine Dame hinter einem Tisch, an dessen Front »Concierge« stand. Sie lächelte ihnen zu. Über ihren Aufzug sah sie geflissentlich hinweg.

»Ms. Jeanne Dalli erwartet uns«, sagte Fitz.

Die Dame warf einen Blick auf den Bildschirm vor sich, dann zeigte sie rechts in die Lobby. Zwischen Marmorsäulen standen dort Tische aus dunklem, selten aussehendem Holz, davor geschwungene Sessel mit blauem Samtüberzug.

Noch bevor die Concierge »Ihr Tisch ist dort drüben« gesagt hatte, entdeckte Jan die Frau von den Fotos im Internet.

Unfair war das erste Wort, das ihm in den Sinn kam. Er musste an die Diskussionen der vergangenen Stunden denken. Der Zufall der Geburt hatte dieses Wesen auf den Goldteller des Lebens geworfen. Sie sah aus wie aus einem Magazin. Er wusste, sie war hochintelligent und erfolgreich. Hatte vermutlich jetzt schon ein Vielfaches von dem verdient, was er in seinem ganzen Leben bekommen würde. Arbeitete mit einem der reichsten Männer der Welt. Traf die anderen. *Unfair.*

Sie trug ein Kostüm mit bunter Jacke und engem Rock, der über den Knien endete. Jeanne Dallis Lächeln zur Begrüßung warf ihn glatt um. *Danke, Unfairness!*

Kaum saßen sie, eilte einer der Kellner in weißer Jacke und Fliege herbei. Jeanne bestellte stilles Wasser. Fitzroy Peel nahm Tee, der Junge – *»That's Jan«,* ohne weitere Erklärungen – einen Kaffee.

»Fitzroy Peel«, sagte sie zu dem langen Briten mit dem kahlen Kopf. Außer der Größe hatte er mit dem alternden Diplomaten vom Vorabend nur die an Überheblichkeit grenzende Selbstsicherheit gemein. »Gestern Abend habe ich einen Ambrose Peel kennengelernt, britischer Diplomat. Sie …«

»Mein Vater«, unterbrach Peel sie. »War anzunehmen, dass er hier ist. Hat er sich benommen?«, fragte er spöttisch.

»Ein Gentleman«, erwiderte Jeanne, überrascht, dass Peel so ungeniert einen Familienkonflikt offenbarte. Peels Ton verriet ihr, dass er das Thema nicht vertiefen wollte. »Aber Sie wollten über Will sprechen.« Sie sah auf ihre kleine, sehr teure Armbanduhr und sagte: »Ich habe zehn Minuten, dann muss ich zum Gipfel.«

»In Ordnung«, sagte Peel. »Kurzfassung: Ich kannte Will vom Studium und unserem ersten Job bei Goldman. Danach trafen wir uns gelegentlich. Zuletzt vor etwa neun Monaten. Gestern Abend beobachtete unser junger Freund Jan hier, wie Herbert Thompson, Will Cantor und der Fahrer ihrer Limousine nach einem Unfall von einem Killertrupp bei lebendigem Leib in dem Wagen verbrannt wurden. Davor hatte Will angeblich noch meinen und Ihren Namen genannt. So fand mich Jan in einer Bar.

Dort griffen die Killer auch uns an und später in Wills Hotel noch einmal. Da hatten Jan und ich in seinem Zimmer nach Hinweisen gesucht, aber nur ein paar Notizen gefunden, die uns auch nicht weiterhalfen. Das war die Kurzfassung.«

Willst du mich auf den Arm nehmen?! Soll ich diese Geschichte wirklich glauben?

Ihre Mimik musste ihr entglitten sein.

»Ich würde mir auch kein Wort glauben«, sagte Peel. Eine rastlose Tiefe in seine Augen, die Grübchen um seinen Mund. Doch der Sohn seines Vaters.

»Ich habe Ihnen alles am Telefon erzählt«, sagte Jeanne zögerlich. »Mir ist nichts mehr zu meinen letzten Gesprächen mit Will eingefallen. Zuerst fragte er mich zum Kelly-Kriterium, aber Kelly ist nicht wirklich kompatibel mit moderner Wirtschaftswissenschaft. Den haben wir schon in den Sechzigerjahren abgehakt.«

»Eigenartig«, sagte Fitzroy, »ich benutze Kelly jeden Tag erfolgreich beim Poker und Black-Jack-Karten-Zählen. Ich verdiene also mein Geld mit einer Theorie, die wirtschaftswissenschaftlich nicht funktionieren soll?«

Unwillkürlich lachte Jeanne bitter. »So ähnlich hat Will irgendwann auch geklungen. Man merkt, dass Sie befreundet gewesen sind.«

»*Great minds think alike*«, meinte Fitzroy sentimental. Er zuckte mit den Schultern. »Aber mein Job ist es, Geld zu verdienen, und nicht, wirtschaftswissenschaftliche Theorien zu hinterfragen.«

»Das hatte sich Will offensichtlich zur Aufgabe gemacht. Er las wohl eine Menge über das Thema, fand wissenschaftliche Papiere irgendwelcher Mathematiker oder Physiker und kam dann mit abstrusen Ideen. Einer der Bernoullis habe sich geirrt …«

»Wichtige Mathematiker und Physiker des achtzehnten Jahrhunderts«, flüsterte Peel dem deutschen Jungen zu. Offenbar konnte der ihrer auf Englisch geführten Unterhaltung folgen.

»Welcher der Bernoullis?«, fragte Fitzroy Peel. »Worin?«

»Daniel«, sagte sie. »Bei der Nutzenfunktion. Eine der Säulen der mikroökonomischen Theorie. Laut Will, oder den Papieren, die er nannte, rechnen wir seit fast vierhundert Jahren falsch. Wie gesagt, ich hielt es für unbeholfene Anmache …«

»Was es durchaus gewesen sein könnte. Der Umgang mit Frauen war nicht Wills primäres Talent. Über seine Bekanntschaft mit Thompson wissen Sie nichts?«

Sie schüttelte den Kopf. Dachte jedoch an das Manuskript in Teds Safe. Noch wollte sie diesen Fremden gegenüber vorsichtig bleiben.

Peel breitete ein paar Zettel vor ihr aus. Zeichnungen, Text. Es sah aus wie ein einfaches Dorf. Getreide, eine Frau.

»Können Sie damit etwas anfangen?«

»Was ist das?«

»Wills Notizen«, erklärte Peel, »von mir in Form gebracht.«

Jeanne überflog die erste Seite.

Stell dir vier Bäuerinnen und Bauern vor.

Hitze durchflutete Jeanne. Von Bauern hatte sie vor wenigen Stunden auf einem bekritzelten Blatt in Teds Suite gelesen.

»Haben Sie das Original?«, fragte sie mühsam beherrscht.

Peel zögerte, bevor er aus seiner Jacke ein weiteres Blatt hervorholte. Grau schraffiert, die durchgedrückte Schrift weiß. Oben in der Ecke eine kleine Zeichnung.

»Das Original muss darüber gelegen und sich durchgedrückt haben«, sagte Peel. »Das hier ist das Blatt darunter.«

Jeanne erkannte die kleine Zeichnung mit den Kügelchen sofort wieder.

Sie trank einen Schluck, um Zeit zum Nachdenken zu gewinnen.

»Danke«, sagte sie nur und schob das Blatt zur Seite. »Warum erklären Sie mir nicht einfach kurz, worum es in dieser komischen Geschichte geht?«

51

Maja lehnte an der Wand außerhalb der Technikerhalle, schloss die Augen und versuchte, die Kopfschmerzen wegzudenken.

Nutzlos.

Sie kramte die Zigaretten aus ihrer Tasche, bot Jörn eine an, der ablehnte, und zündete sich eine an. Besser!

Das Telefon brummte in ihrer Tasche. Die Zentrale.

»Paritta?«

»Wir haben da eine Meldung aus dem Hotel The Estate. Die wollen die Typen, nach denen Sie fahnden lassen, gesehen haben.«

Maja schnellte von der Wand. Wegen Thompson war die Fahndung auch an Gipfelhotels gegangen. Man wusste ja nie.

»Im Estate?« Superluxusladen. Unwahrscheinlich. »Wann?«

»Vor wenigen Minuten.«

»Wo sind sie jetzt?«

»Im Hotel.«

»Im Hotel?! Was machen sie da?«

»Kaffee trinken.«

»Wie bitte?! Ich bin unterwegs!«

52

Über den Knopf in seinem Ohr konnte El die Unterhaltung etwas verrauscht mithören. Das Bild einer Überwachungskamera wurde ihm auf den Schirm seines Smartphones gespielt. Der Perspektive nach musste die Kamera irgendwo in seiner Nähe auf der Lobbygalerie sein. Peel erzählte der Frau, deren Namen ihm der Auftraggeber nicht verraten hatte, irgendeine Geschichte von Bauern und ihren Feldern. Dabei zeigte er auf verschiedene Zeichnungen, die er vor ihr ausgebreitet hatte.

El hatte einen Platz auf der Galerie gewählt, von dem aus er sich in seinem Stuhl strecken musste, um den Tisch auch in der Realität zu sehen, nicht nur auf dem Telefon. Solange er sitzen blieb, konnte er nicht von der Gruppe da unten entdeckt werden.

Els Blick schweifte kurz von dem Screen ab, auf der erneuten Suche nach der Kamera. Die Dinger waren heute so winzig, dass man sie schwer fand, wenn sie einigermaßen geschickt angebracht waren. Er hatte sie nicht selbst montiert, sondern bekam von seinem Auftraggeber den Stream aufs Handy, ebenso wie den Ton. Keine Ahnung, woher sie den hatten. Eine kleine Wanze unter dem Tisch. Oder sie hatten ein Handy der Frau gehackt. Das El aber nirgendwo sah. Für ein gehacktes Handy in einer Handtasche war die Tonqualität zu gut.

Die Frau studierte noch einmal die Papiere.

Die Stimme des Auftraggebers in Els Ohr klang heiser.

»Was ist das?«

»Kann ich nicht erkennen«, sagte El. »Kann man näher zoomen?«

»Nicht nah genug.«

Die Frau legte die Blätter zurück und sah Fitzroy Peel an.

»Und?«, fragte sie. »Wie geht es weiter?«

»Wir haben schon alles Mögliche überlegt«, sagte Fitz, nachdem er die Bauernfabel erklärt hatte, »aber keine Lösung gefunden.«

»Ich habe auch keine«, sagte Jeanne und schielte auf ihre Uhr. Das Treffen dauerte länger als vereinbart. »Ich wüsste auch nicht, wo man eine Lösung herbekommt.«

Auch wenn sie es ahnte. Immer heftiger. Mit einer Qualle im Magen, wie sie das seit Jugendtagen nicht erlebt hatte!

»Ich muss los«, sagte sie. Haderte.

Zu schnellen, harten Entscheidungen zwang sie ihr Beruf seit Jahren.

Aber das hier war anders.

Die möglichen Konsequenzen …

Nein, nervös umsehen durfte sie sich jetzt nicht!

Sie verlor ihre Souveränität. Das hasste sie! *Ruhig!*

Mitch und zwei seiner Leute beobachteten sie. Ob sie sich an die Ohren oder die Nase fasste.

Sie nahm noch einen Schluck.

Enttäuscht packte Fitzroy die Blätter mit der Bauernfabel wieder ein. Wie hatte er glauben können, dass ihnen diese Frau oder die blöde Fabel weiterhelfen würden? Er hatte sich verrannt. Die vergangene Nacht und ihre verrückten Ereignisse, dazu der wenige Schlaf. Es war vorbei. Er würde in sein Hotel zurückkehren, würde duschen, schlafen, die Polizei anrufen, in dieser Reihenfolge oder einer anderen, und der weiteren Entwicklungen harren.

Er hatte sein Möglichstes für Will getan. Früher oder später würde die Polizei auch Jans Unschuld erkennen.

Was war mit dem Jungen los?

Jans Gesicht war weißer als die Blätter, über die sie gerade noch gebeugt saßen. Sein Blick irrlichterte herum, bevor er Fitzroy wie ein Ertrinkender erfasste.

»Sieh nicht hin«, flüsterte er, sichtlich um Ruhe bemüht. »Da hinten in der Lobby steht einer der Typen aus der Golden Bar und Wills Hotel. Er blickt in unsere Richtung.«

Fitzroy saß mit dem Rücken zur Lobby. Zu einem der Killer, wenn Jan richtig gesehen hatte.

Denk nicht an einen rosa Elefanten.

Dreh dich nicht zu deinem Fast-Killer um.

Mit größter Selbstbeherrschung unterdrückte Fitzroy den Reflex.

Jeanne hatte ihr seltsames Verhalten bemerkt.

»Was ist?«, fragte sie, zur Verabschiedung bereit. Sie stand halb zur Lobby gewandt.

Fitzroy erhob sich und flüsterte: »Nicht auffällig verhalten. Jan sagt, einer von Wills Mördern ist hier.«

An ihrer Körperspannung merkte er, dass es ihr erging wie ihm nach Jans Ansage.

»Wer?«, fragte sie. »Wo?«

Jan hatte sich erhoben.

»Wo?«, fragte Fitzroy ihn.

»Neben der letzten Säule, ganz hinten«, sagte er leise.

53

In Jeannes Kopf dröhnten Lobbygeräusche. Redende Menschen, rollende Koffer, Telefonklingeln, klapperndes Geschirr, raschelnde Kleidung und Zeitungen.

Kein Gefühl im Körper.

Der Junge bildete sich etwas ein.

»Wie hat der uns gefunden?«, fragte Jan. Die Panik in seiner Stimme ließ sein Englisch noch holpriger klingen. »Woher weiß der, dass wir hier sind?«

Er musterte Jeanne.

»Wer wusste von unserem Treffen?«, fragte er.

Jeanne musste sich beherrschen.

»Das ist nicht Ihr Ernst!«, zischte sie.

»An einen solchen Zufall glaube ich nicht«, sagte Jan. »Haben Sie jemandem erzählt, dass Sie uns hier treffen werden?«

»Ihre Unterstellung ist absurd«, sagte sie kühl, während ihre Gedanken rasten. Wem hatte sie davon erzählt? Ted und Mitch. Den Mann dort kannte sie nicht. Er war keiner aus dem Team, das sich um Teds Sicherheit kümmerte.

»Ich kenne den Mann nicht«, sagte sie.

»Das habe ich auch nicht behauptet«, sagte Jan. »Ich habe nur eine Frage gestellt.«

»Jetzt bleiben alle einmal ganz ruhig«, sagte Peel. »Ich werde ihn unauffällig checken.«

Er wandte sich um, bewegte den Kopf, als suchte er einen Kellner. Als ihn einer entdeckte, gab Peel ihm ein dezentes Handzeichen. Der Livrierte eilte zu ihnen.

»Die Rechnung, bitte«, sagte Peel.

Der Mann zog ab.

Peel wandte sich wieder an Jeanne.

»Jan hat recht«, sagte er zu ihr. Auf seiner Stirn bildeten sich Schweißtropfen. »Ich erkenne ihn wieder. Er hat letzte Nacht zweimal versucht, uns umzubringen. Dann konnten wir ihn abschütteln. Woher taucht er jetzt auf?«

Dann konnten wir ihn abschütteln.

Für einen Moment rang sie mit sich. »Ich habe Ted Holden von Ihrem Verdacht erzählt«, gestand sie dann. »Und seinem Sicherheitschef. Herbert Thompson war immerhin ein Berater und guter Bekannter. Und Will Cantor ein Angestellter.«

»Sonst noch wem?«

Jeanne mochte Jans Tonfall nicht. Wie ein Inquisitor. Genug.

»Niemandem«, sagte sie unwirsch.

»Dann gibt es nur zwei Möglichkeiten«, meinte Peel. »Entweder: Zufall. Sehr unwahrscheinlich. Oder: Jemand hat den Killern Bescheid gesagt. Das kann nur über Sie, Ted Holden oder seinen Securitychef gelaufen sein.«

»Sie sind verrückt! Ich habe nichts damit zu tun! *Wir* haben nichts damit zu tun.«

Wenn da nur nicht dieser nagende Gedanke in ihrem Hinterkopf wäre! Andererseits: Thompson war ein Berater Teds gewesen, Will ein Mitarbeiter. Vielleicht hatten sie ihm das Manuskript einfach gegeben oder geschickt.

In ihrer Handtasche klingelte ein Telefon.

Ted.

»Wir müssen los«, meldete er sich. »Ich bin schon unten in der Garage. Kommst du?«

Ein Blick auf Fitzroy und Jan. Aus den Augenwinkeln auf den angeblichen Killer. Dann suchte sie Mitch und die anderen zwei. Entdeckte sie nicht. Setzte sich wieder, griff an ihren Schuh.

»Fahr schon einmal vor«, sagte sie. »Mir ist ein Schuh kaputtgegangen. »Ich muss noch einmal aufs Zimmer und ihn wechseln. Das Outfit natürlich auch, damit es zu den Schuhen passt, du weißt, wie das ist… Ich komme mit einem Taxi nach.«

»In Ordnung. Wie war das Gespräch?«, fragte er.

»Zeitverschwendung.«

»Dachte ich mir. Bis später.«

»Was machen sie jetzt?«, hörte El die Stimme des Auftraggebers im Headset.

»Sie verabschieden sich. Schütteln sich die Hände. Die Frau geht.«

»Wohin?«

»Zu den Fahrstühlen, scheint mir.«

»Die beiden anderen?«

»Stehen noch rum. Warten.«

»Worüber reden sie?«

»Ich höre auch nur den Stream, den Sie zur Verfügung stellen«, sagte El. »Und da kommt nichts. Stehend dürften sie zu weit weg vom Mikro sein, die Nebengeräusche sind zu laut.«

»Wo ist die Frau jetzt?«

»Steigt eben in den Lift.«

Auf Els Telefonschirm standen Wutte und Peel noch immer an ihrem Tisch. Jetzt kehrte der Kellner zurück, reichte ihnen eine Rechnung. Peel unterhielt sich mit ihm, zahlte. El sah nur die Lippenbewegungen, hörte weiterhin lediglich die Geräusche der Lobby, Klappern, Stimmengewirr.

»Okay«, sagte der Auftraggeber, »jemand an den beiden dran?«

Der Kellner ging. Zum Empfang statt zurück ins Restaurant auf der anderen Seite, woher er gekommen war.

Der Samariter und der Spieler setzten sich wieder, blickten dem Kellner nach, sagten nichts.

»Die gehen noch nicht«, berichtete El. »Aber wenn es so weit ist, sind wir bereit.«

»Es gilt nach wie vor: nichts unternehmen, solange sie im Hotel sind, das ist klar«, sagte der Auftraggeber. »Draußen erst, wenn sie wenigstens einen Kilometer entfernt sind.«

»Copy«, sagte El.

»Keine Fehler mehr. Sonst tragen Sie die Konsequenzen. Melden Sie sich dann.«

El biss die Zähne zusammen. *Sonst tragen Sie die Konsequenzen.* Drohte ihm der Kerl! Wenn er glaubte, El damit einzuschüchtern, irrte er sich. Er machte El nur wütend.

Unten saßen Wutte und Peel, als wären sie Gäste, die auf einen weiteren Kaffee warteten. Schweigend. Blickten sich gelangweilt um.

Jacks Stimme in Els Ohr, verhalten: »Da kommen fünf vom Hotel in meine Richtung. Einer sieht aus wie ein Manager, die anderen wie Security.«

»Kommen sie direkt zu dir?«, fragte El alarmiert.

»Kann ich noch nicht … ja.«

»Rückzug!«

»Zu spät.«

Über sein Headset hörte El leise eine fremde Stimme:

»Guten Tag, Kreuzer, ich bin der Manager hier. Ein Gast meint, Sie mit einer Waffe hantieren gesehen zu haben. Dürfte ich fragen …«

Verdammt! El sprang auf und ging möglichst unauffällig zur Treppe, während die fremde Stimme Jack weiter erklärte: *»Hier hinten an Ihrem Gürtel ist eine Ausbuchtung. Dürfen wir …?«*

Von der Galerie sah El nun Jack, umringt von den vier Securitys. Sie hatten ihre Hände dezent, aber erkennbar an den Griffen ihrer Waffen. Ein kurzer Blick auf sein Telefon versicherte ihn, dass Wutte und Peel noch immer an ihrem Tisch saßen. Jack hatte keine Wahl, er hob die Jacke und zeigte die Waffe, die hinten an seinem Gürtel in einem Holster steckte.

»Ich Waffe tragen darf«, erklärte Jack dem Manager und seinen Leuten in gebrochenem Deutsch, »Bodyguard. Nicht einziger hier, oder?«

»Die Politik unseres Hauses verlangt, dass Sie sich bei uns registrieren, wenn Sie eine Waffe tragen«, erklärte der Manager. »Ich bitte Sie daher, das vorne am Empfang zu tun.«

»Das sehr seltsam«, sagte Jack, »aber wenn wollen.«

Kurz suchten seine Augen El, fanden sie am Kopf der Treppe, fragten. El formte mit den Lippen nur ein Wort: *»Leave«* – geh!, und gab ihm mit einem kurzen Seitwärtsnicken das Zeichen, das Hotel zu verlassen, ohne sich kontrollieren zu lassen. Musste El sich vorerst allein um den Spieler und den Samariter kümmern. Die zwei saßen nach wie vor an ihrem Tisch.

Jack ging, von den Securitys umringt, Richtung Empfang, hielt dann jedoch geradeaus auf den Ausgang zu.

»Halt!«, rief der Manager. »Wohin wollen Sie?«

Die Sicherheitsleute liefen etwas hilflos neben ihm her, ohne ihn zu stoppen. Weicheier!

»Wenn nicht willkommen, gehe«, antwortete Jack.

Der Manager und seine Leute eilten an seine Seite.

»Ich habe Sie gebeten, sich zu …«

»Werde mein Auftraggeber informieren«, sagte Jack. »Wichtige Mann. Wird nicht mehr wohnen in Ihr Hotel.«

Draußen war er.

Der Manager und sein Team blieben an der Tür stehen und sahen ihm hinterher. El konnte nicht hören, was sie besprachen.

Er warf einen Kontrollblick auf den Bildschirm seines Telefons.

Der Tisch, an dem Wutte und Peel gesessen hatten, war leer.

»Auf die siebte Etage«, keuchte Jan, »zu Fuß!«

Sie hatten erst zwei hinter sich. In dem nüchternen Treppenhaus hallten ihre Schritte wider. Hier lief vermutlich nie jemand durch, dachte Jan, außer bei einem Feueralarm.

»Du bist jung, du musst fit sein«, sagte Fitz und stieg voran.

»Aber nicht nach der vergangenen Nacht«, stöhnte Jan.

Die Tür zur Treppe lag weit hinten in der Lobby. Auf dem Weg dorthin hatten Jan und Fitz genau darauf geachtet, dass niemand sie verfolgte. Wo einer war, waren seine Kumpane wahrscheinlich nicht weit. Ein, zwei hier drinnen, hatte Fitz gemeint, und die anderen an den Ausgängen vorn, bei der Garage, vielleicht sogar beim Personal. Im Treppenhaus selbst bemühten sie sich, so leise wie möglich zu gehen. Sie würden es hören, wenn noch jemand eine der Türen aufmachte, schloss oder die Stufen nahm.

Vierte Etage. Weiter.

Irgendwo über ihnen öffnete sich eine Tür.

Schritte.

Jan erstarrte, hielt an. Fitz vor ihm wandte sich um. So leise wie möglich liefen sie zurück auf die vierte Etage. Jan öffnete die schmucklose Tür zum Hotelflur, lugte hinaus. Winkte Fitz, ihm zu folgen.

Sie fanden sich am Ende eines langen Flurs mit dunkelbraunem Parkettboden und dunkelblauen Wänden, deren Flucht von den Türnischen unterbrochen wurde. Kein Mensch zu sehen.

Jan wartete, lauschte an der Tür. Die Schritte auf den Stufen kamen näher. Unbesorgt, nicht um Stille, Vorsicht oder Heimlichkeit bemüht. Nun pfiff die Person sogar ein Lied vor sich hin. Jan wartete, bis Pfeifen und Schritte nach unten hin verschwanden und fast nicht mehr zu hören waren, bevor er nach einem Blick zu Fitz die Tür wieder öffnete. Lauschte. Erneut in das Treppenhaus schlüpfte.

»Jetzt hattest du sogar eine Pause«, flüsterte Fitz, zwängte sich an ihm vorbei und nahm immer zwei Stufen auf einmal.

Im siebten Stock blockierte ein elektronisches Schloss wie bei den Zimmern den Übergang zum Hotelflur. Die VIP-Suiten-Etage.

Jan zückte die Karte, die Jeanne Dalli ihm bei der Verabschiedung unauffällig in die Hand gedrückt hatte.

Mit einem leisen Klick öffnete sie.

Der Flur glich jenem im vierten Stock, nur waren die Wände dunkelgrün.

Rasch lief Fitz voran, an den Türen in der Farbe des Bodens vorbei. Jan folgte ihm, immer wieder Blicke über die Schulter werfend, ob ihnen jemand durch die Tür folgte.

Vor der Nummer 723 hielten sie an.

»Und wenn das eine Falle ist?«, fragte Jan. »Und die Typen da drinnen auf uns warten?«

54

Jeanne stand vor dem Safe und tippte eine Ziffer nach der anderen ein, so wie sie sich diese bei ihrer »Höschensuche« gemerkt hatte.

Hoffentlich richtig.

Mit einem leisen Klick sprang die schwere Metalltür auf.

Das Kuvert lag im mittleren von drei Fächern. Jeanne holte es heraus und schloss den Tresor mit derselben Ziffernkombination. Mit dem VIP-Fahrstuhl fuhr sie zwei Stockwerke tiefer und lief zu ihrem Zimmer. Klopfte.

Niemand öffnete.

Sie klopfte noch einmal.

Niemand.

»Peel? Ich bin es, Jeanne Dalli«, sagte sie leise. »Ich habe das Kuvert. Lasst mich rein.«

»Da sind wir!« Die Worte ließen sie herumfahren.

Hinter ihr standen Peel und der Junge.

»Verdammt, habt ihr mich erschreckt!«, zischte sie. »Was soll das?«

Fitz legte die Key-Card an und öffnete die Tür.

»Vorsichtsmaßnahme«, sagte er.

Vor ihr eilte er in die Junior-Suite, wie eine Katze auf der Jagd. Schnell, leise und doch vorsichtig. Jeanne folgte ihm durch das Wohn-/Arbeitszimmer ins Bad und das Schlafzimmer. Der Junge wartete vor der Tür.

»Kannst reinkommen«, rief Peel ihm zu, nachdem er die kleine Suite inspiziert hatte.

Jeanne legte den Umschlag auf den Schreibtisch.

»Was ist da Wichtiges drin?«

»Ich glaube, das sind Herbert Thompsons Redenotizen für gestern Abend. Sowie ein gemeinsames Manuskript von Thompson und Will.«

Mit einem Griff beförderte Fitzroy den Inhalt aus dem Kuvert und breitete die verschiedenen Stapel vor sich aus. Der erste bestand aus den kleineren, kartonartigen losen Blättern mit großer Schrift.

»Das sieht aus wie Redenotizen«, sagte Jeanne.

Der zweite war ein zusammengehefteter Stapel dicht bedruckter A4-Seiten. Auf dem Deckblatt stand *Wealth Economics. By Herbert Thompson and Will Cantor.*

»Das Manuskript.«

Der dritte war ein einzelnes Blatt voll unleserlicher, winziger Handschrift.

»Ich konnte es nur überfliegen«, sagte Jeanne, »und ein paar Worte am Anfang entziffern …«

»Heilige …«, flüsterte Fitzroy. Hastig fummelte er aus seiner Hosentasche die grau schraffierte Seite mit dem weißen Gekritzel und legte sie neben das Einzelblatt aus dem Kuvert.

»Yin und Yang«, flüsterte Fitzroy.

»Will kam erst gestern an«, sagte Fitz. »Das hatte er mir in der E-Mail geschrieben, in der wir uns verabredet haben. Die Notizen machte er auf dem Block des Hotels. Also erst nach seiner Ankunft. Wenig später fuhr er mit Thompson Richtung Vortrag. Hatte sie also wahrscheinlich bei sich.«

Da war noch ein Gedanke, den Jan schwer fassen konnte. Die losen Blätter erinnerten ihn an etwas …

»Oder er steckte sie samt Redenotizen und Manuskript in ein Kuvert und schickte das seinem Arbeitgeber«, gab Jeanne zu bedenken. Doch ihre Gesichtsfarbe war um wenigstens zwei Grade bleicher geworden, fand Jan.

»Das lässt sich zur Not überprüfen«, sagte Fitz. Während Jeanne die Redenotizen durchblätterte, tippte Fitz eine Nummer in sein Handy. Wartete kurz.

»Ja, guten Tag, ich rufe an aus dem Estate, Unter den Linden. Ich warte seit gestern auf eine Sendung Ihres Gasts Will Cantor, Zimmer siebenhundertsechsundfünfzig. Hat er bei Ihnen gestern Nachmittag ein Kuvert zum Versand abgegeben?«

Die Person am anderen Ende konnte Jan kaum hören. Wahrscheinlich sagte sie etwas wie »Augenblick, bitte, ich frage nach«.

Jan flippte durch das Manuskript. Viel Text. Diagramme. Grafiken. Formeln. Es ging um Wirtschaft, so viel verstand er auf den ersten Blick. Mehr nicht. Die letzten Seiten voller Kleingedrucktem. Namen, Artikel- und Buchtitel, Seiten- und Jahreszahlen. Quellenangaben, begriff er.

»Okay, danke«, sagte Fitz und steckte das Handy weg. »Über das Hotel hat Will gestern gar nichts versandt«, sagte er.

»Es gibt genug Botendienste in der Stadt«, sagte Jeanne, ohne von den Notizen aufzusehen. Sie sortierte die Kartons von einem Stapel auf einen zweiten, in einem Tempo, bei dem sie unmöglich noch mitlesen konnte, höchstens überfliegen, in einigem Abstand darüber ihr Handy. Sie fotografierte nicht. Sie filmte. Die letzten zwei Blätter.

Danke für Ihre Aufmerksamkeit.

Sie steckte das Handy ein und sortierte, ohne hinzusehen, schnell in der Gegenrichtung, um die ursprüngliche Ordnung wiederherzustellen.

»Würdest du in einer fremden Stadt einen Botendienst mit einer solchen Aufgabe betrauen oder jemanden vom Hotel?«, fragte Fitz.

Jeanne war fertig. Sie richtete sich auf. Ihre Züge waren härter als bisher. Und noch bleicher.

»Das Hotel.«

»Eben. Jeder von uns.«

Jan wäre vermutlich selbst gegangen. Seine Beule schmerzte, er fuhr mit der Hand drüber. Und mit einem Mal wusste er, wo er die Papiere gesehen hatte.

Das umgedrehte Autodach.

Ambosskinn, der sich die offene Aktentasche griff. Und dann der Geruch nach Benzin und Hände, die ihn reinzerren wollten in das Feuer…

Zweihundert Meter vor The Estate halfen selbst das Blaulicht und die Sirene schlecht. Menschenmassen auf dem Weg zur Demonstration verstopften die Fahrbahn. Jörn stellte den Wagen einfach ab, Maja sprang hinaus und lief die letzten Meter zu Fuß. Wobei laufen übertrieben war. Sie drängten sich hindurch und ließen sich stellenweise einfach mit treiben. Vor dem Hotel mussten sie eine Sicherheitsschleuse passieren. Eine Frau in der Uniform eines Security-Unternehmens winkte sie nach einem flüchtigen Blick auf Jörns Uniform durch.

Nachdem die Dame an der Rezeption Majas Ausweis gesehen hatte, rief sie den Hotelmanager an. Währenddessen suchte Majas Blick den Teil der Lobby ab, den sie vom Empfangstisch aus sehen konnte. Menschen trudelten zum Frühstück ein, kamen vom Morgenjogging oder verließen das Haus, um leger gekleidet und gut gelaunt die Stadt zu erforschen oder in Anzug oder Kostüm eine Gipfelveranstaltung zu besuchen.

»Frau Kommissar«, sprach sie ein mittelalter Mann im Anzug von der Seite an. Bayer oder Österreicher. »Edwin Kreuzer, der Manager.« In seiner Begleitung befand sich ein etwas jüngerer Mann mit dynamischem Haarschnitt und zu breiten Schultern für sein Sakko. »Einer unserer Sicherheitsverantwortlichen«, sagte Kreuzer.

»Wo sind die zwei?«, fragte Maja.

»Sie sind vor ein paar Minuten gegangen.«

»Sie wissen natürlich nicht, wohin«, stöhnte Maja.

»Tut mir leid.«

»Aber die sind doch nicht einfach hier reinmarschiert und haben Kaffee getrunken? Was wollten die hier?«

»Sie waren verabredet.«

»Mit wem?«

Kreuzer druckste herum.

»Kann ich nicht sagen.«

»Können oder wollen Sie nicht?«

Ein schlechter Lügner.

»Sie wissen, wer es ist«, sagte Maja. »Ein Gast des Hauses.«

Der Manager wand sich.

»Ihnen ist schon klar, dass wir Fahndungen nicht leichtfertig und wegen Lappalien aussenden? Ich kann Sie auch wegen Behinderung von Polizeiarbeit mit auf das Kommissariat nehmen.«

Kreuzer wog das Angebot ab.

»Ich habe keine Zeit für solche Spielchen«, fauchte Maja. »Ich muss wissen, wen diese beiden Männer getroffen haben und wohin sie gegangen sind!«

Seinem Auftreten nach wäre der Hotelmanager wohl gern Industrieller oder Investmentbanker. Doch weder die nach hinten geklebte Frisur noch der Anzug reichten auch nur näherungsweise an seine Vorbilder heran.

»Woher soll ich das wissen?«, sagte er patzig.

»Wen haben sie getroffen?«

»Es tut mir leid«, sagte Kreuzer. »Ohne Durchsuchungsbefehl kann ich das nicht tun. Bei uns steigen höchststehende Persönlichkeiten ab. Diskretion ist für sie sehr wichtig.«

»Maja«, mischte sich Jörn dazwischen, »wenn der Hoteldirektor das sagt…«

»Es handelt sich womöglich um zwei Mordverdächtige, die in Ihrem Haus herumlaufen«, unterbrach ihn Maja. Als ihr »Aufpasser« versagte er bislang. »Wie erklären Sie es Ihren höchststehenden Persönlichkeiten, wenn sie plötzlich sehr flach und tot daliegen? Also, wen haben die beiden getroffen? Wo sind sie hin? Haben Sie hier Überwachungskameras?«

Mit schmalen Lippen wich Kreuzer ihrem Blick aus.

»Sie bringen mich in Teufels Küche«, sagte er.

55

Fitz nahm Jan das Manuskript ab und begann darin zu blättern. Jeanne las an seiner Seite mit. Sie überflogen das Inhaltsverzeichnis. *Die Bedeutung der Zeit in der Entscheidungstheorie. – Emotionalität ist rational. – Die Wachstumsformel. – Beispiel: Der große Aufschwung der Fünfziger- bis Siebzigerjahre.*

Das waren mindestens siebzig Kapitel!

Konsequenzen für die Theorie der Firma. – ... für das Versicherungswesen. – ... für Pensionssysteme. – ... für das Finanzwesen.

»Die machen ein ganz schönes Fass auf«, staunte Jeanne.

... für die Zinsraten von Zentralbanken. – ... die Identifizierung von Betrug. – ... Konfliktlösung. – ... künstliche Intelligenz.

»Allerdings«, sagte Fitz und blätterte gleich weiter zum *Abstract.*

Die Kurzzusammenfassung zu Beginn der Arbeit war angenehm leicht verständlich geschrieben, und Jeanne hatte sie binnen zweier Minuten überflogen.

»Wow«, murmelte Fitz neben ihr.

Allerdings. Thompson und Will lehnten sich weit aus dem Fenster. Offensichtlich stützten sie sich hier auf die mathematischen Arbeiten von Physikern an einem gewissen London Mathematical Laboratory. Diese wollten einen Rechenfehler im Fundament moderner Wirtschaftstheorien gefunden haben, der seit dreihundertfünfzig Jahren mitgeschleppt wurde.

»Kann das sein?«, fragte Fitz, mit einem Finger auf der Passage.

»Keine Ahnung«, gestand Jeanne.

Die Londoner hatten mathematische Grundlagenarbeit in einigen Bereichen geliefert, die Thompson und Will zu einer detaillierteren Theorie und ersten politischen Empfehlungen ausgearbeitet hatten.

Policy Brief.

»Damit hätten sich die beiden tatsächlich nicht nur Freunde gemacht«, murmelte Fitzroy, nachdem er das Abstract gelesen hatte. »Zumindest nicht bei Thompsons bisherigen Fans. Wie Ted Holden.« Er warf Jeanne einen Seitenblick zu.

»Worum geht es denn jetzt?«, wollte Jan ungeduldig wissen.

»Um alles«, sagte Jeanne mehr zu sich als zu ihnen. »Unser Menschenbild. Richtiges Entscheiden. Die Organisation unserer Gesellschaft. Sinnvolle Wohlstandsverteilung. Egoismus, Firmenmanagement, Konfliktlösung ...«

»Wenn die beiden recht haben, erschüttert das unsere herrschenden Gesellschafts- und Wirtschaftskonzepte in ihren Grundfesten«, ergänzte Fitz. »Da wollte der gute Thompson auf seine alten Tage wohl noch einmal den Revoluzzer geben ...«

Rasch blätterte Jeanne ein paar Seiten vor. Bis zu einem Bild einer Linie, die sich aufteilte. Eine Art Baum.

Entscheidungsmodelle und die Nutzenfunktion.

Sie überflog den Text dazu, Fitzroy neben ihr tat es ihr gleich. Bis er fragte: »Rechnet ihr Ökonomen das wirklich so?«

»Wenn ich mich richtig erinnere, ja«, antwortete Jeanne. Eigentlich wollte sie die Papiere zurückbringen und zur Konferenz fahren. Doch ihre Neugier war zu groß. Ein paar Minuten gab sie sich noch. »Die Mathematik hier ist mir gerade ein bisschen zu viel. Sagt dir das etwas?«

»Ist alles glasklar« murmelte Fitz.

»Mir ist gar nichts klar«, mischte sich Jan mit seinem deutschen Englisch ein. Ihn hatte Jeanne fast vergessen.

»Es geht um Modelle, wie Menschen entscheiden«, erklärte Fitz. »Erwartungsnutzen hatten wir heute schon. Mathematisch nehmen Ökonomen dabei quasi alle möglichen Ergebnisse einer Entscheidung her und errechnen deren Durchschnitt – in den weiter entwickelten Theorien dann nicht mehr Durchschnitte der Ergebnisse, sondern von Wahrscheinlichkeiten oder sogar Ableitungen der Wahrscheinlichkeiten. Alles ziemlich kompliziert.«

»Klingt so. Wenn ich den Durchschnitt aller möglichen Ergebnisse bilde, ist das wie bei deinem Münzwurfspiel gestern Abend? Ensembledurchschnitt?«

Wovon redeten die beiden jetzt wieder?

»Exakt! Dabei ist das natürlich kompletter Unsinn. Es ist, als stündest du an einer Kreuzung und könntest alle Wege gleichzeitig gehen. Oder irgendeinen Durchschnitt der Wege, wie immer der aussehen sollte. Was ganz offensichtlich unmöglich ist.« Er schüttelte ungläubig den Kopf. »Deshalb fragte ich Jeanne gerade, ob Ökonomen wie sie das tatsächlich so rechnen. Das andere Entscheidungsmodell, mit dem Thompson und Will arbeiteten, geht davon aus, dass Menschen über den Zeitdurchschnitt optimieren.«

»Hatten wir auch schon«, erinnerte sich Jan. »Dabei muss man sich dann also für einen Weg entscheiden. Und bei der nächsten Kreuzung wieder. Und so weiter …«

»Du hast es verstanden. Das ganze Leben besteht aus einer *Abfolge* von Entscheidungen, die man immer nur auf der Basis der vorangegangenen treffen kann.«

Offensichtlich stolz, dass er verstanden hatte, versuchte Jan es noch einmal.

»Und der *Zeit*durchschnitt kann ein ganz anderes Ergebnis haben als der *Ensemble*durchschnitt … verstehe!«

Fitz wandte sich an Jeanne: »Alles klar? Die Mathematik scheint mir schlüssig.«

»Dann hätten sie damit womöglich auch recht«, sagte Jeanne, die inzwischen zu einer anderen Seite weitergeblättert hatte: zu einer Illustration des Schiefen Turms von Pisa. »Thompson und Will behaupten, die herrschenden wirtschaftlichen Modelle seien wie der Schiefe Turm von Pisa. Der sank wegen des schlechten Fundaments schon während der Bauarbeiten auf einer Seite ein. In der Folge versuchten die Baumeister wieder gerade zu werden, indem sie die oberen Etagen senkrechter bauten. Sie türmten buchstäblich Fehler auf Fehler, um die falsche Basis auszugleichen. Dadurch ist der Turm schief *und* krumm.«

»Dasselbe passierte der Ökonomie mit der Nutzenfunktion und dem Equilibrium, behaupten nun Thompson und Will«, meinte Fitz.

»Was für einen einzelnen Turm nicht so dramatisch ist«, sagte Jeanne, »aber für Grundpfeiler der modernen Ökonomie und manche politischen Theorien ein ziemliches Drama.« Sie sah auf. »Und nun haben Thompson und Will offenbar Teile der gängigen ökonomischen Theorien über den Haufen geworfen. Quasi den schiefen Turm abgerissen und einen Neubau begonnen.«

»War Zeit«, sagte Jan. »Der alte Turm taugte doch ohnehin nicht. Der konnte weder die letzten Krisen voraussagen noch die wachsende Ungleichheit verhindern.«

»Vielen Leuten wird das nicht gefallen«, sagte Jeanne. »Klassische Ökonomen sind ein sehr orthodoxes Völkchen. Viele glauben an ihre heiligen Schriften und das Wort ihrer Vorväter wie Kreationisten an die Bibel.«

»So wenig gefallen, dass sie Thompson und Cantor dafür ermorden?«, fragte Jan.

»Nicht die Ökonomen«, sagte Fitz nachdenklich. »Aber womöglich Menschen, die von den herrschenden Verhältnissen am meisten profitieren. Und deren Modelle man laut Thompson und Cantor nun mathematisch widerlegen kann.«

»Jeanne Dalli«, antwortete der junge Mann am Empfangstresen nach kurzer Konsultation des Computers. »Sie hatte einen Tisch reserviert.«

»Sie ist Gast?«

Fragender Blick zu Kreuzer. Nicken.

»Ja.«

»Ist sie da? Sehen Sie nach, wann sie zuletzt ihre Schlüsselkarte verwendet hat.«

Blick zu Kreuzer. Nicken.

»Vor einigen Minuten erst«, sagte der Mann. »Drei Mal. Zuerst die oben für Ted Holdens Suite, dann die zu ihrem Zimmer, um vom Treppenhaus in den Exklusiv-Suiten-Bereich zu gelangen …«

»Moment! Sie hat zwei Karten?«

»Ja«, entgegnete der Mann nach einem weiteren Kontrollblick zu Kreuzer. »Eine für die Top-Suite des Hauses. Die Mastercard hat Mister Holden selbst, mehrere Mitarbeiter bekamen weitere Karten zugeteilt. Die von Frau Dalli öffnete vor etwa zwanzig Minuten die Suite. Drei Minuten später öffnete die Karte für ihr eigenes Zimmer die Tür vom Treppenhaus in den Exklusiv-Suiten-Bereich …«

»Sie haben einen eigenen Bereich für …«

»… Suiten, der separat begeh- und bewohnbar ist«, erklärte Kreuzer. »Sehr beliebt zum Beispiel bei arabischen Großfamilien. Für den Gipfel hat ihn Ted Holden gebucht.«

»… und zwei Minuten später öffnete sie dann ihre eigene Junior-Suite«, führte der Empfangsherr aus.

»Warum über das Treppenhaus?«, fragte Maja. »Ist der Fahrstuhl kaputt?«

»Nein, der funktioniert«, erklärte Kreuzer.

»Zimmernummer«, forderte Maja, »die Dame will ich sehen, falls sie noch da ist.« An den Manager gewandt: »Sie kommen mit! Wie sieht es aus mit Kameras?«

»In den Eingangsbereichen, der Lobby, den Fahrstühlen«, quälte sich Kreuzer.

»Ihre Leute sollen inzwischen die Aufnahmen der letzten halben Stunde checken und herausfinden, wohin die beiden Männer verschwunden sind. Gehen wir!«

56

»Das ist ein interessanter Aspekt der Geschichte«, murmelte Fitz, der weitergelesen hatte. »Diverse *Biases* existieren unter diesem Modell gar nicht. *Wahrscheinlichkeitsvernachlässigung, Irrationalitäten bei der Verlustaversion, Hyperbolic Discounting …*«

»*Biases*?«, fragte Jan genervt. »Leute, bringt uns dieses Zeugs überhaupt weiter?«

»Voreingenommenheit, Irrationalitäten«, fuhr Fitz fort. »Zum Beispiel Wahrscheinlichkeitsvernachlässigung …«

»Wer denkt sich solche Worte aus?«

»So sagt man, wenn die Wahrscheinlichkeit für eine große Katastrophe verschwindend gering ist, aber die Menschen ihr trotzdem mehr Aufmerksamkeit widmen als den viel häufigeren kleineren Unglücken.«

»Aus Sensationssucht?«, schlug Jan gereizt vor.

»Nein. Die gängige Erklärung ist, dass Menschen Wahrscheinlichkeiten falsch einschätzen, also irrational sind«, führte Fitz seine Erklärungen ungerührt aus. »Wenn du wie beim üblichen Entscheidungsmodell den Ensembledurchschnitt rechnest, ist das tödliche Risiko nur eines von ganz vielen. Sagen wir zum Beispiel ein Flugzeugabsturz. Deshalb sollte man sich eigentlich weniger damit beschäftigen als mit den anderen Risiken, die häufiger vorkommen, wie etwa die ganzen Alltagsrisiken, von Finger an der Herdplatte verbrennen bis zum Diebstahl deines Portemonnaies.

Beim Zeitdurchschnitt dagegen darfst du nicht auf null fallen. Erinnere dich an die Bäuerin. Wenn sie auf null fällt, kommt sie aus eigener Kraft nicht mehr hoch und verhungert. Deshalb ist es ganz natürlich und keineswegs irrational, großen Risiken mehr Aufmerksamkeit zu schenken als kleineren, auch wenn das tödliche Risiko selten auftritt.«

»Denn vom Eintreten des großen Risikos erhole ich mich nicht mehr«, verstand Jan. »Nach dem Flugzeugabsturz bin ich tot. Eine kleine Brandblase dagegen ist nach ein paar Tagen verschwunden.«

»Hier«, sagte Jeanne und zeigte auf die Einleitung des Kapitels.

Wenn man ein fehlerhaftes Modell von Rationalität verwendet, erscheinen diverse eigentlich rationale Handlungen als »irrational«, »biased« oder »emotional«.

»Das ist sicher alles wahnsinnig interessant«, sagte Jan ungeduldig. Er schauderte bei dem Gedanken, dass die Killer sie im Hotel wiedergefunden hatten. Auch wenn sie den einen Hulk für den Moment abgehängt hatten – so hartnäckig, wie die immer wieder aufgetaucht waren, würden sie es bestimmt wieder tun. Wenn sie herausfanden, wo Fitz und er sich gerade aufhielten, saßen sie in Jeannes Zimmer in der Falle. »Könnten wir uns bitte endlich darum kümmern, wie das alles mit den Morden zusammenhängt?«, drängte er.

Doch Fitz blätterte bereits aufgeregt weiter. Hielt auf einer Seite mit kompliziert aussehenden Formeln und Grafiken inne.

Überflog sie.

»Das ist es!«, sagte er. »Das wollte Will mit der Bauernfabel erklären!« Las weiter, murmelte: »Und ich verstehe, warum … Das ist … cool!«

»Die Polizei ist im Haus«, informierte El das Team leise in sein Headset. »Die zwei haben wir gestern Abend schon gesehen, vor Fitzroy Peels Hotel.«

Nachdem Jack die Lobby hatte verlassen müssen, befand El sich allein im Inneren des Gebäudes. Jack hatte inzwischen gegenüber dem Estate Position bezogen, die anderen überwachten die restlichen Ausgänge. Peel und Wutte waren nirgends aufgetaucht. Noch mussten sie im Estate sein.

Die Zivilpolizistin stieg in einen Fahrstuhl, während ihr uniformierter Kollege in der Lobby wartete.

In Els Headset meldete sich ein Anruf. Der Auftraggeber.

»Änderung des Auftrags«, erklärte die Stimme. »Rufen Sie Ihre Leute zusammen. Halten Sie sich mit dem Wagen in der Garage auf Abruf bereit.«

In der Garage?

»Verstanden.«

Ende der Verbindung.

Jan schielte auf Jeannes Haar, über ihre Schulter auf ihr Ohr, ihre Wangenknochen. Jeanne starrte auf die Seiten voller Formeln.

»Sorry, das verstehe ich auch nicht«, sagte sie.

Auch? So wie er? Oder was meinte sie?

»Deshalb interessierte sich Will so für Kellys Arbeiten«, erklärte Fitz, während er noch immer die Rechnungen und Textzeilen dazwischen überflog. »Sie sind nur die Spitze eines Eisbergs, den die ablehnenden Ökonomen in den Sechzigerjahren nicht erkannten«, erklärte er fahrig. »Will und Thompson arbeiteten hier ja auf Basis der Arbeiten von Physikern und Mathematikern des London Mathematical Laboratory. Kelly ist nur *eine* Ausformung des Ergodenprinzips, das auf den berühmten österreichischen Physiker Ludwig Boltzmann in den 1870er-Jahren und die Arbeiten von Gibbs und Maxwell zurückgeht.«

»Jetzt geht der Physiker mit ihm durch«, bemerkte Jeanne zu Jan. Auch Jan faszinierte Fitz' Besessenheit wieder einmal so sehr, dass er seine eigene Angst darüber fast vergaß.

»Ergoden?«, fragte er. »War das nicht das mit den verschiedenen Durchschnitten beim Münzwurfspiel?«

»Ergodizität, ja.« Überrascht sah Fitz hoch, als hätte er Jan vergessen. »Gut gemerkt – oder eben Nicht-Ergodizität. Doch das Prinzip hilft nicht nur, wie bei Kelly Wetteinsätze zu optimieren«, murmelte er und versenkte sich wieder in das Manuskript, »sondern führt zu einer vollständig neuen Wirtschaftstheorie. Diese Londoner haben auch dazu ein Papier geschrieben, auf dem Thompson und Will aufbauten: ›Der evolutionäre Vorteil von Kooperation‹. Ich erkläre es gleich anhand der Bauernfabel.«

Mit seinem Handy schoss er Fotos von den Seiten, dann schnappte er sich den Hotelblock vom Schreibtisch.

»Was die hier liefern, ist der *mathematische Beweis* für ein ganz grundlegendes Prinzip. Ein Prinzip, von dem viele Menschen zwar seit Jahrtausenden annehmen, ja, intuitiv *wissen*, dass es existiert, für das es bislang aber eben keinen mathematischen Beweis gab: den Vorteil von Kooperation gegenüber Nicht-Kooperation – oder gegenüber Konkurrenz, Wettbewerb, nenne es, wie du willst. Allerdings hat man für diese Formeln besser ein paar Semester Physik oder Mathe studiert. Mit der Bauernfabel wollte Will das Prinzip wohl auch für Laien erklären.«

Fitz holte seine ursprünglichen Zeichnungen hervor und legte sie auf den Schreibtisch.

»Fitz«, unterbrach Jan seinen Schwung.

»Fitzroy ...«

»... sollten wir das nicht später ...?«

»Weshalb?«, fragte Fitz betont gelassen. »Hier sind wir sicher. Wer soll uns in Jeanne Dallis Zimmer vermuten?« Sein Finger legte sich schwer auf die Zeichnung. »Im Moment ist das hier wichtig. Auf jeden Fall für mich.«

»Fitzroy hat mich sehr neugierig gemacht«, unterstützte ihn Jeanne. »Ich möchte das jetzt auch wissen.«

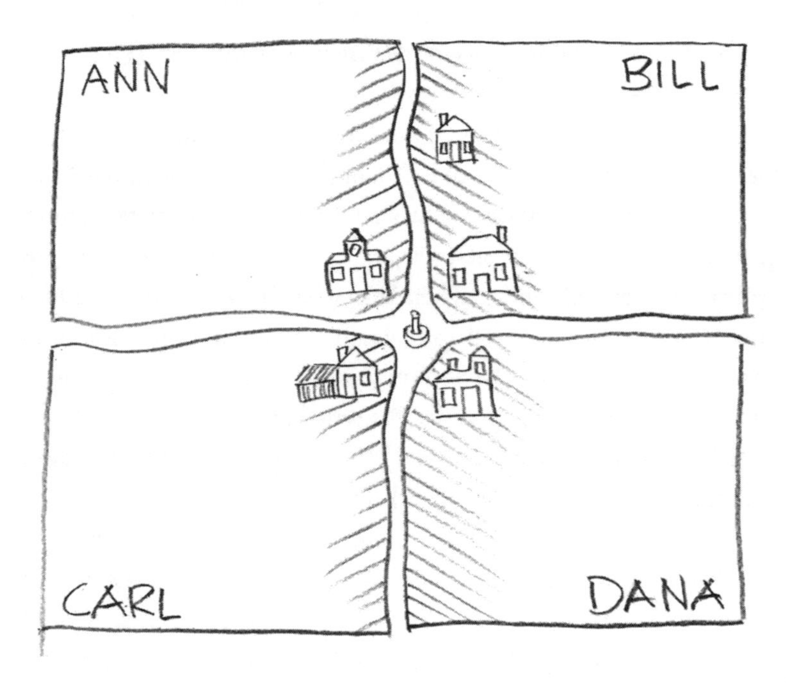

»Also«, setzte Fitz erneut an, »wir haben Ann, Carl, Bill und Dana. Alle fangen mit einer Ähre an. In Jahr eins machen Ann und Carl im Westen des Dorfes jeweils aus einer Ähre zwei. Im Osten machen Bill und Dana jeweils aus einer Ähre sogar vier.«

JAHR	ANN	CARL	DANA	BILL
	0	0	0	0
1	×2	×2	×4	×4
	00	00	0000	0000

»Gemeinsam haben Carl und Dana sechs Ähren erwirtschaftet. Wenn sie diese nun zusammenlegen und gleichmäßig unter sich verteilen …«

»Auf beide verteilen?«, fragte Jeanne. »Sind die Kommunisten?«

»Nein«, sagte Fitz, »warte ab.«

»Das ist klassische Umverteilung«, beharrte Jeanne. »Du nimmst der reicheren Dana etwas weg und gibst es dem ärmeren Carl. Das ist nett von dir, sehr solidarisch – zumindest mit Carl. Aber weshalb sollte Dana mitmachen? Aus Nächstenliebe?«

»Weil sie schlau ist, bemüht sie sich sogar darum! Weil längerfristig beide davon profitieren. Beide senken das Risiko, bei einem schlechten Jahr weniger zu bekommen, und steigern die Chance, von einem guten Jahr zu profitieren. Mathematisch formuliert senken sie dadurch ihre Fluktuation, was dem Wachstum hilft. Sieh her!«, sagte Fitz. »Bauern, die kooperieren – klingt fast wie Friedrich Raiffeisens Ideen. Wenn auch aus anderen Gründen …«

»Wer ist das nun wieder?«, fragte Jan.

»Was lernt Ihr in der Schule?«, fragte Fitz. »Egal. Weiter. Wir legen also Carls zwei und Danas vier Ähren aus dem ersten Jahr zusammen. Ergibt sechs. Gleichmäßig verteilt bedeutet das drei für jeden.«

JAHR	ANN	CARL	DANA	BILL
1	x2	x2	x4	x4

»Im nächsten Jahr verdreifacht sich auf Anns und Carls Feldern im Westen die Saat. Ann macht aus ihren zwei Ähren also sechs. Carl jedoch hatte eine bessere Ausgangsmenge für das gute Jahr auf seinem Feld, nämlich drei Ähren. Diese verdreifachen sich nun zu neun!«

Fitz setzte den Stift an.

»Er konnte also bereits mehr erwirtschaften als Ann, die nicht kooperiert.«

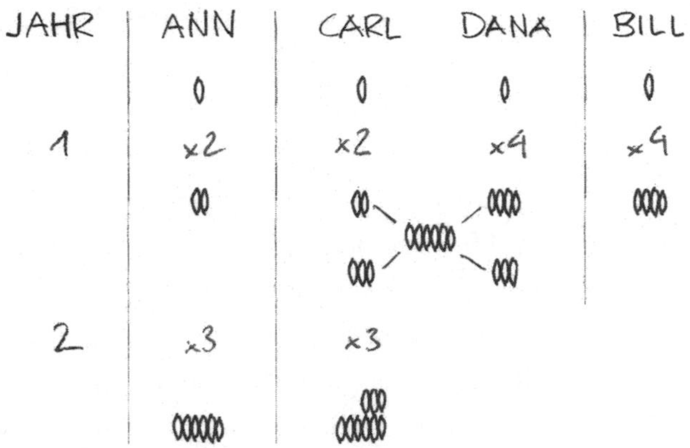

JAHR	ANN	CARL	DANA	BILL
1	x2	x2	x4	x4
2	x3	x3		

Er zeichnete weiter.

»Im Osten dagegen haben Bill und Dana ein schlechtes Jahr. Sie können gerade einmal so viel ernten, wie sie gesät haben. Ihr Wachstumsfaktor ist eins.«

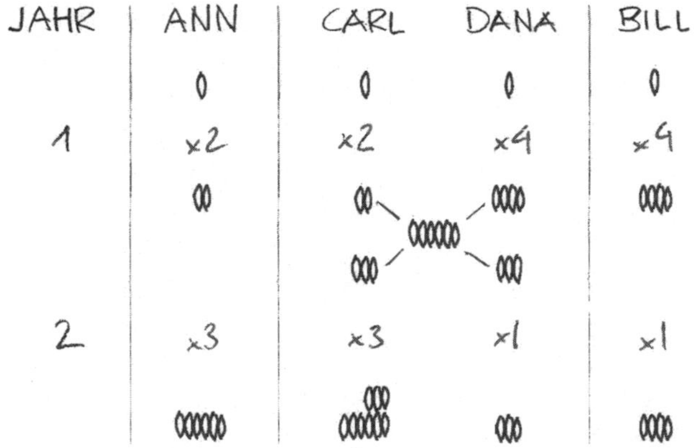

JAHR	ANN	CARL	DANA	BILL
1	x2	x2	x4	x4
2	x3	x3	x1	x1

»Aus Bills vier Ähren werden wieder vier. Aus Danas drei werden erneut drei.«

»Warte, warte!«, forderte Jan. »Nicht so schnell! Lass mich das noch einmal ansehen.«

Langsam ließ er den Blick über die Grafik wandern, von den Ähren des ersten Jahres über das Zusammenlegen, Aufteilen und Wachsen im zweiten Jahr rechnete er noch einmal alle nach.

»Tatsächlich!«, stellte er schließlich fest. »Carl und Dana schaffen gemeinsam zwölf Ähren! Während Ann und Bill im zweiten Jahr in Summe nur zehn Ähren haben!«

»Aber Dana hat jetzt nur drei Ähren«, wandte Jeanne ein. »Sie hätte vier haben können.«

»Macht nichts. Sie legen ja wieder zusammen und teilen gleichmäßig. Pardon, *ver*teilen *um*«, bemerkte Fitz mit einem spöttischen Blick zu Jeanne. »Dann haben beide je sechs Ähren.«

Er kritzelte auch diese Ähren auf das Blatt.

JAHR	ANN	CARL	DANA	BILL
1	×2	×2	×4	×4
2	×3	×3	×1	×1

»Dana hat also mehr als die drei zuvor und mehr als die vier, die Bill zur selben Zeit erwirtschaftet hat.«

Jan versuchte mitzukommen. Starrte auf die Zeichnungen, rechnete wieder alles nach. Verblüffend!

Das schien es auch für Jeanne zu sein.

»Das … Rechnen wir das weiter!«, murmelte sie aufgeregt.

Fitz zeichnete jetzt so schnell, wie er am Vorabend in der Kneipe die Punkte ausgerechnet und eingetragen hatte. »Jedes Jahr den Ertrag zusammenlegen und gleichmäßig aufteilen«, murmelte er.

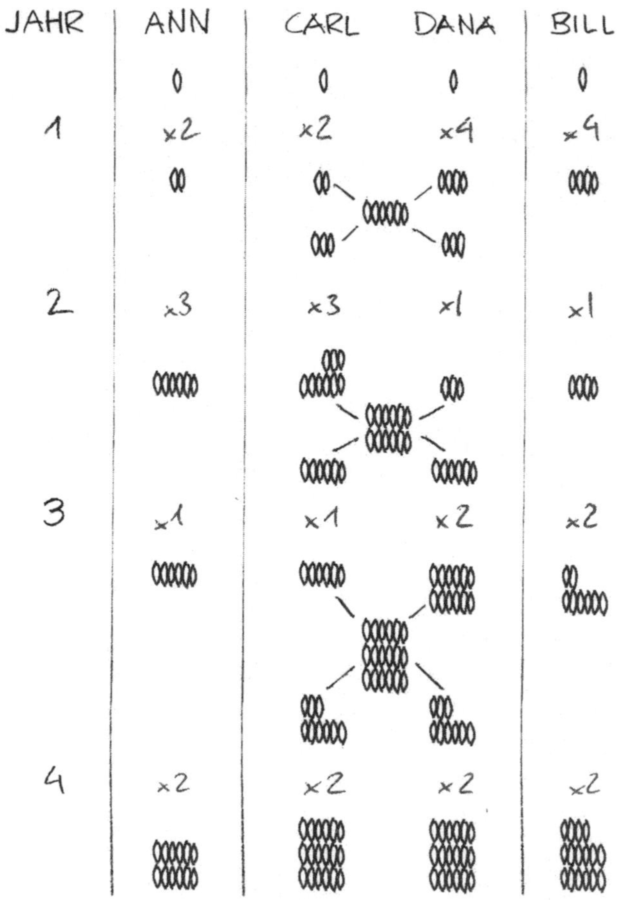

JAHR	ANN	CARL	DANA	BILL
	0	0	0	0
1	×2	×2	×4	×4
2	×3	×3	×1	×1
3	×1	×1	×2	×2
4	×2	×2	×2	×2

»Macht nach dem dritten Jahr neun Ähren sowohl für Carl als auch für Dana«, setzte Jeanne fort. »Das sind mehr als die sechs Ähren für Ann und die acht Ähren für Bill im selben Jahr.«

»Nach vier Jahren haben Carl und Dana jeweils achtzehn Ähren, von denen Wills Fabel am Beginn erzählt«, rechnete Fitz fertig. »Das ist es! Tatsächlich!«

Sie starrten auf das Blatt.

»Faszinierend«, sagte Jeanne. »Ohne ihre individuellen jährlichen Wachstumsraten zu erhöhen, steigern sie durch Kooperation trotzdem ihr Gesamtwachstum. Und erwirtschaften dadurch mehr als Ann und Bill.«

»Super«, sagte Jan, »und nun?«

»Muss man das in seinen Konsequenzen erst einmal sacken lassen«, sagte Jeanne leise. »Laut klassischer Ökonomie entstehen allgemeines Wachstum und mehr Wohlstand, wenn jede und jeder sich noch mehr anstrengt. Oder neue Technologien die Produktivität steigern. Oder durch Bevölkerungswachstum. Oder durch Kapitalakkumulation.«

»Kapital-was?«, fragte Jan ungeduldig, winkte aber gleichzeitig ab. Wollte er jetzt gar nicht wissen.

»Die Bauernfabel zeigt, dass das Gesamtwachstum auch bei *gleicher* Anstrengung und ohne neue Technologien und andere klassische Faktoren gesteigert werden kann, wenn wir Ressourcen und Gewinne besser verteilen.«

»Oder weniger arbeiten müssen, um das gleiche zu erreichen wie Ann und Bill«, sagte Fitz.

»Ökonomen vermuteten immer schon einen Zusammenhang zwischen Wohlstandsverteilung und Wachstum«, murmelte Jeanne. »Das hier ist die Mathematik dazu.«

Jeanne schwieg. Fitz schwieg. Jan schwieg. Rechnete nach.

»Jetzt verstehe ich, warum jemand Will und Thompson umbringen wollte«, flüsterte Jeanne. »Das ändert alles!«

57

Ungeduldig starrte Maja auf die Etagenanzeige des Fahrstuhls. Einer der Express-Lifte für den VIP-Suiten-Bereich war auf dem Weg zu ihnen in die Lobby. Er schien ewig zu brauchen. Jörn wartete währenddessen in der Lobby bei den anderen Fahrstühlen, falls Jeanne Dalli, Jan Wutte oder Fitzroy Peel auftauchten. Oder die Security auf den Bildern der Überwachungskameras etwas entdeckte.

»Wer ist dieser Ted Holden?«, fragte Maja den Manager leise.

»Ein US-Investor«, antwortete dieser noch leiser. »Vielfacher Milliardär, noch keine fünfzig Jahre alt.«

»Und Jeanne Dalli?«

»Gehört zu seiner Mannschaft. Sie haben die Top-Suite sowie elf Junior-Suiten und Zimmer gebucht.«

Buchte man also eben mal ganze Luxusetagen eines Luxushotels. Maja spürte eine heimliche Freude, die da oben etwas aufzumischen. Vielleicht stellte ihr Köstritz ja zu Recht Jörn als Aufpasser zur Seite. Da hätte er allerdings besser einen anderen genommen.

Endlich landete der Fahrstuhl im Erdgeschoss.

58

»Was ändert das?«, fragte Jan.

»Wo soll ich anfangen?«, murmelte Jeanne. »Eben: alles. Das hier erschüttert die Schlüsselkonzepte unserer modernen Gesellschaft in ihren Grundfesten! Das ist eine Revolution!«

So viel Pathos hatte Jan der Frau nicht zugetraut.

»Das ist zuerst einmal der *mathematische Beweis* für den Vorteil von Kooperation gegenüber Nicht-Kooperation oder Wettbewerb«, wiederholte Fitz nüchterner.

»Gab es den Beweis bisher denn nicht?«, fragte Jan blauäugig.

»Würden wir sonst dauernd hören, dass Wettbewerb der beste Weg zu Wachstum und Wohlstand ist?«

»Man sagt doch: ›Das Ganze ist mehr als die Summe der Teile‹«, erwiderte er.

»Eine Phrase, mehr nicht«, murmelte Fitz. Er klopfte auf das Manuskript. »Hier ist der *mathematische Beweis.*«

»Äh, ja«, warf Jan ein.

»Unsere westlich-demokratischen Gesellschaften bauen auf der Idee von Ann und Bill auf«, erklärte Jeanne. Sie klang jetzt so ganz bei der Sache wie Fitz. Alles andere schien wie weggewischt. »Jede und jeder sorgt für sich, so weit sie oder er dazu imstande ist. Nur wenn das jemand nicht kann, dann helfen die anderen. Oder auch nicht. Man arbeitet bloß dann zusammen, wenn man etwas nur gemeinsam schafft. Oder selbst dann nicht. Wenn ich allein nicht weiterkomme, helfen die Familie oder Freunde. Wenn die etwas nicht lösen können, übernimmt die Gemeinde, wenn Gemeinden etwas allein nicht können, koordiniert das Land, wenn Länder etwas nicht schaffen, macht es der Staat. In Europa gibt es darüber hinaus noch die EU und global die UNO. Oder eben nicht. Man nennt das Subsidiaritätsprinzip.«

»Ihr immer mit euren Fremdwörtern«, ächzte Jan. »Und dann auch noch auf Englisch.«

»Dieses Prinzip haben wir sozusagen als *Basis*-Einstellung unseres Gesellschaftssystems eingerichtet«, fuhr Jeanne fort. »Es bestimmt, was wir als Gesellschaft tun und wie wir es tun.«

»Kurz: Jeder für sich, außer ...«, fasste Fitz zusammen.

Jeanne zeigte auf seine Skizzen.

»Die Formel der Londoner und dieses Beispiel zeigen, dass wir als Grundeinstellung unseres Gesellschaftssystems sinnvollerweise genau das Gegenteil tun sollten: Alle miteinander, außer ...«

»Außer was?«

»Darauf gehen Thompson/Cantor ein.« Hektisch blätterte Fitz im Manuskript. »Aber es ist ohnehin klar: Außer, jemand will nicht mitmachen. Kooperation ist eine freiwillige Sache. Oder jemand will die anderen übers Ohr hauen und Trittbrett fahren. Indem er nur kassiert. Oder weniger beiträgt, zum Beispiel, indem er Steuern ›optimiert‹ oder hinterzieht. Oder gleich vorteilhafte Steuermodelle für manche schafft.«

»Für die Reichen«, begriff Jan.

Nachdenklich betrachteten sie Fitz' Zeichnung.

»Das herrschende ökonomische Paradigma des Gleichgewichts in der Wirtschaft, des *Equilibriums*, sieht damit plötzlich auch sehr alt aus«, sinnierte Jeanne.

»Darüber haben wir heute Nacht diskutiert«, erinnerte sich Jan. Jeannes Begeisterung wirkte sogar auf ihn ansteckend. »Du kannst niemandem etwas geben, ohne es jemand anderem wegzunehmen.«

»Vereinfacht, ja. Aber hier wird das Gegenteil bewiesen«, sagte Jeanne. »Durch Zusammenlegen und Teilen kommt am Ende mehr für alle heraus als durch Anns und Bills egoistisches Handeln. Es herrscht kein Streben nach Gleichgewicht, sondern dauernde Dynamik.«

»*Paradigmenwechsel*«, sagte Jan. »Das steht in Wills Notizen. Die Zeichnung mit den Weltbildern, der Wandel von der Erde im Zentrum zur Sonne als Mittelpunkt.«

»Genau das meinte Will wohl damit. Diese Arbeiten bedeuten einen Paradigmenwechsel für unser Menschen- und Gesellschaftsbild.«

Während Jeannes Erklärung hatte Fitz wieder eine Blitzzeichnung produziert. Auf ihr wurde das Kooperationsplus von Carl und Dana noch deutlicher.

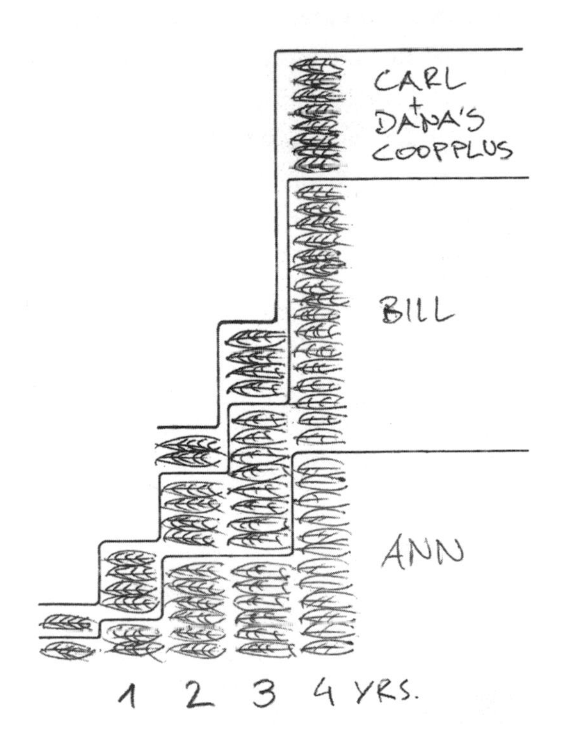

»Und das Schöne daran ist«, sagte Fitz, »Carl und Dana müssen für das bessere Ergebnis nicht wirklich mehr arbeiten!«

»Nicht wirklich?«, sagte Jan. »Gar nicht.«

»Ein wenig«, korrigierte Fitz. »Sie müssen das Aufteilen koordinieren. Und sich darum kümmern, dass auch beide langfristig mitmachen.«

»Es entstehen Transaktionskosten«, erklärte Jeanne. »Vor allem bei mehr als vier Bauern, in komplexen Gesellschaften, in Staaten, in der globalen Wirtschaft.«

»Dafür haben die Menschen Institutionen und Funktionen entwickelt«, sagte Fitz, »die für die Verteilung sorgen sollen. Märkte, Politik, in Firmen Manager.«

»So recht funktionieren die aber nicht«, widersprach Jan. »Irgendwie haben doch ausgerechnet diese Verteiler – Banker, Händler, Manager – immer am meisten Körner, also Geld, statt dass es bei den Bauern landet, die daraus neue Körner machen könnten.«

»Wo du recht hast …«, sagte Fitz grinsend. »Das ändert aber nichts am grundlegenden Vorteil des Prinzips Kooperation. Sie müsste nur anders organisiert sein als derz…«

Erschrocken starrte er zur Tür, an der in diesem Moment jemand klopfte.

Jans Herz blieb für einen Moment stehen. Aber die Killer würden doch nicht höflich klopfen …

»Jeanne Dalli?!«, rief eine Frauenstimme von draußen.

»Polizei! Können wir bitte kurz mit Ihnen sprechen? *Can we talk to you for a moment, please?!*«

Sechste Entscheidung

»Unter gewissen Umständen erlaubt das Prinzip, dass selbst kleine Einheiten komplexe Strukturen zerstören.«

Will Cantor

59

Maja klopfte noch einmal.

»Frau Dalli? Sind Sie da?«, wiederholte sie auf Englisch.

»Hold on a sec!«, antwortete es von drinnen.

Maja hörte die Absätze hoher Schuhe näher stöckeln.

Die Tür wurde geöffnet von einem Fotomodell Ende zwanzig. In erkennbar teurem Geschäftskostüm. Zarter Duft eines teuren Parfums schwebte Maja entgegen.

»Polizei?«, fragte Dalli auf Englisch mit einer Andeutung von Irritation. »Was kann ich für Sie tun?«

»Ich bitte Sie vielmals um Entschuldigung«, schoss der Manager sofort los, »aber die Polizei …«

»Uns wurde mitgeteilt, dass Sie vor Kurzem in der Lobby zwei Männer trafen, die wir suchen«, unterbrach ihn Maja, »Fitzroy Peel und Jan Wutte.«

»Ich … ja«, antwortetet sie überrascht. »Weshalb suchen Sie die beiden denn?«

»Wir wüssten gern, warum Sie sie getroffen haben und ob Sie wissen, wo sie sich jetzt aufhalten?«

»Ja, dann … kommen Sie herein«, sagte Dalli und trat zur Seite. Souverän, gelassen. Etwas in ihrem Auftreten sagte Maja, dass diese Frau aus härterem Holz war, als ihr attraktives Äußeres auf den ersten Blick vermuten ließ.

Eine Junior-Suite mit einem Schafzimmer und einem Wohn-/

Arbeitsraum. Fast so groß wie Majas Wohnung. Auf dem Bett lagen zwei Blusen und ein Blazer ausgebreitet, der Kleiderschrank stand offen. Sonst wirkte die Suite sehr aufgeräumt und ordentlich. Fast unbenutzt. Durch die raumhohe Glaswand blickte man in den weitläufigen Garten des Estate.

»Ich muss zum Gipfel«, erklärte Dalli. »Kann ich Ihnen etwas anbieten?«

»Danke«, sagte Maja, »wir sind gleich wieder weg.«

Mit dieser Frau brauchte sie nicht zu spielen.

»Peel und Wutte«, sagte Jeanne Dalli, »ich habe in der Lobby einen Kaffee mit den beiden getrunken. Peel kontaktierte mich heute Morgen, weil er über einen gemeinsamen Bekannten reden wollte.«

»Worum ging es dabei?«

»Gespräche, die dieser alte Bekannte mit mir geführt hatte. Vor Monaten. Ein fachliches Thema«, winkte sie ab, »nicht weiter interessant. Finanzen und Wirtschaft.«

Sie schielte auf ihre teure Armbanduhr. Maja ließ sich davon nicht irritieren.

»Finanzen und Wirtschaft«, wiederholte Maja, »spannend. Sie haben nicht rein zufällig über Herbert Thompson gesprochen?«

Damit hatte Maja sie überrascht. Oder doch nicht?

»Den Nobelpreisträger? Der heute Nacht womöglich gestorben ist?«

»Womöglich?«

»Oder hat die Polizei inzwischen offiziell seinen Tod bestätigt?«

»Nein.«

»Weshalb sollten wir über ihn sprechen?«

»War nur eine Frage.«

Erneutes Schielen auf die Uhr.

»Was hat Wutte mit einem gemeinsamen Bekannten von Ihnen und Peel zu tun?«, fragte Maja. Etwas an der Frau fühlte sich seltsam an. Zu glatt. Zu professionell. Zu vorbereitet. Aber vielleicht musste man das im Assistenzteam eines Multimilliardärs sein.

»Das habe ich nicht gefragt. Er hat nichts gesagt, soweit ich mich erinnere. Womöglich begleitete er Peel nur?«

»Wer war dieser gemeinsame Bekannte?«

»Ein gewisser Will Cantor.«

In dessen Zimmer Peel und Wutte gestern Abend eingebrochen waren. Wenn du jemanden anlügen willst, bleib möglichst nah an der Wahrheit, wusste Maja. Vielleicht wusste Jeanne Dalli das auch.

»Will Cantor ist oder war auch in Berlin«, sagte sie. »Wussten Sie das?«

»Erst, als Peel mir davon erzählte. Ich habe Will seit Monaten nicht gesehen.«

»Wissen Sie, wo die zwei jetzt sind?«

»Keine Ahnung. Ich habe die Lobby vor ihnen verlassen. Weshalb suchen Sie die beiden denn so dringend?«

Vielleicht musste sie diese Frau erschüttern.

»Wegen Mordes.«

Das entlockte ihrer Miene nun doch eine Regung.

»Mord?! An wem?«

Maja beschloss, es zu versuchen.

»Herbert Thompson.«

»Ich dachte, das war ein Unfall!«

»So wird in den Medien berichtet«, sagte Maja.

»Aber«, sagte Jeanne Dalli, »wenn die beiden etwas damit zu tun hätten, marschieren sie doch nicht am helllichten Tag in ein Top-Hotel mitten in der Stadt.«

Die hatte auf alles eine Antwort. Da war vorerst nichts zu holen. Maja reichte ihr eine Karte.

»Danke für Ihre Zeit. Falls Ihnen noch etwas einfällt, Sie etwas erfahren oder sich die beiden noch einmal melden, rufen Sie mich bitte an.«

»Das mache ich nicht noch einmal!«, zischte Jeanne, nachdem sie zwei Minuten mit dem Ohr an der Zimmertür gewartet hatte. Jan und Fitz standen in der offenen Badezimmertür, Fitz mit dem Papierstapel unter dem Arm.

»Danke«, wiederholte er.

»Ich hätte ihr einfach euch und die Papiere übergeben und alles erzählen sollen«, sagte sie.

»Und was hätte das gebracht?«, erwiderte Fitz. »Nichts! Wir können nur behaupten, dass sie aus Ted Holdens Safe stammen, nicht beweisen. Noch weniger können wir beweisen, dass Wills Notizen dabei waren. Und die sind die einzige Verbindung.«

»*Mögliche* Verbindung«, korrigierte Jeanne. »Ich habe genug davon. Ich muss dringend los. Davor muss ich die Unterlagen zurück in Teds Safe bringen, sonst schöpft er Verdacht.«

»Aber …«

»Nichts aber.«

Sie nahm Fitz den Stapel ab. Sortierte seine Zeichnungen aus, schob den Rest in den Umschlag.

»Ich müsste längst beim Gipfel sein«, sagte sie. »Ted Holden wird sich schon wundern.«

»Er wird sich sowieso wundern, sobald diese Arbeit veröffentlicht ist«, sagte Fitz.

»Ich gehe jetzt«, sagte sie. Streckte Fitz die offene Hand entgegen. »Meine Zimmerkarte, bitte.«

Fitz reichte sie ihr.

»Für den Fall, dass da draußen noch jemand ist. Wartet zehn Minuten, nachdem ich gegangen bin, bevor ihr verschwindet.«

Endlich! Jan konnte es kaum erwarten, hier rauszukommen!

»Was willst du jetzt tun?«, fragte Fitz hinter ihr her.

Ohne sich umzudrehen oder anzuhalten, zuckte sie mit den Schultern. »Keine Ahnung.«

In dem zweiten Raum hinter dem Empfangstresen des Hotels saßen zwei Männer vor meterlangen Monitorbatterien, als Maja und Jörn dem Manager in den Raum folgten. Jeder von ihnen blickte auf zwanzig Bildschirme, die mit sanftem Schwung in zwei Zehnerreihen übereinander vor ihnen angeordnet waren.

»Haben Sie etwas gefunden?«, fragte Kreuzer.

»Da sind sie«, sagte der jüngere von beiden und zeigte auf den Bildschirm vor sich. »In der Lobby, beim Kaffee mit Frau Dalli.«

Im Schnelldurchlauf spulte er das Band vor, die drei Gefilmten zappelten über den Bildschirm, standen auf, riefen einen Kellner, redeten, verabschiedeten sich von Jeanne Dalli, Wutte und Peel blieben, zahlten, redeten noch einmal kurz mit dem Kellner und standen auf.

»Sie gehen nach hinten in die Lobby«, erklärte der Sicherheitsmann, zeigte die entsprechenden Bilder, »und verschwinden im Treppenhaus.«

»Verdammt!«, fluchte Maja. »Haben Sie dort auch Kameras?«

»Nein.«

»Auf dem Flur zu Jeanne Dallis Zimmer?!«

»Nur in den normalen Fahrstühlen. Ab dort haben unsere Gäste Privatsphäre.«

»Erst recht im Exklusiv-Suiten-Bereich«, fügte Kreuzer hinzu. »Da beginnt die Privatsphäre schon in den Express-Fahrstühlen.«

»Sie haben Extra-Aufzüge für die Suiten?«, fragte Jörn ungläubig.

»Für den Exklusiv-Suiten-Bereich«, erklärte Kreuzer stolz.

»Wir müssen noch einmal hinauf zu Dallis Zimmer«, sagte Maja. »Und in Ted Holdens Suite.«

»Weshalb dorthin?«, fragte Kreuzer alarmiert.

»Weil Dalli dort auch war. Vielleicht sind Wutte und Peel da.«

»Wir sollen diskret vorgehen«, erinnerte Jörn sie.

»So diskret wie du gestern bei den Hausbesetzern? Los, gehen wir!«, sagte sie zu Kreuzer.

»Ich kann Sie doch nicht einfach in unsere Suiten lassen!«, protestierte der Manager.

»Aber potenzielle Mörder schon?«, fragte Maja hart.

»Wollen sie den anderen auch noch sehen?«, unterbrach sie der Sicherheitsmann vor den Bildschirmen.

Wovon redete der Kerl?

»Welchen anderen?«, fragte Maja unwirsch.

60

Jeanne legte das Kuvert genau so in den Safe zurück, wie sie es herausgenommen hatte. Sie wusste noch immer nicht, was sie von alldem halten sollte. Wie war Thompsons und Wills Manuskript zu Ted gelangt? Thompson war ein langjähriger Berater Teds, manche würden ihn sogar als Freund bezeichnen. Warum sollte er Ted die Unterlagen nicht gegeben haben? Kopfzerbrechen bereitete ihr dieses eine vollgekritzelte, verknitterte Blatt, dessen Abdruck Fitzroy und Jan in Wills Hotelzimmer gefunden haben wollten. Fitzroys Frage war berechtigt. Wie war es zu Ted gelangt, noch dazu gemeinsam mit einem Manuskript und Redenotizen zweier Männer, die am Vorabend ums Leben gekommen waren – wenn man Fitzroy und Jan glaubte, durch Mord?

Doch für diese Erzählung hatten die beiden ebenso wenig Beweise wie für den Rest der Geschichte. Andere Erklärungen waren genauso möglich.

Der Handschriftenzettel war das einzig neue Element. Fitzroy hatte die Stelle im Manuskript gefunden, auf die das anschauliche Bauerngleichnis zurückgehen könnte. Die Verfasser der beiden Texte konnten etwas miteinander zu tun haben. Vielleicht stammte der Wisch tatsächlich von Will. Aber wer wusste, wie Fitzroy und Jan tatsächlich in dessen Besitz gelangt waren? Will war ein alter Bekannter Fitzroys. Womöglich hatten sie nicht nur vorgehabt, sich zu treffen, sondern es tatsächlich getan. Vielleicht hatte Fitzroy Will in dessen Zimmer aufgesucht und das Papier zufällig entdeckt. Hatte die Bedeutung der Idee erkannt und war selbst hinter dem Original her? Fabulierte ihr nur irgendwelche Geschichten von Killern und Teds Verwicklung in Morde vor, um an die Unterlagen zu kommen? Nein, sie wusste nicht, was sie glauben sollte. Diese Gedanken gingen ihr durch den Kopf, während sie zum Express-Fahrstuhl der Exklusiv-Suiten eilte. Nachdenklich drückte sie den Knopf neben der Lifttür, die sich lautlos öffnete.

»Hallo, Jeanne«, sagte der Mann in der Kabine sanft.

Jeanne schoss das Blut in den Kopf. »Was machst du hier?«

Er legt den Finger auf die Lippen.

Pssst. Sei still.

61

»Und jetzt?«, fragte Jan. »Was machen wir jetzt?«

Fitz studierte seine Zeichnungen.

»Wir warten noch ein paar Minuten«, sagte er, »wie Jeanne es gesagt hat.« Er widmete sich wieder dem Papier.

»Das Beispiel widerlegt auch den berüchtigten Ausspruch unserer ebenso berüchtigten ehemaligen Premierministerin Margaret Thatcher«, sagte Fitz. »*There is no such thing as society.* – So etwas wie ›Gesellschaft‹ gibt es nicht.«

»Meine Gesellschaft bist du gleich los, wenn du so weitermachst«, blaffte Jan. »Ich will hier weg. Das Zeug da interessiert mich gerade gar nicht!«

»Sollte es aber«, antwortete Fitz abwesend und griff sich den Stift. »Wow, hatte sie unrecht!«

Das darf nicht wahr sein! Sollte der Kerl doch in seiner komischen Mathewelt leben. Musste Jan sich um die Realität kümmern. Sein Blick irrte durch den Raum. Entdeckte ein Handy auf dem Sofa.

»Jeanne hat ein Telefon vergessen«, sagte er.

Fitz antwortete nicht, zeichnete eine Klammer neben *Carl + Dana's Coop Plus*. Daneben schrieb er zwei Worte:

Society. Gesellschaft.

»Hier ist sie, die Gesellschaft! Der Extrawohlstand, der durch Zusammenarbeit entsteht. Der *nur* durch Kooperation *möglich* wird! Durch Gesellschaft.«

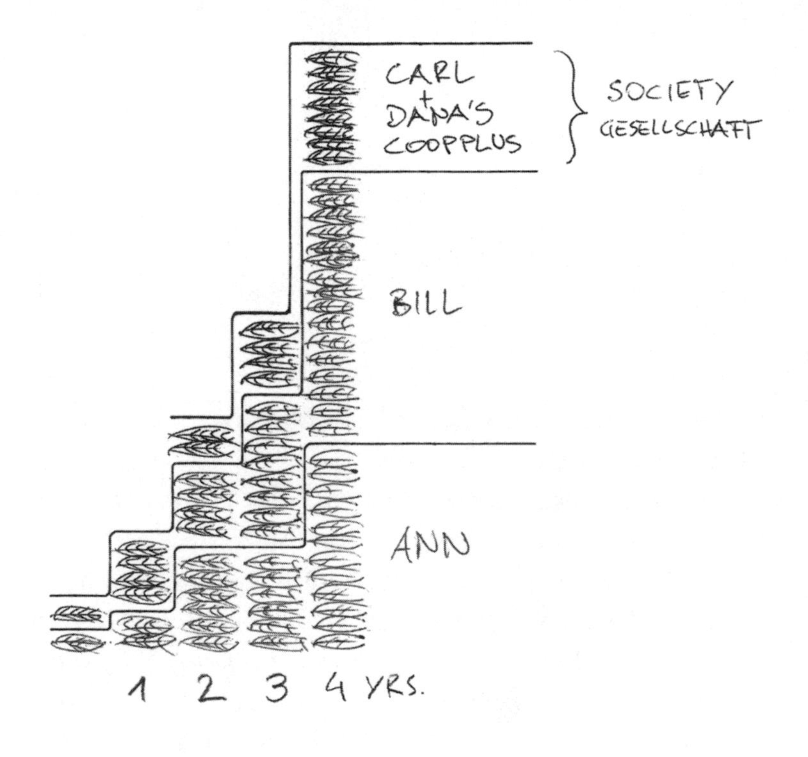

»Dann sollten wir zwei vielleicht einmal mit Zusammenarbeit anfangen!«, blaffte Jan. »Was machen wir jetzt?«

»Wir arbeiten seit gestern Abend zusammen«, sagte Fitz, »und nicht zu schlecht, würde ich sagen. Sieh dir an, was wir herausgefunden haben!«

»Du bist echt nicht ganz dicht! Sind diese Formeln das Einzige, was dich interessiert? Gerade hat uns wieder diese Polizistin wegen Mord gesucht! Und …«

»Jetzt mach mal halblang. Die wollte bloß Jeanne provozieren. Das hier … das ist groß!« Er schoss ein Foto der Zeichnungen. Tippte. »Ich schicke das alles an Nida und Kim. Die wird das auch interessieren.«

Ich habe eher den Verdacht, dass dich Nida interessiert.

»Und es wird noch paradoxer!«, begeisterte sich Fitz. »Die moderne Ökonomie geht vom Menschenbild des egoistischen Nutzenmaximierers aus, des *homo oeconomicus*. Das …«

»Fitz!«

»Fitzroy … Das besagt: Der Mensch tut alles, um seinen persönlichen Vorteil zu steigern. Kapitalismus wird von Eigeninteresse getrieben, von Gier.«

»Ich werde nicht von Gier getrieben, sondern habe höchstes Interesse daran, dass mich die Bullen nicht verknacken!«, rief Jan.

»Gier nach Freiheit also«, meinte Fitz.

»Und was ist mit den Killern? Die werden auch nicht irgendwo hocken und Däumchen drehen!«

»Hier kann uns keiner vermuten, hier sind wir sicher«, sagte Fitz und starrte währenddessen auf seine Zeichnung. »In Wills Beispiel sind es Ann und Bill, die von Gier getrieben sind. Jeder denkt nur an sich. Aber so sind die Menschen nicht. Zumindest nicht nur. Menschen sind auch altruistisch, selbstlos, mitfühlend, sie helfen anderen …«

»Klingt ganz nach unseren schwarz gekleideten Killerfreunden«, spottete Jan

»Die Bauernfabel zeigt: *Aus Gier* sollte man *zusammenlegen und teilen*!«, rief Fitz. »Gier ist gut!«, rezitierte er. »Gier ist richtig! Erinnerst du dich? Kultfilm der Achtzigerjahre, ›Wall Street‹.«

»Alter!«, spottete Jan. »Lange vor meiner Zeit.«

»So hat sich Gordon Gecko das wohl nicht vorgestellt!« Fitz brach in Gelächter aus, während er die Zettel zusammenfaltete und einsteckte. »Wer langfristig mehr erreichen will, darf nicht versuchen, andere übers Ohr zu hauen oder ihnen möglichst viel wegzunehmen! Wer richtig gierig ist, muss den anderen etwas geben! Solidarität, Altruismus oder Wohlfahrt sind keine romantischen Ideen. Ganz unsentimentale, rationale Mathematik beweist: Langfristig sind sie der bessere Deal für alle!«

»Der beste Deal wäre, jetzt mit mir abzuhauen.«

»Legen Sie die Hände hinter den Kopf, und bewegen Sie sich dann nicht mehr.«

In Jan explodierte Lava.

Auf halbem Weg von der Tür zu ihnen stand ein großer, athletischer Mann, dunkler Anzug und Krawatte, kantige Gesichtszüge, millimeterkurz geschorenes Haar, ein kaum sichtbares Headset im Ohr. In der Rechten eine Pistole. In deren Lauf Jan blickte. In der anderen Hand hielt er auf etwa derselben Höhe ein Mobiltelefon. Eine zivilisiertere Variante der Typen, von denen sie seit gestern Abend gejagt wurden. Hinter ihm zwei weitere seiner Art.

Scheiße!

Scheiße, Scheiße, Scheiße!!!

62

Fitz hatte das Telefon fallen gelassen und seine Hände an den Hinterkopf gelegt.

Jan folgte seinem Beispiel.

Zwei weitere Anzugträger mit Waffe kamen herein. Gemeinsam umstellten sie Jan und Fitz.

»Versuchen Sie erst gar keinen Unsinn«, sagte der Anführer. »Wir werden Ihnen nun Handfesseln anlegen und Sie dann der Polizei übergeben.«

Zwei der Männer packten Jans Handgelenke und wanden sie geschickt auf seinen Rücken.

Wenigstens waren es nicht die Killer!

»Aus welchem Grund?«, fragte Fitz. »Wir haben nichts getan!«

»Kannst ihm ja mal deine Kooperationstheorie erklären«, spottete Jan. »Vielleicht überzeugt ihn die, nett zu uns zu sein.« Leise zischte er: »Warum hast du nicht auf mich gehört? Wir hätten längst weg sein sollen. Von wegen sicher!«

Er spürte ein schmales, hartes Band, das mit einem leisen Ratschen zusammengezogen wurde, bis es ihm in die Haut schnitt.

»Lasst mich!«, rief Jan. »Hil…«, setzte er an, doch sein Ruf versickerte in jämmerlichem Gewimmer, als ihn der Kerl zwischen den Beinen packte und so fest zudrückte, dass ein galliger Schmerz über Jans Unterbauch und Magen bis in seinen Hals schoss. Fast hätte er sich übergeben. Mit einem zweiten Druck jagte der Mann eine weitere Schmerzwelle durch Jans Körper.

»Keinen. Unsinn«, wiederholte der Mistkerl. Jan nickte, zusammengekrümmt, sein Kopf platzte beinahe.

Sie legten ein zweites Band um Jans Handgelenke. »Kabelbinder«, sagte der Anführer. »Die halten.«

Fitz hatten die beiden anderen genauso verpackt. Außerdem hatten sie Fitz' Handy an sich genommen.

»Wir gehören zu Mister Holdens Sicherheitsteam und haben Sie bei einem Einbruch erwischt«, sagte der Mann. »Bis zur Übergabe an die Polizei halten wir Sie fest. Kommen Sie!«

»Wir sind nicht einge…«

»Wo ist denn die Karte, mit der Sie die Tür geöffnet haben?«

»Die …«, setzte Jan an.

Verdammt! Die Karte hatte Jeanne zurückgefordert, bevor sie gegangen war. Noch immer stach der Schmerz in seinem Unterleib, würgte ihn.

Die Männer schoben sie zum Ausgang. Dort warteten noch zwei.

»Sehr gut!«, sagte Fitz. »Die Polizei hat hier eine ganze Menge zu untersuchen. Etwa, wie die Notizen zu Herbert Thompsons Rede und ein Manuskript zu ziemlich spannenden neuen gesellschaftspolitischen und ökonomischen Konzepten von Thompson und einem zweiten Autor in den Safe von Ted Holden kommen. Nur ein paar Stunden, nachdem die beiden bei einem angeblichen Unfall starben. Konzepte, die Ted Holden nicht immer gefallen dürften.«

Jan hörte alles nur wie durch einen Nebel. Nun kam noch Angst zu dem pochenden Stechen in seinem Rumpf dazu.

»Das können Sie alles gern erklären. Ich glaube allerdings nicht, dass sich die Polizei für politische oder ökonomische Konzepte interessiert. Zumal die Polizei – selbst wenn sie, was ziemlich ausgeschlossen ist, in den Safe blicken wollte oder dürfte – dort nichts finden würde.«

»Dann eben woanders. Auf Computern von Thompson und Cantor, in Notizheften …«

»Machen Sie sich keine Hoffnungen, dass Sie der Polizei irgendwelche Märchen erzählen können, für die es keinerlei Beweise gibt.«

Fitz und Jan wechselten einen Blick. In Fitz' Augen meinte Jan dieselbe Frage zu erkennen, die ihm durch den Kopf ging:

Wo ist Jeanne?

63

»Was ist das für eine Geschichte?«

Auf dem Bildschirm war Kreuzer mit vier Mitarbeitern zu sehen, wie sie in der Lobby mit einem dunkel gekleideten Typen diskutierten. Riesenkerl, kahl rasiert, Sonnenbrille.

»Sieht aus wie Security«, sagte Jörn.

»Das hat er auch gesagt«, erwiderte Kreuzer. »Wutte und Peel behaupteten dem Kellner gegenüber, dass er mit einer Waffe hantiert hätte. Daraufhin mussten wir ihn überprüfen.«

Die Gruppe auf dem Bildschirm hampelte im Zeitraffer zum Ausgang, durch den der finstere Muskelberg das Gebäude verließ.

»Er wies sich nicht aus, gab den Beleidigten und ging.«

»Sie haben ihn gelassen?«, fragte Jörn.

»Er hatte nichts getan«, sagte der Manager.

»Und, hatte er eine Waffe?«

»Eine Pistole. Gesichert im Holster am Gürtel.«

»Kann also Security gewesen sein«, sagte Jörn.

»Damit können wir uns später noch beschäftigen«, sagte Maja. »Erst mal zu Holden und noch mal zu Dalli.«

»Das kann ich nicht er…«

»Ich kann auch mit einem Durchsuchungsbefehl und einer Hundertschaft wiederkommen«, unterbrach Maja Kreuzer sanft. »Wie fänden *das* Ihre höchststehenden Gäste?«

Jörn wollte zum Reden ansetzen, doch Maja hielt ihn mit

einem drohenden Blick davon ab. Als Wachhund war er ebenso unfähig wie als Ermittler.

Entgeistert starrte sie der Hoteldirektor an.

»Wir können doch nicht …«

»Ich sage nur: Hundertschaft.«

»Was sollen wir denn …«

»Ihnen fällt etwas ein.«

»Mitkommen«, befahl Holdens Sicherheitsmann. Seine Waffe drückte in Fitzroys Rippen. »Und keinen Mucks!«

»Wohin?«, fragte er. »Ich dachte, Sie übergeben uns der Polizei?«

»Das werden wir auch«, sagte er. Die Männer zerrten sie weiter. Ihr Anführer blieb zurück und telefonierte. Den Inhalt des Gesprächs konnte Fitzroy nicht hören.

»Weshalb warten wir nicht hier?«, fragte Fitzroy. Etwas lief hier seltsam.

Der Fahrstuhl wartete auf sie mit offener Tür. Die Männer bugsierten sie hinein und drängten sich dazu. Der Lift war für zehn Personen zugelassen, aber die meisten von ihnen waren groß und muskelbepackt, was die Sache eng machte.

Niemand sagte ein Wort. Jan lehnte bleich an der Wand, Nachwehen seiner Leistenraumbehandlung. Fitzroy starrte auf die Etagenanzeige über ihren Köpfen. 2, 1, E. Der Fahrstuhl passierte das Erdgeschoss, in dem sich Rezeption und Ausgang befanden, und setzte seine Fahrt Richtung Unterwelt fort.

»Die Polizei übernimmt uns in der Tiefgarage?«, fragte Fitzroy alarmiert.

»Möchten Sie in Ihrem Zustand lieber durch die Lobby eskortiert werden?«, fragte der Anführer.

Der Lift hielt, die Türen öffneten sich.

Auf dem Flur davor wartete Jeanne.

»Ich brauche Kopien der Aufzeichnungen, auf denen die zwei Männer zu sehen sind«, sagte Maja während der Fahrt hinauf. »Und die mit dem komischen Securitytypen auch.«

»Können wir das dann wenigstens offiziell machen?«, fragte der Manager kühl. Jörn hatten sie unten bei den Bildschirmen gelassen, für den Fall.

Sie erreichten die Suiten-Etage. Die Tür blieb geschlossen. Kreuzer drückte auf einen Knopf neben der Tür.

»Zimmerservice«, rief er in ein unsichtbares Mikrofon.

Er wartete mit gebeugtem Rücken und zur Seite geneigtem Kopf.

Als er keine Antwort bekam, drückte er noch einmal.

»Zimmerservice!«

»Da ist keiner!«, sagte Maja ungeduldig. »Jetzt machen Sie schon auf!«

Wie von Zauberhand glitten die Türflügel zur Seite.

»Nobel«, stellte sie trocken fest.

Tiergarten, Brandenburger Tor, das ganze Programm lag ihr hinter der Glaspanoramawand des Wohnsalons zu Füßen. Der Tiergarten war schon schwarz von Menschen. Mindestens drei Hubschrauber drehten ihre Runden. Selbst durch die sicherlich exklusivst gedämmten Scheiben der Suite drangen leise das Knattern der Rotoren und die Sirenen der Einsatzwagen. Von rechts hörte sie ein schnarrendes Rattern.

Sie eilte durch den imposanten Raum bis zu einer Glastür, hinter der in einem großen Büro ein junger Mann in dunklem Anzug Papierstapel in eine laute Maschine schob. Erst jetzt bemerkte er sie. Bevor er reagieren konnte, hatte Maja ihren Ausweis gezückt.

»Polizei!«, rief sie.

Der Mann zögerte, dann entspannte er sich.

»Ich habe Sie nicht gehört«, erklärte er entschuldigend mit einer Geste zu der lauten Maschine.

Maja erkannte das Headset in seinem Ohr, die athletische Figur und Haltung, die charakteristischen Ausbeulungen um den Brustbereich, wo das Pistolenholster unter dem Sakko verborgen hing. Security. Sie steckte ihren Ausweis weg. Die Maschine verstummte, der Mann riss ein paar Seiten aus einem gebundenen Papierstapel, der auf einem Kuvert daneben lag. Auf den Seiten erkannte Maja Text und etwas, das wie mathematische Formeln und statistische Grafiken aussah.

»Sind Sie allein hier?«

»Die anderen sind beim Gipfel«, erklärte der Mann und fuhr mit seiner lautstarken Arbeit fort.

Maja warf einen flüchtigen Blick durch die Glastüren in das anschließende Besprechungszimmer. Hier war niemand.

»Entschuldigen Sie die Störung«, sagte Kreuzer.

»Kein Problem, Sie machen nur Ihren Job«, antwortete der Mann und schob den nächsten Stapel Papier in den Schredder.

Jörn verfolgte, wie einer der beiden Operatoren im Videoüberwachungsraum des Estate die Szenen der vergangenen Stunde im Schnelldurchlauf zurückspulte. Darauf hastete der schwarz gekleidete Gast rückwärts vom Eingang zurück, umgeben von Kreuzer und den drei anderen, der Manager und seine Kollegen verschwanden verkehrt gehend aus dem Bild, der Mann stand da eine ganze Weile, bis auch er vom Monitor verschwand. Er hatte dort über eine halbe Stunde gewartet, wie der Zeitcode zeigte.

Der Operator suchte die Anschlussszene der entsprechenden Kamera. Da kam der Typ durch den Haupteingang, blickte sich kurz um und bezog dann seine Position.

Der Operator spielte die erste Aufzeichnung wieder vor.

»Auf wen hat der Mann dort gewartet?«, fragte Jörn, eher rhetorisch. »Oder wen hat er beobachtet?«

Der Operator stoppte das Bild, ließ weiterlaufen. Stoppte. Dazwischen schien der dunkle Muskelmann auf dem Video lautlos mit sich selbst zu reden. Oder mit dem Headset in seinem Ohr. Dann wurde er aufmerksam. Blickte minutenlang unverwandt in dieselbe Richtung.

»Wohin schaut der?«, fragte Jörn.

»Könnte der Tisch sein, an dem Frau Dalli mit euren zwei Typen Kaffee getrunken hat«, sagte der Operator. »Die Richtung stimmt.«

»Was ist da los?«, fragte sein Kollege vor seiner Bildschirmreihe her.

Jörn und der Operator wandten sich ihm zu, sahen, was er meinte. Zwei Bildschirme waren verdunkelt.

»Wo ist das?«, fragte der Operator, neben dem Jörn stand.

»Vor dem VIP-Garagenbereich«, sagte sein Kollege. Drückte ein paar Tasten, ohne Ergebnis.

»Na ja«, sagte der Mann neben Jörn, »hatten wir schon länger nicht. War wieder mal fällig.«

»Ich warte noch kurz«, sagte sein Kollege. »Ist sicher gleich wieder an.« Griff zum Telefon. »Ich ruf unten an. Damit der Valet Bescheid weiß.«

64

»Verdammt«, stöhnte Jan auf, als er Jeanne sah. »War ja klar, dass das eine Falle ist.«

Jeanne sagte nichts. Sie stand in dem Flur vor den Fahrstühlen, der mit rotem Teppich ausgelegt war, und musterte die Ankömmlinge mit hinter dem Rücken verschränkten Armen, was ihre Figur noch betonte, wie Fitzroy trotz der Situation bemerkte.

»Mund halten«, forderte der Sicherheitschef.

Harte Hände in Fitzroys Rücken schoben ihn aus dem Lift, an Jeanne vorbei, Jan war neben ihm. Nobler Ausgang zur Garage.

Fitzroy wandte sich noch einmal um. Zwischen den Kerlen, die alle mindestens so groß waren wie er, folgten ihnen Jeannes kleinere Gestalt und ihre Begleiter.

»Nach vorne schauen«, befahl der Sicherheitschef und half mit einem groben Schlag gegen Fitzroys Ohr nach. Neben ihm zischte Jan Unverständliches, es klang nicht freundlich.

Sie gelangten in einen eigenartigen Glasverschlag. Erinnerte Fitzroy an die nächtliche Eckkneipe in Edward Hoppers berühmtem Gemälde *Nighthawks.* Davor eine durch eine Mauer von der restlichen Tiefgarage abgesonderte Spur mit Parkbucht. Zu ihr führten noch einmal ein paar Meter roter Teppich. Zu beiden Seiten des Teppichs Töpfe mit mannshohen Palmen wie verunglückte Gardesoldaten einer Bananenrepublik. Neben dem großen Glashaus ein kleineres, mit Schreibtisch, Telefon, Computer.

Wahrscheinlich für den Valet. Unbesetzt. Musste so was wie der VIP-Einstiegplatz sein.

Vor dem roten Teppich wartete kein Polizeiwagen. Stattdessen standen dort zwei schwarze Mercedes-SUVs.

»Wo ist die Polizei?«, fragte Fitzroy alarmiert.

»Wir bringen Sie hin«, erklärte der Mann.

Fitzroy stemmte sich gegen seine beiden Anschieber.

»Keinesfalls!«

»Doch«, sagte der Mann.

»Nein«, erklärte Fitzroy und lehnte sich mit dem ganzen Gewicht seiner Größe zurück. Seine Wächter beeindruckte das nicht. Sie schoben ihn an die Glastür, die lautlos zur Seite glitt. Wo war der Valet?!

»Schreien hilft auch nicht«, sagte der Sicherheitschef, als er sah, wie Fitzroy Luft holte. »Hier hört Sie niemand. Und außerdem …« Er griff in Fitzroys Schritt und drückte, nur zur Warnung. Verzweifelt sah sich Fitzroy um. Gab es hier keine Überwachungskameras, die das alles sahen und irgendwohin übertrugen? Zu den Sicherheitsverantwortlichen des Hotels?

Zwei der Männer öffneten die hinteren Beifahrertüren der SUVs.

Das Röhren eines Motors und quietschende Reifen ließen sie zusammenfahren. Die Scheinwerfer des heranrasenden Wagens tauchten die Szenen für einen Augenblick in gleißendes Licht und ließen sie geblendet zurück. Für einen langen Moment sah Fitzroy nur tanzende Lichtpunkte in der Dunkelheit. Noch bevor der Wagen auf der Zufahrt neben den SUVs angehalten hatte, sprangen Schatten heraus, brüllten.

»Auf den Boden! Waffen stecken lassen!«

Sie richteten Maschinenpistolen auf Holdens Sicherheitsleute.

»Auf den Boden!«

Die Männer im Anzug waren in der Überzahl, doch ihre Pistolen waren am falschen Platz – in Holstern unter der Achsel. Sie waren sicher gut ausgebildet, aber nicht lebensmüde. Sie gehorchten. Fitzroy senkte sich auf ein Knie. Mit den hinter dem Rücken gefesselten Händen würde der Rest schwierig oder schmerzhaft.

»Du nicht!«, befahl einer der Schatten. Langsam gewöhnten sich Fitzroys Augen wieder an die dämmrigen Lichtverhältnisse.

Mit dunkelgrauen Skimasken, passend zu den Cargohosen und Hemden gleicher Farbe, standen vor ihnen fünf stiernackige Muskelberge. Fitzroy ahnte vertraute Figuren. Ihm wurde noch übler.

»Du auch nicht!«, schnauzten sie Jeanne an, die immer noch so stand, wie sie Fitzroy und Jan an der Lifttür empfangen hatte.

»Hände auf den Rücken!« Das galt den liegenden Sicherheitsmännern.

»Ihr drei, zum Wagen!«, befahl einer Fitzroy, Jan und Jeanne. Als Überzeugungshilfe stieß er ihnen nacheinander den Lauf seiner Waffe schmerzhaft in die Rippen. Jeanne entwich ein leiser Schmerzensschrei, den er mit »Schnauze!« und einem noch heftigeren Stoß quittierte. Mit einem Stöhnen verbiss sich Jeanne einen weiteren Schrei, wand sich, und Fitzroy sah, weshalb sie die Hände noch immer hinter dem Rücken hielt.

Sie war gefesselt wie er und Jan.

Die übrigen Maskierten fesselten blitzschnell die am Boden liegenden Sicherheitsleute mit Kabelbindern.

Sind wir wenigstens nicht mehr die Einzigen.

»In den Kofferraum!«, befahl der Mann, der sie mit seiner Waffe zum Wagen gestoßen hatte. Ein schwarzer Range Rover.

»Aber der ist zu klein …«, wandte Jan ein.

»Schnauze! Hinein!«

»Da passen wir nicht alle …«

Jans Diskussion endete mit einem Maschinenpistolenschlag gegen seinen Kopf, der seinen Oberkörper in den Kofferraum kippen ließ, wo er bewusstlos liegen blieb.

»Noch jemand?«, bellte der Mann.

Die übrigen vier waren fertig mit Holdens Sicherheitsteam. Einer verstaute auch Jans Beine im Kofferraum des Rovers. Die anderen packten Fitzroy und Jeanne an den Oberarmen und warfen sie wie Puppen dazu. Sie schoben und drückten sie grob zurecht und schlossen über ihnen zwei Klappen, die unterhalb der Scheiben eine Fläche bildeten. Dann die Hecktür. In ihrem engen Verließ wurde es dunkel und schwül. Fitzroy konnte sich nicht mehr bewegen, bekam kaum Luft. Er hörte die Türen schlagen.

Der Wagen fuhr an.

»Jan«, zischte Fitzroy. »Jan! Bist du okay?«

»Hilfe!«, keuchte Jeanne in seinem Rücken. »Ich kann kaum atmen!«

»Umso besser«, sagte eine Stimme von vorn, »dann hältst du hoffentlich die Klappe.«

Fitzroy hörte sie nach Luft schnappen. Ihm ging es ähnlich.

»Wir krepieren hier hinten!«, rief er.

»Das werdet ihr sowieso«, sagte die Stimme. »Könnt es genauso gut gleich tun. Wäre angenehmer für euch.«

Jetzt hörte Fitzroy Jeannes Atem wie nach dem Endspurt eines Zweihundertmeterlaufs. Sie hyperventilierte.

»Drück deinen Mund gegen irgendetwas Weiches«, zischte Fitzroy ihr zu. »Meine Kleidung«, riet er. »Und dann atme nur mehr durch den Stoff.«

Er hörte, wie ihr Atem dumpfer wurde, aber nicht langsamer. Der Rover hielt, wahrscheinlich die Garagenschranke. Jeannes Atem wurde leiser, dann langsamer und ruhiger.

Das Fahrzeug rollte an.

»Geht's wieder?«, flüsterte Fitzroy.

Jeanne antwortete nicht.

»Jeanne?«

Im Kofferraum blieb es still.

65

»Frau Dalli, sind Sie da?«

Maja klopfte noch einmal an die Tür der Junior-Suite 723.

Keine Antwort.

»Frau Dalli?!«

»Öffnen Sie«, forderte sie Kreuzer auf.

»Ich verstehe nicht, was Sie hier noch wollen …«, klagte er.

»Wutte und Peel verschwanden von der Lobby im Treppenhaus. Ein paar Minuten später wird vom Treppenhaus aus der Exklusiv-Suiten-Bereich mit Dallis Karte geöffnet. Dalli könnte den beiden die Karte während des Gesprächs zugesteckt haben.«

»Warum sollte sie das tun?«

»Das würde ich sie gerne selbst fragen.«

»Sie kann aber auch vom darüberliegenden Stockwerk aus Holdens Suite gekommen sein, die von ihrer Zweitkarte Minuten davor ebenfalls geöffnet wurde.«

»Und dann lief sie mit ihren Stöckelschuhen über das Treppenhaus hinunter?«, spottete Maja und ächzte demonstrativ »Männer!«, bevor sie befahl: »Öffnen Sie!«

Zähneknirschend folgte der Manager.

Die Suite war leer.

Maja lief durch jeden Raum, suchte nach Spuren für einen Aufenthalt der Gesuchten.

Fand nichts.

Kreuzers triumphierenden Blick beim Verlassen der Suite ignorierte sie.

»Rufen Sie Ihr CCTV-Team an. Dalli wollte zum Gipfel. Hat sie das Haus schon verlassen?«

Diesmal widersetzte sich der Manager nicht mehr. Er wartete auf eine Antwort, während sie zum Fahrstuhl unterwegs waren.

»Nicht durch die Lobby«, erklärte er schließlich.

»Über die Garage? Gibt es da keine Kameras?«

»Nur außerhalb des VIP-Bereichs«, erklärte Kreuzer mit verdrehten Augen, als redete er mit einem begriffsstutzigen Kind.

»Möchte ich sehen«, sagte Maja.

»Wir hatten gerade einen kurzen Ausfall.«

»Wie bitte?!«

»Jan?«

Jan hörte, wie jemand seinen Namen neben seinem Ohr flüsterte. Es war finster, er lag verkrampft und zusammenkauert auf der Seite, von überall her bedrängt und eingeklemmt, wurde durchgeschüttelt, Motorengeräusche, seine Hände hinter dem Rücken, ihm war heiß, übel, er bekam kaum Luft. Sein Puls prügelte wie ein Vorschlaghammer die Erinnerung in sein Hirn.

»Jan!?«

»Ja.«

Seine Stimme krächzte.

»Gott sei Dank!« Er spürte Fitz' Atem neben seinem Ohr. Er spürte den ganzen Fitz hinter sich. Sie mussten in einer Löffelchenstellung aneinandergedrängt liegen. »Leise!«

Jan wusste nicht, warum es so dunkel war. Fitz' Wispern wurde von den – nicht besonders lauten – Motorengeräuschen fast übertönt. Außer Jan konnte ihn wohl kaum jemand hören.

»Was ist los? Wo sind wir?«

»In dem verdammten schwarzen Rover.«

Der Vorschlaghammer in Jans Kopf schickte einen Zwillingsbruder in seinen Magen.

»Wo ist Jeanne?«

»Hinter mir.«

Die Prellungen der Schlägerei vom Vortag meldeten sich pochend zu Kopf und Magen dazu.

»Wo bringen die uns hin?«

»Keine Ahnung. Aber ich möchte dort nicht ankommen.«

Jetzt nicht übergeben!

Verdammt! In Actionfilmen lernten die Helden während der Geschichte immer die ganzen hilfreichen Dinge, mit denen sie sich aus der schlimmsten Krise retteten! Er hatte seit gestern Abend jede Menge über Durchschnitte, Nutzenfunktionen, Ökonomie, Mathematik, Entscheidungen und Kooperation gehört. Was half ihm das jetzt? Gar nichts!

»Wir können nur eines versuchen«, zischte Fitz.

Als sich die Lifttür auf der Garagenebene öffnete, wartete Maja nicht auf Kreuzer. Aus der Kabine gelangte sie auf einen leeren Flur mit rotem Teppich, dem sie folgte.

Sie landete in einem Warteraum, der wie die Lounge eines kleinen exotischen Flughafens aussehen wollte. Bei allem Design-Schnickschnack doch etwas zu barock und schwülstig. Hinter der Glasfront führte der kurze rote Teppich zwischen den Palmen zur Einsteigebucht. Die Bucht war leer. So wie die Lounge.

Kreuzer holte sie ein und blickte sich um.

»Wo ist der Valet?«, fragte er sich.

»*Was* ist ein Valet?«

»Der Angestellte, der die Wagen holt und wegbringt.«

»Holt noch gerade einen Wagen oder bringt ihn weg.«

Tatsächlich spazierte ein Mann im weißen Jackett auf dem schmalen Gehsteig neben der Fahrspur auf den roten Teppich zu.

Schon war Maja bei ihm.

»Wo waren Sie?«, fragte sie ihn.

»Einen Wagen wegbringen«, sagte er.

»Wann war das?«

»Vor etwa zehn Minuten«, sagte er. »Musste in die unterste Etage.«

Maja rechnete. Etwa der Zeitraum, als sie in die Suite hinaufgefahren waren, gesucht hatten und heruntergekommen waren. Genug Zeit, dass jemand die Garage unbemerkt verlassen konnte.

»Wir müssen noch einmal zu den Videos«, sagte sie zu Kreuzer.

»Wird Ihnen wenig helfen«, sagte der Valet und winkte mit einem Telefon. »Die Sicherheit hat angerufen, dass sie unten einen Kameraausfall hatten.«

»Ich weiß. Gerade eben?«

Der Wagen, in dessen Kofferraum sie lagen, fuhr mal langsamer, mal schneller, nie wirklich rasant, manchmal hielt er an. Stadtverkehr. Jan spürte Fitz' Körper an seine Rückseite gepresst. Schulter an Schlüsselbeine, Rücken an Brust und Bauch, Gesäß im Schritt, Beinrückseiten an Beinvorderseiten. In seine Handgelenke schnitten die Fesseln, seine Hände waren geschwollen vom Blutstau, die Fingerspitzen bereits taub. Testweise schob er sie hin und her. Seine Hände mussten in Fitz' Unterbauch drücken, vielleicht sogar tiefer.

»In der Hektik haben die Typen nur mein Handy einkassiert«, flüsterte Fitz. »Du musst deines noch haben.«

Jan ertastete das flache Kästchen tatsächlich in seiner hinteren Hosentasche.

»Zieh es heraus«, zischte Fitz.

»Sehr lustig!«

»Versuch's!«

Jan fummelte, schließlich hatte er das Gerät so weit. Jetzt bloß nicht loslassen. Andererseits... So eng, wie sie aneinanderlagen, würde es nicht gleich zwischen ihnen runterfallen. Der schwierigere Teil kam jetzt, ahnte er.

»Du musst es so weit zu meinem Gesicht bringen, dass ich hineinsprechen kann«, hauchte Fitz. »Und vorher musst du wählen.«

»Was soll ich wählen?«

»Den Notruf natürlich.«

Zum Glück war der Burner eines dieser altmodischen Modelle mit richtigen Tasten. Jan begann, seine gefesselten Hände zwischen ihren beiden Oberkörpern hochzuarbeiten. Für die erste Hälfte der Streckte genügte es, die Ellenbogen zu beugen. Danach kamen die Schultern dran. Nicht angenehm. Fitz' Brust half beim Abstützen. Trotzdem. Je weiter seine Hände entlang seines Rückens emporwanderten, desto mehr fühlte es sich an, als kegelte er sich selbst die Schultern aus. Dazu die Schmerzen in seinem Kopf, seinem Unterleib, die blauen Flecken am ganzen Körper!

»Weiter geht nicht«, stöhnte er schließlich. Das Telefon musste sich irgendwo zwischen Fitz' Brust und Hals befinden. Nicht weit genug. Er könnte hineinsprechen. Würde aber nicht verstehen, was die Angerufenen sagten.

»Wir müssen es versuchen«, flüsterte Fitz. »Zweite Taste von oben, ganz links ist die Eins. Fünfte Taste von oben in der Mitte ist die Null. Wähl zwei Mal die Eins, ein Mal die Null.«

Mit seinen tauben Fingerspitzen tastete sich Jan über die kleinen Erhebungen.

1 – 1 – 0.

Hoffentlich.

Er wartete. Hörte nichts.

»Das gibt's doch nicht«, flüsterte Fitz.

»Was?«

»Besetzt«, sagte Fitz. »Der Notruf ist besetzt!«

»Scheißgipfel!«

66

»Spielen Sie zurück«, bat Maja.

Der Bildschirm zeigte die Kameraperspektive auf den Tiefgaragenabschnitt vor der VIP-Lounge. Als Erstes fuhr eine dunkle Limousine vor, aus der ein einzelner Mann stieg. Anzug, Krawatte, Businesstyp. Der übergab dem herausgeeilten Valet den Schlüssel und verschwand in der Lounge. Der Valet fuhr mit dem Auto aus dem Bild. So hatte er das auch erklärt. Gleich darauf fiel die Aufzeichnung aus, und der Monitor wurde dunkel.

»Sieht komisch aus«, fand Maja.

»Ja«, bestätigte der Operator. Er spielte die Aufzeichnung Bild für Bild ab. »Deckt da jemand aus dem toten Winkel die Kamera mit etwas ab?«

Er spielte die Aufzeichnung der anderen verdunkelten Kamera ab. »Nee, eher doch nicht«, sagte er. »Aber sicher bin ich nicht.«

»Fallen die Kameras öfter aus?«, fragte Maja.

»Selten.«

»Eigenartiger Zufall«, sagte sie.

Er spielte weiter, bis die Kameras wieder übertrugen.

»Nach knapp zehn Minuten war der Ausfall vorbei«, sagte der Operator.

»Zeigen Sie mir die anderen Aufnahmen aus der Garage zu der Zeit«, sagte Maja. »Zuerst die vor der Zu- und Ausfahrt des VIP-Bereichs.«

Der Mann spielte sie auf die Nachbarschirme seiner Monitorbatterie. Ein schwarzer Rover kam, fuhr jedoch an der Schranke vorbei in den normalen Garagenbereich. Dann die Limousine, die der Valet ins Untergeschoss brachte. Gleich darauf zwei Mercedes-SUVs. In den VIP-Bereich. Nach drei weiteren Minuten wieder ein schwarzer Rover.

»Derselbe wie vorhin«, erkannte Maja. »Das Nummernschild.«

Diesmal hielt er an der Schranke zum VIP-Bereich, ein Arm langte aus dem Fahrerfenster und gab einen Code an der Schranke ein, die sich öffnete. Der Wagen fuhr hindurch und verschwand im VIP-Bereich. Vier Minuten später fuhr er auf dem Ausfahrtsbildschirm wieder hinaus.

Erst ein paar Minuten später folgten die Mercedes-SUVs. Durch die getönten Scheiben waren die Insassen ebenso wenig zu erkennen wie bei dem Rover zuvor.

»Gehören sie zu Hotelgästen?«, fragte Maja.

Der Operator gab die Kennzeichen ein.

»Angemeldet wurden sie nicht.«

»Sie könnten aber zu einem der Gäste gehören, bloß nicht hier wohnen oder gemeldet sein?«

»Das könnten sie.«

Eine Minute darauf endete der Ausfall der beiden Kameras fast gleichzeitig.

»An solche Zufälle glaube ich nicht«, sagte Maja.

Sie zückte ihr Handy, drückte eine Kurzwahltaste.

»Ich brauche bitte die Halter von drei Fahrzeugen.«

»Wieder besetzt«, keuchte Fitzroy in Jans Ohr.

»Gibt es doch nicht«, stöhnte der. Aus dem Passagierraum des Wagens hörte Fitzroy nichts. Die fünf Killer, die sie aus der Garage entführt hatten, waren nicht besonders redselig. Umso leiser mussten Fitzroy und Jan bleiben.

Das Fahrzeug passierte eine unebene Straße, die Fitzroy ziemlich durchschüttelte. Hoffentlich rutschte Jan das Handy nicht aus den Fingern.

»Dann versuchen wir Folgendes«, flüsterte er und gab Jan die nötige Tastenkombination an. Er spürte Jans Finger an seiner Brust. Ob es nahe genug war, um die Stimmen am anderen Ende zu hören, würde sich weisen.

Jans Hand hörte auf, sich zu bewegen.

Freizeichen. Ganz leise.

Der Wagen fuhr wieder langsamer. Wohin waren sie unterwegs?

Aus dem Telefon hörte Fitzroy sehr gedämpft eine Stimme.

»Kim hier, wer …?«

»Hallo? Kim? Hörst du mich? Hier ist Fitzroy«, zischte er.

»Fitzroy? Bist … du?«

Er musste leise sprechen. Er hatte nur einen Versuch.

»Ja, ich bin es. Hör bitte genau zu. Jan, Jeanne und ich liegen im Kofferraum eines schwarzen Range Rovers.« Er nannte das Kennzeichen.

Danke, lieber Gott, oder meine Gene oder was immer, für mein Zahlengedächtnis!

»Verarschst du mi…?«

»Merk dir dieses Kennzeichen und informiere die Polizei. Sag ihnen, sie sollen es an die Ermittler geben, die den Tod von Herbert Thompson und Will Cantor untersuchen. Wir wurden von ihren Mördern entführt.« Er wiederholte das Kennzeichen.

»Ich soll mit … *Polizei* …arbeiten?!«

»Ja, verdammt!«

»Will *wer?*«

»Cantor. Hast du dir die Nummer gemerkt?«

»Was macht ihr da?!«, brüllte eine raue Stimme über Fitzroys Kopf hinweg.

Jemand riss die Abdeckung auf, und es wurde hell.

Über Fitzroys Brust und Bauch ratschten Jans Fäuste. Gleichzeitig japste Jan laut und versuchte, sich aufzurichten. »Ich ersticke hier!«

Fitzroy spürte, wie das Handy neben seiner Hüfte auf die Ladefläche des Kofferraums rutschte.

»Schnauze!«, brüllte der Mann, drückte Jan nieder und schloss die Abdeckung wieder.

Der Wagen hielt an einer Kreuzung, wie Fitzroy aus den Augenwinkeln feststellen konnte, bevor eine grobe Hand in einem dunkelgrauen Handschuh die Abdeckung über ihnen wieder schloss.

67

»Ihr wollt mich verarschen«, sagte Maja in ihr Mobiltelefon. »Spielt mir das Telefonat noch einmal vor!«

Die Kollegin in der Zentrale ließ die Aufnahme erneut ablaufen.

Eine Frauenstimme: »Notruf. Was können …«

Eine andere Frauenstimme, höher, jünger: »Ich soll diese Nachricht für die Ermittler im Fall Herbert Thompson und Will Cantor durchgeben.«

Will Cantor.

Den Namen haben wir in der Öffentlichkeit bislang nicht kommuniziert.

»Fitzroy Peel, Jan Wutte und Jeanne Dalli behaupten, von den Mördern Thompsons und Cantors entführt worden zu sein. In einem schwarzen Range Rover.« Sie nannte ein Kennzeichen.

Maja fühlte sich, als hätte ihr jemand in den Magen geschlagen. Sie legte die Hand über das Mikro und forderte den Operator vor dem Bildschirm hastig flüsternd auf: »Das Kennzeichen des Rovers!«, während sie weiter der Aufzeichnung des Notrufs lauschte.

Frauenstimme 1: »Frau …?«

Stimme 2: »Ich weiß, dass Sie diesen Anruf aufzeichnen. Sie haben alle Infos. Tun Sie Ihre Arbeit.«

Klack.

Auf dem Monitor vor ihr war das Heck des Rovers zu sehen. Dasselbe Kennzeichen wie aus dem Anruf!

»Fahndung!«, rief Maja. »Sofort! Das Kennzeichen habt ihr!«

»Maja«, sagte die Kollegin am Telefon, »das klang wie irgendwelche Spinner. Ich dachte bloß, sicherheitshalber gebe ich dir ...«

»Womöglich sind das keine Spinner«, sagte Maja kühl. »Sie haben Informationen, die öffentlich bis jetzt nicht bekannt sind. Wahrscheinlich wissen sie das sogar und haben sie deshalb weitergegeben. Als Signal. Ich sagte: Fahndung. Die Kollegen sollen den Rover finden und stoppen!«

Am anderen Ende hörte sie ein Krachen, dann eine Männerstimme. Der stellvertretende Polizeipräsident Köstritz. Wo kam der jetzt her? Maja warf Jörn einen giftigen Blick zu. Hatte er etwa sie und ihr Verhalten im Hotel verpetzt?

»Wissen Sie, was da draußen los ist, Paritta?!«, bellte er in das Telefon. »Mindestens eine Million Demonstranten fluten die Stadt! Alle Kolleginnen und Kollegen sind da draußen, um den Gipfel zu schützen!«

»Sie sind dazu da, die Bürgerinnen und Bürger zu schützen!«, schleuderte ihm Maja zurück. »Herbert Thompson sollte eine der Eröffnungsreden halten.« Köstritz musste man mit härteren Bandagen kommen. »Wer weiß, was die Täter noch vorhaben!«

»Wollen Sie damit sagen ...?«

»Gebt einfach das Kennzeichen ins System. Herrgott, ist das so schwierig?!«

Wieder das Krachen.

»In Ordnung«, seufzte nun wieder die Frau am anderen Ende der Verbindung. Maja stellte sich vor, wie Köstritz wutschnaubend neben ihr auf die Freisprechanlage starrte. »Wenn du meinst ...«

»Ich meine nicht. Ich sage. Los! Und findet mir heraus, von wem der Anruf kam!«

68

Jochen Fürst hasste den Einsatz. Da war er extra aus Bayern zum Gipfel nach Berlin befohlen worden, so wie Zehntausende seiner Kollegen aus anderen Gebieten des Landes. In den übrigen Städten und Dörfern der Republik waren nur Notbesatzungen zurückgeblieben. Weil ein paar Politiker und Milliardäre Weltpolitik spielen mussten. Und ein paar andere Typen demonstrieren. Zu gern hätte Jochen ihnen gegenübergestanden. Hätte ihre lächerlich pathetischen Revolutionsgesänge und bescheuerten Parolen aus ihnen herausgeklopft. Sogar aus Nachbarländern waren Spezialkommandos beigezogen worden. In Mitte spielte die Musik. Dort war die Action.

Nur nicht da, wo er war. In einem Einsatzwagen mit fünf Kollegen von daheim und zwei Berlinern standen sie aus unerfindlichen Gründen im ehemaligen Westen herum, auf der Kantstraße Richtung Messegelände. Auf den vier Spuren, getrennt durch einen Grünstreifen, geschah nichts. Selbst der Verkehr schien woanders zu fließen. Nur vereinzelt fuhr jemand vorbei. Warum sie hier waren, wusste er nicht genau. Befehl. Angeblich konnten sich Teile der Demonstrationen hierherverirren. Wie? Die waren letzten Informationen zufolge sieben Kilometer entfernt. Mindestens.

Die Kollegen tauschten Erfahrungen früherer Einsätze, prahlten mit vermeintlichen Heldentaten und angeblichen Frauengeschichten. Kolleginnen waren keine anwesend. Wie es sich eigentlich gehörte.

Aus dem Funkgerät krachten Statik oder Durchsagen.

»GKP 27, kommen.«

Diese dämlichen Sondercodes für den Gipfel.

GKP siebenundzwanzig, das waren sie.

Ihr Kommandeur antwortete, ein zäher Kerl mit Bürstenhaarschnitt.

»Wir haben eine Fahndung nach einem schwarzen Range Rover.« Die Zentrale gab das Kennzeichen durch. »Die Verkehrskameras zeigen ihn auf der Kantstraße in eure Richtung, noch etwa dreihundert Meter entfernt.«

Ihr Kommandeur wiederholte die Angaben, fragte nach weiteren Anweisungen.

»Wagen anhalten, Personenkontrolle.«

Dreihundert Meter, inzwischen mussten es weniger sein. Ein paar Kleinwagen, SUVs und Kleinlaster passierten. Dann näherte sich ein schwarzer Geländewagen.

Ihr Fahrer schaltete das Blaulicht an und steuerte den Wagen von ihrem Standplatz die paar Meter auf die Fahrbahn, wo er quer zu dieser hielt und die zwei Spuren bis zum Grünstreifen weitgehend blockierte. Jochen und die anderen sprangen bereits aus dem Wagen, stellten sich neben dem Wagen auf. Vier von ihnen liefen dem Range Rover auf beiden Fahrbahnseiten entgegen und waren hinter ihm, bevor dieser anhielt.

Der Rover verbeugte sich in einer heftigen Bremsung vor dem Einsatzwagen. In seinem Inneren erkannte Jochen fünf schwere Männer in Dunkelgrau mit kurz geschorenen Haaren und eng anliegenden Sonnenbrillen. Securitytypen.

Die fünf blieben sitzen. Der Fahrer hatte die Hände sichtbar auf dem Lenkrad liegen. Jochen ließ seine Rechte trotzdem am Pistolengriff.

Ihr Kommandeur und sein örtlicher Kollege traten an die Fahrerseite. Die Scheibe glitt lautlos herab, der Fahrer blickte ihn an, fragte mit freundlichem Lächeln:

»Was ist los, Kollegen?«

El erfasste die Lage mit einem Blick. Vier Beamte vor, vier hinter ihnen. Sieben davon mit den Händen an den Waffen. Einer von ihnen lief zurück, um nachfolgende Wagen aufzuhalten. Die Straße vor ihnen blockiert. Die beiden Spuren in der Gegenrichtung durch einen Grünstreifen mit kleinen Bäumchen abgetrennt, aber für den Rover nicht unüberwindbar. Hinter dem Rover näherte sich ein Kleinwagen. Der Polizist dort stoppte ihn mit ausgestreckter Hand in zehn Metern Entfernung. Dahinter rollte der nächste auf die Situation zu. Hinter dem grünen Mittelstreifen floss der Verkehr ungehindert weiter in die Stadt.

»Was können wir für Sie tun?«, fragte Jack den Uniformierten an der heruntergelassenen Scheibe. Der Kerl war nicht besonders groß, Jack sah zu ihm hinab.

»Ausweise, Autopapiere, bitte«, sagte der Mann.

Dabei lugte er an Sam, Rob und Bell auf der Rückbank vorbei in den abgedeckten Laderaum.

Jack reichte ihm die Autopapiere, die anderen suchten unter den aufmerksamen Augen der Beamten ihre Papiere aus Hosen- und Hemdtaschen. El sammelte sie ein, reichte sie Jack, der sie dem Anführer der Truppe entgegenstreckte, welcher noch immer die Autopapiere studierte. Er kassierte die Ausweise und lief an die Autofront, um das Kennzeichen zu kontrollieren. Kehrte zurück, betrachtete Els Ausweis, dann El.

»Das sind Sie?«

»Yep.«

Dasselbe Prozedere bei den anderen.

»Steigen Sie aus, bitte«, sagte der Mann schließlich.

Das war ein kritischer Moment. Noch konnte Jack den Rückwärtsgang einlegen, Gas geben und über den Grünstreifen auf die Gegenfahrbahn abhauen. Während sie bei Bedarf von ihren Waffen Gebrauch machten. Das Zeichen dafür hatten sie besprochen, als sich der Blaulichtwagen vor ihnen auf die Fahrbahn geschoben hatte. Die Frage war, wie weit sie kommen würden. Und was sie mit ihren Passagieren anstellen sollten. Der Auftrag lautete beseitigen. Er lautete aber auch, wie schon die ganze Nacht davor: Es muss natürlich aussehen. Sie brauchten nicht noch mehr Aufsehen.

Das war gerade nicht einfacher geworden.

Im Zweifelsfall hieß die Order: terminieren.

Sobald sie den Wagen verließen, war die Fluchtchance vorbei. Sollten die Polizisten auf die Idee kommen, den Wagen zu durchsuchen? Warum überhaupt hatten sie ausgerechnet den Rover aufgehalten?

Im Laderaum blieb alles ruhig. Ob ihre Gäste die Situation mitbekamen?

Natürlich hielt der Polizist falsche Ausweise mit geliehenen Identitäten in der Hand. Früher oder später würden sie ihre Gesichter jedoch in irgendeiner Datenbank finden und richtig zuordnen können. Bis dahin konnten El und die anderen längst irgendwo sein.

El räusperte sich zwei Mal. Das Zeichen.

Der Wagen vor Jochen machte einen Satz nach hinten. Quietschende Reifen, schwarze Streifen auf dem Asphalt. Der Mann am Lenker blickte konzentriert in die Rückspiegel. Der Rover beschleunigte rückwärts über die Bordsteine auf den Rasen des Mittelstreifens, fädelte zwischen zwei Bäumen auf die Gegenfahrbahn in Jochens Richtung. Er war der letzte Mann. Jochen reagierte blitzschnell, lief auf den Grünstreifen, richtete die Waffe auf den

Wagen, der rittlings die Spur zu halten versuchte. Einige seiner Kollegen sprangen ebenfalls auf die Gegenfahrbahn, hielten dort den Verkehr auf, legten an, wagten nicht zu schießen. Unbeteiligte und Kollegen standen zu gefährdet.

Dasselbe galt für Jochen. Sollte er die Typen davonkommen lassen? Der röhrende Wagen raste im Rückwärtsgang auf ihn zu. Jochen zielte auf die Reifen unterhalb des Hecks. Drückte ab.

Tschock.

Tschock. Tschock.

Tschocktschocktschock.

Verflucht! Er hatte nicht getroffen, der Wagen raste an ihm vorbei. Jochen wirbelte herum und versuchte es noch einmal.

Immer schneller entfernte sich das Gefährt, er hatte versagt. Doch dann geriet der Rover ins Schleudern, ohne langsamer zu werden. Der Fahrer bekam den Wagen wieder unter Kontrolle, beschleunigte erneut. Aus dem rechten Vorderfenster ein Arm mit einer Pistole, auf die Kollegen beim Einsatzwagen gerichtet. Jochen konnte nicht erkennen, ob er feuerte, sprang zur Seite hinter einen geparkten Wagen. Warum hatte sie niemand gewarnt, dass die Typen gefährlich sein könnten?! Jochen wandte sich um, zielte erneut, neben ihm schon Kollegen, die nun ebenfalls feuerten.

Die schrillen Geräusche des Rovers drangen heran, als er gut hundert Meter entfernt gegen wartende Autos auf der einen Seite und geparkte auf der anderen schrammte. Schreiende Passagiere der wartenden Wagen auf den Spuren stadtauswärts stürmten panisch aus ihren Fahrzeugen oder duckten sich in den Fußraum. Die Frontscheibe des Rovers splitterte. Der Wagen schlingerte, rammte mit dem Heck einen parkenden Wagen, drehte sich um die eigene Achse, die Heckklappe sprang auf, schoss weiter, und der Kühler krachte auf der anderen Seite in einen wartenden SUV. Die Reifen jaulten und rauchten, als der Fahrer die Karosse zu befreien versuchte, doch diesmal hatte er sich zu tief verkeilt. Über den Lauf seiner Pistole sah Jochen, wie der Rover mit seinem zerbeulten Kühler ihnen schräg zugewandt stehen blieb.

69

Jeanne war fast aus dem Kofferraum geschleudert worden, als die Heckklappe aufsprang. Ihre Füße hingen bereits ins Freie, jetzt ertasteten sie den Asphalt, und sie wuchtete ihren Rumpf hoch. Geduckt sprang sie zwischen die nächstbesten geparkten Wagen und blieb gehockt in Deckung. Rund um sie herum hörte sie nur Geschrei, hasteten vereinzelt geduckte Menschen über den Bürgersteig in Hauseingänge, hielten Autos kreuz und quer auf der Straße, herrschte Chaos, in dem niemand mehr auf die anderen und nur mehr auf sich schaute. Fitz hatte es ihr gleichgetan, Jan wand sich noch, bekam die Füße nun aber auch auf den Boden, entdeckte sie, das Haar wirr im Gesicht, und hastete gebeugt zu ihnen. Rechts von ihnen entdeckte Jeanne die flüchtenden Killer. Einer wandte sich um und schoss in ihre Richtung! Wahrscheinlich galt das der Polizei. Wenigstens achtzig Meter entfernt, links von Jeanne, kniete ein Haufen Polizisten hinter geparkten und angehaltenen Autos. Sie zielten mit ihren Waffen in Richtung des Rovers und brüllten durcheinander. Dann explodierte ein wahres Schussfeuerwerk. Das Heck des Wagens stand von den Uniformierten abgewandt neben den geparkten Fahrzeugen, sodass sie Jan, Fitz und Jeanne nicht hatten sehen können. Mit dumpfen PLOCKs schlugen einige Projektile in die Karosserien des Rovers und umstehender Wagen. Während die anderen Killer weiter flohen, schoss der eine im Laufen noch mehrmals hinter sich. Dann setzte auch er seine Flucht fort.

»Sind die wahnsinnig?«, keuchte Jan. »Hier sind doch Menschen!«

Erst lautes Brüllen brachte den Lärm zum Verstummen.

»Aufhören! Verdammt!«, hörte Jeanne die Stimme eines Polizisten aus der Ferne.

»Unten bleiben«, zischte Fitz, »die wissen nicht, wer wir sind, wenn wir jetzt aufstehen. Ich habe keine Lust, von einem nervösen Rambo abgeknallt zu werden.«

Die Kabelbinder schnitten brennend in Jeannes Handgelenke.

»Ja, und wenn da jemand ›Hände hoch‹ fordert, haben wir ein Problem«, sagte sie.

Aus der Entfernung brüllten die Polizisten etwas, bewegten sich aber nicht.

»Und was jetzt?«, fragte Jeanne.

»Nichts wie weg«, sagte Jan.

Rund um sie herrschte noch immer Chaos, niemand achtete auf die drei zwischen zwei Autos versteckten Gestalten.

Geduckt hastete Jan über den Bürgersteig in einen nahen Hauseingang.

»Warte!«, zischte Fitz, folgte ihm. Auch Jeanne hastete zu ihnen. »Vielleicht war das ein Missverständnis.«

»Das uns hätte umbringen können!«, antwortete Jan.

»Wohin willst du?«, fragte Fitzroy, als Jan aus dem Hauseingang huschte und von der Polizei weg zum nächsten lief. In der Ferne hörte Jeanne Folgetonhörner. Geschockte Passanten wussten nicht, wo sie sich verstecken oder zuerst hinsehen sollten.

»Wir sollten mit der Polizei zusammenarbeiten«, zischte Fitz Jan hinterher, lief ihm aber nach.

»Die Polizei hat völlig skrupellos auf den Rover geballert«, argumentierte Jan, »obwohl wir da drin waren! Ich bleibe keine Sekunde länger hier!«

Er hatte nicht ganz unrecht, dachte Jeanne, soweit sie in der

Hektik überhaupt denken konnte. Alles schien gleichzeitig zu passieren, ein Riesendurcheinander, das im Nachhinein niemand würde beschreiben können.

»Nach der Aktion traue ich der Polizei alles zu«, fuhr Jan fort. »Was, wenn gar nicht unser Anruf den Polizeieinsatz ausgelöst hat? Holdens Security wird den Überfall in der Garage sofort gemeldet haben. Vielleicht wurden die Killer als Entführer gesucht. Aber wir genauso als Einbrecher.« Er beschleunigte seine Schritte. »Hier bleibe ich auf keinen Fall.«

Die Kollegen neben Jochen. Einige direkt auf der Fahrbahn. Andere an deren Rändern, Schutz hinter den wartenden Wagen suchend, deren angsterfüllte Insassen sich so tief wie möglich auf die Böden kauerten. Auf den ersten Blick wirkte die Kurzkolonne verlassen wie nach einer Zombieapokalypse. Er blieb hinter den Kollegen zurück, die den leeren Rover erreichten. Kurzes Sichern, doch die dunkelgrauen Typen waren schon weit die Straße hinunter, überraschend schnell und gewandt für ihre muskelbepackten Gestalten. Das waren keine normalen Sicherheitsleute aus dem Pool der unqualifizierten Arbeitslosen, Rocker und Muckibuden. Ex-Soldaten, vermutete Jochen, trainiert, wirklich hart.

Er warf einen kurzen Blick in den Rover. Die Reste der Frontscheibe bildeten ein Splittermeer im Frontraum. Die Heckscheibe lag verteilt über den Kofferraum. Alle Türen inklusive der Heckklappe standen offen. Zwei Einschusslöcher im Dach. Eines in der C-Säule. Andere entdeckte er auf den ersten Blick nicht. Konnten sie später prüfen. Zuerst mussten sie sich um die Flüchtenden kümmern. Jochen warf einen kurzen Blick zurück zu ihrem Einsatzwagen. Ein Kollege am Funk, ein zweiter lief an der Wagenkolonne entlang. Checkte mögliche Kollateralschäden. Die Schießerei inmitten unbeteiligter Passanten würde ihnen noch Schwierigkeiten machen. Jochen hatte damit angefangen.

Er würde den Scheiß zu Ende bringen. Genug gesehen, weiter hinter den Fliehenden her.

El rannte die freie Fahrbahn entlang, die anderen vier neben ihm. Er spürte die schlaflose Nacht, trotzdem machte er sich keine Sorgen um seine Kondition. Ein Blick zurück. Sechs Polizisten folgten ihnen in unterschiedlichen Abständen und Tempi. Zwei hatten ordentliche Wampen mitzuschleppen. Die würden schnell aufgeben müssen. Blieben vier gegen fünf. El scannte die Situation. Zwanzig Meter vor ihnen lag eine Kreuzung.

»Kreuzung«, keuchte er in das Headset.

»Sam und Rob links, Rob und Bell geradeaus, ich rechts. Danach versucht so schnell wie möglich weitere Aufteilung!«

Die Polizisten kamen ihnen nicht näher. Die zwei Übergewichtigen reduzierten schon das Tempo. El rannte nach rechts. Die Straße vor ihm war gesäumt von Läden und Büros. Die Bürgersteige locker von Passanten bevölkert, der Verkehr auf den zwei Fahrspuren moderat. Kein Polizist würde hier schießen. El stürmte zwischen den Passanten hindurch, seine mächtigen Ellenbogen spürten es kaum, wenn er jemanden niederrempelte. Ein Blick zurück. Nur ein Uniformierter war hinter ihm, lag noch zwanzig Meter zurück. Trotz der ungemütlichen Nacht genügte Els Kondition, um den Typ spielend auszujoggen. Das war jedoch nicht sein Plan. Er wusste nicht, wie schnell und wie viel Verstärkung der Beamte an die richtigen Stellen koordinieren konnte. Oder ob überhaupt. Er durfte kein Risiko eingehen.

Dieser ganze Job war ein Desaster. Wenn einmal der Wurm drin war …

»Stehen bleiben!«, brüllte sein Verfolger, »Polizei!«

Menschen sahen sich überrascht um, machten den Weg frei für El, statt ihn aufzuhalten. El lief noch langsamer. Der Polizist holte auf.

»Stehen bleiben!«

Der Uniformierte hatte sich bis auf acht Meter genähert.

El hielt, wandte sich um und rannte dem Mann entgegen. Bevor dieser reagierte, stießen sie aufeinander. Mit einem Schlag gegen seine Schläfe brachte El ihn zu Fall. Ein weiterer Schlag raubte ihm das Bewusstsein. Schreiende Passanten nahmen Reißaus. El entwaffnete den Polizisten und fesselte ihn blitzschnell mit Kabelbindern an Händen und Füßen. Die ganze Aktion hatte fünf Sekunden gedauert. Dann sprang er auf und rannte zurück zu der Kreuzung, von der er gekommen war. In den zwei anderen Straßen sah er weit entfernt Polizisten laufen, auf der Jagd nach Els Teammitgliedern. In der Straße mit dem Rover herrschten Stau und Aufruhr. Über die Autodächer sah er in etwa hundert Metern Entfernung den Rover, dahinter die Blaulichter des Mannschaftsbusses. El war bewusst, dass Passanten hinter ihm ihn beobachten mussten, vielleicht bereits die Polizei gerufen hatten. El lief auf den Rover zu, bis zum ersten Hauseingang, in dem er Schutz suchte und die Szenerie beobachtete. Keiner der Leute aus der anderen Straße schien ihm gefolgt zu sein. Zeit für ein wenig Tarnung. Er zog das Hemd aus, wendete es mit der orangefarbenen Seite nach außen und zog es wieder an. Ließ es allerdings locker über die Hose hängen, statt es wieder hineinzustecken. Für solche Fälle trugen sie ihre beidseitig einsetzbaren Kleidungsstücke. Aus der Oberschenkeltasche seiner Cargohosen zog er die mintgrüne Schirmkappe einer populären Marke mit großem Logo und bunten Verzierungen. An den finsteren Securitymann erinnerten nur mehr die grauen Hosen. Alter Trick: Wenn du nicht auffallen willst, verhalte dich auffällig, weil niemand glaubt, dass du das tun wirst, wenn du dich verstecken willst. Derart camoufliert wagte er die Überquerung der Straße, wo er sich in einem anderen Hauseingang postierte, der ihm eine bessere Aussicht auf den Rover erlaubte. Ewig würde er hier nicht bleiben können. Aber vielleicht ergatterte er einen Blick auf das Schicksal ihrer drei Mitfahrer im Kofferraum, auf den die Polizisten so skrupellos gefeuert hatten.

70

»Die Männer haben sich der Kontrolle entzogen und sind geflohen«, erklärte der Beamte vor Ort Maja am Telefon. »Die Kollegen sind dran.«

»Entzogen?«, fragte Maja fassungslos. »Wie konnte das geschehen?«

Gerade hatte sie das Estate verlassen und war unsicher, wohin sie als Nächstes sollte.

»Zuerst mit dem Wagen, dann zu Fuß. Sie waren bewaffnet. Wovor uns im Übrigen niemand gewarnt hatte.«

»Nicht gewarnt?« Maja hatte die Kollegen in der Zentrale sehr wohl informiert. Was hatten sie noch nicht weitergegeben? »Was ist mit den angeblich Entführten?«

»Wovon reden Sie?«

»In dem Fahrzeug wurden angeblich drei Personen entführt. Wurde jemand gefunden? Oder befreit?«

»Nein. Gesehen habe ich nichts. Die Kollegen sind an dem Wagen vorbei und haben die Flüchtenden verfolgt. Ich gehe mal näher ran. Soweit ich das von hier aus sehen kann, ist der Wagen leer.«

»Wie viele sind geflohen?«

»Ersten Infos nach waren es fünf. Alle in dunkelgrauer oder schwarzer Kleidung.«

Maja hörte, wie er sich mit jemand anderem unterhielt, verstand jedoch nichts, bis der Mann sich wieder meldete.

»Ich bin jetzt hier bei dem Rover. Mit einem Kollegen, der sich bis jetzt um Passanten gekümmert hat. Der Wagen ist leer. Auch der Kofferraum.«

»Verd...!«, unterdrückte Maja einen Fluch. »Sehen Sie in der Nähe zwei Männer und eine Frau? Einer der Männer recht lang, die Frau sehr attraktiv?«

»Hier sind einige Menschen«, sagte der Polizist, »aber so jemanden sehe ich nicht.«

Maja stieß einen langen, lautlosen Schrei aus.

»Abhauen macht uns erst recht verdächtig«, sagte Fitzroy. »Und diese verdammten Fesseln sowieso.« Er hatte begonnen, die Plastikstränge an der scharfen Metallkante des Haustürschlosses zu reiben.

Mit dem Rücken gegen das Holz der Tür lehnten sie in einem Hauseingang über zweihundert Meter vom Rover entfernt. In dem allgemeinen Chaos hatte sie niemand mehr beachtet. »Soll die Polizei ihre Arbeit machen. In dem Hotel gibt es sicherlich Überwachungskameras, die alles aufgezeichnet haben.«

»Die Entführer sind auf jeden Fall erst einmal weg, wie es scheint«, sagte Jeanne. »Ihr meint, das waren dieselben, die Thompson und Will ermordet haben?«

»Waren es«, sagte Fitzroy. »Ha, ich hab's!«

Erleichtert rieb er seine befreiten Handgelenke. Die Kabelbinder hatten tiefrote Furchen eingegraben.

»Ich auch, bitte«, flehte Jeanne.

»Warte einen Moment.«

Fitzroy trat an die Gehsteigkante, fand eine Glasscherbe.

Machte sich an Jeannes Fesseln zu schaffen.

»Holdens Security wollte uns sicher auch nicht zur Polizei bringen«, sagte Jan.

»Das ist nicht dein Ernst!«, rief Jeanne. »Außerdem: Wenn Ted dahinterstecken würde, warum wurden wir dann von *anderen* entführt?«

»Weil noch jemand von der Rede und dem Manuskript wusste?«

»Klingt für mich absurd. Oh, danke!«

Während Jeanne ihre Handgelenke rieb, widmete sich Fitzroy Jans Fesseln. Bemerkte, dass der Junge das Telefon hielt!

»Den Burner hast du in dem Chaos mitgenommen?«, fragte er anerkennend.

»Ich dachte, den brauchen wir vielleicht noch.«

»Deinen Job bist du wohl los«, sagte Fitzroy zu Jeanne und säbelte weiter an Jans Fessel.

»Nicht nur den Job«, murmelte sie. »Aber eines ist klar. Wir müssen herausfinden, wer die Auftraggeber der Typen im Rover sind.«

»Nicht schon wieder«, stöhnte Fitzroy. »Das letzte Mal, als ich mich in so etwas hineintheatern ließ, habe ich eine lukrative Partie versäumt, musste in zwanzig Meter Höhe …«

»Fünfzehn Meter …«, korrigierte Jan.

»Macht echt einen Unterschied beim Runterfallen. Ich höre hier gleich auf, wenn ihr so weitermachen wollt.«

»Nach allem, was wir uns seit gestern Abend geleistet haben, hört uns die Polizei gar nicht zu«, beharrte Jan. »Die stecken uns weg, bis die Demonstrationen vorbei sind, vorher haben die gar keine Zeit.«

Fitzroy hielt inne.

»Mach schon weiter«, forderte Jan sauer und hob ihm die gefesselten Hände entgegen. »Und überleg lieber, wie wir die Auftraggeber der Typen finden können. Wir haben nur ein Autokennzeichen.«

»Wir müssen zurück ins Hotel«, sagte Jeanne und nahm Fitz die Scherbe ab, um sein Werk zu vollenden. »Vielleicht kennt man den Wagen dort.«

»Die werden dir sicher freudig Auskunft geben«, höhnte Fitzroy. »Dort wartet Mitch schon mit neuen Kabelbindern. Und die Polizei, die unsere Entführung untersucht. Und unser Eindringen in Wills Zimmer und, und, und.«

»Hast du eine bessere Idee?«, erwiderte sie und marschierte los. Gefolgt von Jan, der sich nun auch die befreiten Handgelenke rieb.

»Sam, Rob, Bell, Jack«, fragte El in sein Headset. »Wie sieht es bei euch aus?«

»Bin meinen los.« Rob.

»Dito«, erklärte Jack schnaufend.

»Meiner hat aufgegeben«, meldete Bell.

Els Blick hing am Heck des Wagens vor ihnen. Ein Stück weiter vorn fuhr das Taxi, das sich die drei zwei Straßen entfernt von dem Unfall herbeigewinkt hatten. Zum Glück hatte El gleich darauf auch eines erwischt.

»Gut. Ich bin meinen auch los und wieder hinter unseren Zielpersonen her. Sie haben sich ein Taxi geschnappt und fahren Richtung Zentrum. Ich folge ihnen in einem anderen Taxi. Seht zu, dass ihr auch in die Richtung kommt. Ich gebe euch den konkreten Ort durch, sobald ich mehr weiß. Sam, was ist mit dir?«

El wartete auf eine Antwort. Der Taxifahrer hielt sich sorgfältig an seine Anweisung, dem anderen Taxi in unauffälligem Abstand zu folgen. Was angesichts des dichten Verkehrs und der vielen Taxis auf den Straßen nicht besonders schwierig war.

»Sam, melde dich.«

Jörn musste einen Umweg machen, um die Demonstrationen, Absperrungen und Staus zu umfahren. Mit Blaulicht und Sirene jagte er den Wagen durch Berlins Straßen, vorbei am Checkpoint Charlie, wo er Richtung Westen abbog und den Potsdamer Platz und Tiergarten weiträumig im Norden liegen ließ.

Wieder meldete sich der Kollege, der ihnen vor ein paar Minuten von dem leeren Rover erzählt hatte.

»Wir haben einen«, sagte der Mann gruß- und atemlos.

»Einen was?«, fragte Maja.

»Einen der geflüchteten Rover-Insassen!«

Die erste gute Nachricht seit dem Beginn dieses verdammten Falls!

»Wer ist es?«

»Er trägt keine Papiere bei sich. Dafür hatte er eine Pistole.«

»Sind Sie und die Kollegen in Ordnung?«

»Wir haben einen Verletzten. Aber nicht lebensgefährlich.«

»Schlecht. Gut. Ich bin unterwegs. Wo sind Sie genau?«

71

»Also, wie besprochen«, sagte Jeanne, als sie vor dem Hotel aus dem Taxi stiegen. Von Weitem drang ein leises Tosen an ihr Ohr, obwohl die Demonstration einen halben Kilometer entfernt sein musste. Hunderttausende Stimmen, vermischt mit Musik, wie Meereswellen, die über den Strand rollen. Getrübt nur von dem Knattern der Hubschrauber, die darüber ihre Kreise zogen.

Fitzroy und Jan verschwanden im Getümmel des Bürgersteigs, während Jeanne die Sicherheitsschleuse vor dem Hoteleingang passierte. Sie durfte ohne Verzögerungen und Fragen passieren.

In ihrem Zustand konnte sie ihren Plan nicht durchführen. Eilig lief sie zu den Fahrstühlen und fuhr in die siebte Etage. Oben ein vorsichtiger Blick in den Flur. Niemand zu sehen.

Der Spiegel in ihrem Zimmer zeigte sie reichlich derangiert. Sie schlüpfte aus Kostüm und Bluse, lief ins Bad, wischte sich mit einem feuchten Handtuch notdürftig ab, parfümierte sich und zog eine neue Bluse und ein frisches Kostüm an. Für die Haare mussten ein paar Kammstriche genügen. Ihr Job brachte es mit sich, bei Bedarf sehr schnell und effizient zu sein, auch wenn es um ihr Aussehen ging. Sie öffnete den Safe, nahm ein paar Scheine des dort abgelegten Bargelds, schnappte sich das vergessene Telefon vom Sofa. Leider war es nicht das, mit dem sie Thompsons Redenotizen gefilmt hatte.

Keine zehn Minuten, nachdem sie gekommen war, steuerte sie

im Foyer auf den Empfang zu. Sie stellte sich einer der jungen Damen hinter dem Desk mit Namen und Zimmernummer vor.

»Ich möchte mit dem Hotelmanager sprechen.«

Die Frau bedachte sie mit einem unsicheren Lächeln. Dann telefonierte sie. Jeanne achtete auf ihre Worte. Falls sie den geringsten Hinweis darauf hörte, dass die Polizei nach ihr suchte, würde sie das Hotel möglichst schnell verlassen. Natürlich konnte sie nicht wissen, ob für diesen Fall unverfängliche Codesätze vereinbart worden waren. Doch darauf musste sie es ankommen lassen.

»Hier ist ein Gast, der mit Ihnen sprechen möchte«, sagte die Empfangsdame ins Telefon.

Das klang wenig verdächtig.

Die junge Frau legte auf, lächelte Jeanne wieder an und sagte: »Ich bitte um ein paar Minuten Geduld. Herr Kreuzer ist gleich bei Ihnen.«

»Ich kann nicht glauben, dass ich das tue«, murmelte Fitzroy. Über die abschüssige Einfahrt betraten sie die Hotelgarage an der Rückseite des Gebäudes. Sie liefen an einer langen Reihe meist teurer Fahrzeuge vorbei, bis sie an einer Linkskurve entweder im allgemeinen Bereich bleiben oder geradeaus zu einer Schranke gehen konnten, die den VIP-Bereich reservierte. Sie wählten den Weg zur Schranke. Hielten an. Lugten um die Ecke zu der Glaslounge.

Diese ragte verwaist und leer neben dem roten Teppich mit den Palmen auf.

»Da ist kein Mensch«, stellte Fitzroy leise fest.

»Vor einer Stunde wurden hier mehrere Sicherheitsmänner überwältigt, gefesselt, wir wurden entführt – und die Polizei ist schon fertig mit Spurensicherung und Zeugenbefragung?«, fragte Jan.

»Vielleicht hat sie noch gar nicht damit begonnen.«

»Dann müssen wir wohl«, sagte Jan und drückte sich um die Schranke herum.

»Ich habe keine Ahnung, wovon Sie sprechen«, sagte der Manager. »In der Garage soll es einen Überfall gegeben haben?«

Er war hinter dem Tresen hervorgekommen und hatte sie in die Nähe einer der mächtigen Säulen in der Lobby gebeten, wo er ihr mit huldvoll geneigtem Haupt wie ein Priester zuhörte.

»Vor einer guten Stunde«, bestätigte Jeanne. »Sie haben doch Überwachungskameras da unten. Schilder weisen überall darauf hin. Auf den Bildern muss man das doch gesehen haben.«

»Dazu kann ich leider nichts sagen«, bemerkte der Mann, der sich als Edwin Kreuzer vorgestellt hatte. »Selbst wenn es so wäre, könnte ich darüber nur mit der Polizei sprechen.«

»Selbst wenn es so wäre? Es gibt also keine Aufnahmen?«

»Kein Kommentar.«

Dem Mann war sichtlich unwohl. Jeanne kannte die Sorte. Ein devoter Untertan und Befehlsausführer, dem nichts peinlicher war, als Aufsehen zu erregen.

»*Ich* war eine der Überfallenen! *Ich*, einer Ihrer Gäste!«

Das konnte natürlich jeder behaupten. Vor allem, wenn womöglich tatsächlich keine Aufnahmen existierten.

»Das …«, stammelte Kreuzer, bevor er seine Contenance wiederfand. »Waren Sie denn schon bei der Polizei?«

»Heißt das, die Polizei war deshalb noch nicht hier?«

»Hier hat niemand Spuren gesichert«, erklärte der Valet mit gerunzelter Stirn. »Oder Zeugen befragt. Da war nur diese eine Zivilpolizistin mit Herrn Kreuzer, die von mir wissen wollte, wo ich war, nachdem ich einen Wagen in die unterste Etage gebracht hatte.«

»Eine Frau?«, fragte Fitzroy und drückte dem Valet noch einen Zwanziger in die Hand. »Was für eine Frau?«

»Keine Ahnung.« Schulterzucken. »Sie war mit einem der Manager da. Das muss so vor einer Stunde gewesen sein.«

»Sie waren um diese Zeit nicht ständig hier?«

»Meistens schon. Manchmal nicht.«

»Wie sah sie denn aus, diese Frau?«, fragte Jan. Ein weiterer Zwanziger von Fitz.

»Puh, normal. Klein, sportlich, Mitte vierzig. Pferdeschwanz.«

Fitz ahnte, wer das gewesen war.

»Nichts«, sagte Jeanne. »Auf den Aufnahmen ist nichts zu sehen! Und teilweise waren die Kameras ausgefallen.«

Sie hatten sich in einem schattigen Hauseingang neben dem Hotel getroffen.

»Schöne Sicherheitsmaßnahmen«, sagte Fitzroy. »Der Valet will auch von nichts wissen. Dabei war die Polizei sogar da! Allerdings nur diese Polizistin.«

»Entweder, die stecken alle unter einer Decke«, sagte Jan, »oder jemand hat den Valet bewusst weggelockt und die Bänder manipuliert, sodass es tatsächlich keine Zeugen gab.«

»Das wäre ein ziemlicher Aufwand«, wandte Fitzroy ein. »Sicher nicht so einfach zu bewerkstelligen.«

»Hast du eine bessere Erklärung?«

»Aber selbst wenn es so war«, sagte Jeanne, »wie konnten sich Mitch und seine Leute so schnell befreien, dass weder der Valet noch die Polizistin sie fanden?«

Nachdenklich schüttelte sie den Kopf.

»Vielleicht wurden sie nicht wirklich überwältigt?«, schlug Jan vor.

»Es hilft nichts«, murmelte sie und straffte sich. »Da gibt es wohl nur einen Weg.«

»Was hast du vor?«

»Eine Beziehungsfrage klären«, sagte sie.

Jeanne Dalli marschierte los. El und Bell, der zu ihm gestoßen war, beobachteten sie von der gegenüberliegenden Straßenseite. Der Verkehr kam nur mehr langsam voran, die Bürgersteige und teilweise Fahrbahnen voll mit Menschen, die Richtung Demonstration strömten.

Der Samariter und der Spieler blieben. Diskutierten.

»Du bleibst an ihr dran«, befahl El.

Bell folgte der Frau. Sie lief Richtung Brandenburger Tor. Zur Konferenz. Oder zur Demonstration? Eher nicht.

Der Spieler telefonierte. Er und der Samariter gesellten sich zu den übrigen Passanten und marschierten in dieselbe Richtung. Der Junge drehte sich immer wieder nervös um.

Zu Recht, Junge, dachte El. Zu Recht. El hielt genügend Abstand und hielt sich sorgfältig verdeckt hinter den anderen.

Ich habe einen Job. Und den bringe ich zu Ende.

Die uniformierten Kollegen hatten den Abschnitt der Windscheidstraße mit Flatterbändern gesperrt. Auf beiden Seiten bildeten sich bereits Staus. Vereinzelt wendeten Wagen und fuhren auf den leeren Gegenfahrbahnen zurück, um über die Nachbarstraßen auszuweichen. Vier Uniformierte standen um ein auf dem Bürgersteig liegendes Bündel herum. Ein Notarzt und ein Sanitäter untersuchten zwei weitere Kollegen.

Der Festgenommene lag auf dem Bauch, die Hände hinter dem Rücken mit Handschellen fixiert. Selbst in dieser Position wirkte er bedrohlich. Er trug eine dunkelgraue Cargohose und ein violettes Hemd mit Paisleymuster, unter denen sich Muskeln für drei wölbten. Einen Geschmack hatten manche Leute …

»Setzen Sie ihn auf«, bat sie die Kollegen.

Die Männer packten den Mann auf dem Boden an den Oberarmen und wuchteten ihn hoch. Selbst im Sitzen sah der Kerl aus, als äße er junge Kätzchen lebendig zum Frühstück.

»Er sagt kein Wort«, erklärte der Kollege, mit dem sie telefoniert hatte. Tibor.

Aus den schmalen Augen in seinem fleischigen Gesicht prüfte der Gefesselte Maja kurz, dann schaute er gelangweilt zwischen den Beinen seiner Bewacher hindurch. Der Körper, die Haltung, der Blick gehörten keinem gewöhnlichen überambitionierten Muskelstudiobesucher. Der Mann war Soldat gewesen, wahrscheinlich eine Spezialeinheit. Wenn er nicht reden wollte, würde er es nicht tun.

»Kein Ausweis«, sagte Tibor. Er präsentierte zwei Plastiktüten mit Inhalt. »Dafür eine Pistole und Mobiltelefon mit Headset. Burner, schätze ich. Wir versuchen gerade Fingerabdruck- und Gesichtsabgleich.«

Maja ließ sich das Handy geben. Altmodisch, Tasten. So etwas Ähnliches hatte sie vor zehn Jahren besessen. Sie testete den Einschaltknopf. Das Display leuchtete auf. Nicht verschlüsselt. Da hatte sich jemand sicher gefühlt. Oder war unprofessionell. Mit einigem Probieren fand sie die Liste der Anrufe. Der Mann hatte mit genau einer anderen Nummer kommuniziert.

Sie rief in der Zentrale an.

»Ich brauche, wenn möglich, den Besitzer des Handys mit folgender Nummer.« Sie gab die Ziffern auf dem Display durch. »Und, falls irgend möglich, den Aufenthaltsort. Rasch. Sehr rasch. Es geht um den Fall Thompson.«

Zu Tibor: »Das behalte ich vorläufig. Der Rover?«

»Steht um die Ecke.«

In der Kantstraße gab es noch mehr Stau vor einem weiteren gesperrten Abschnitt. Ihr Handy brummte in der Hosentasche.

Die Nummer kannte sie nicht.

»Paritta.«

»Edwin Kreuzer, The Estate. Ich dachte, es könnte Sie interessieren, dass Jan Wutte und Fitzroy Peel wieder da waren.«

Maja hielt den Atem an und ließ dann ganz langsam die Luft aus ihrer Lunge.

»Was heißt, sie *waren* da?«

Am liebsten wäre Maja dem Hotelmanager durch das Telefon an die Gurgel gefahren.

»Die Video-Operatoren haben mir sofort Bescheid gegeben, als sie die zwei in der Garage entdeckten. Aber bis ich mit der Security unten war, hatten sie sich schon wieder aus dem Staub gemacht.«

»Haben Sie eine Ahnung, wohin?«

»Nein. Draußen haben wir keine Kameras. Da müssten Sie Ihre Kollegen fragen. Apropos Kameras: Gleichzeitig war Frau Dalli bei mir und behauptete, sie sei in unserer Garage überfallen und entführt worden. Sie wollte die Aufnahmen aus der Tiefgarage sehen. Genau dieselben, die Sie nach dem Besuch der Suite angeschaut haben.«

Maja unterdrückte ein Stöhnen.

»Und sie ist sicher auch wieder weg …«

»Sie verließ das Hotel vor wenigen Minuten.«

»Warum rufen Sie jetzt erst an?«

»Ich habe noch andere Dinge zu tun«, verteidigte er sich. »Als Hotelmanager ist man ein permanenter Krisenmanager!«

Mach ein Tag meinen Job!

»Ich nehme nicht an, dass Sie wissen, wohin Frau Dalli wollte?«

»Tut mir leid …«

»Sehen Ihre CCTV-Kameras den Bereich vor dem Hoteleingang?«

»Den zurückversetzten Teil mit der Vorfahrt und den Taxistandplatz, der zum Hotel gehört und nicht öffentlicher Raum ist.«

»Sehen Sie bitte nach, ob sie darauf zu erkennen ist. Wenn Sie etwas finden, geben Sie mir Bescheid. Sofort!«

72

Über ihnen knatterten Hubschrauber in großen Kreisen. Entlang der Linie, die am Brandenburger Tor einst Ost- von Westberlin getrennt hatte, riegelte ein Wall von Polizisten, anonymer Visierhelm neben Visierhelm, Schulter an Schulter, Schild an Schild, die Konferenzorte am Pariser Platz ab. Nicht weit davor erhob sich vor dem Tor eine Bühne aus zwei Riesentrucks, von der eine Rockband zeitweise sogar das Hubschrauberknattern überdröhnte.

... jamás sera vencido. El pueblo unido ...

... jamás sera vencido!, fielen Hunderttausende in den Chor ein. Viele lasen den Text von ihren Telefonen ab.

Fitzroy erkannte den Refrain des chilenischen Widerstandssongs der Siebzigerjahre wieder, wenn auch nicht in dieser rockigen Version mit russischen Einsprengseln und teils abgeändertem Text. Von der Musik waren sie noch etwa zweihundert Meter entfernt, rechts neben ihnen das Denkmal für die ermordeten Juden, links der Tiergarten. Zuerst sah er zwischen gereckten Fäusten nur einen Arm winken. Fitzroy, der sich Jans Burner zurückgeholt hatte und ihn immer noch ans Ohr hielt, winkte zurück. Sie drängten sich durch die Tanzenden und Singenden zu Kim und Nida. War das eine Demo oder eine Party?

»Du siehst, was hier los ist!«, rief Kim. Sie waren im vordersten Demonstrationsbereich, am Rand einer kleineren Plattform mit Laptops, Computern, Megafonen, Mikrofonen und anderem technischen Equipment, auf der Fitzroy auch die Argentinierin von gestern Abend entdeckte, Amistad. »Das mit dem Kennzeichen wird bis nach der Demo warten müssen. Das können nur ein paar Spezialisten.«

»Es wäre ziemlich wichtig!«, brüllte Jan.

»Seid ihr wirklich entführt worden?!«, rief Nida.

»Ja!«, erwiderte Fitzroy. »Aber entkommen!«

»Zum Glück ist euch nichts passiert! Hat die Polizei sie erwischt?«

»Keine Ahnung!«

»Deshalb bräuchten wir die Infos zu dem Kennzeichen möglichst schnell!«, rief Jan. »Nach der Demo ist zu spät!«

»Wo ist deine Oma?!«, fragte Fitz Kim.

»Irgendwo mit Freundinnen! Alte Gewerkschafterinnen!«

Amistad hatte sie erspäht und gab ihnen ein Zeichen, zu der kleinen Plattform zu kommen. Nida und Kim brachten Fitzroy und Jan hin.

»Ihr seid die Typen mit Thompsons Manuskript?!«, fragte Amistad. »Die Fotos der paar Seiten und eure Scribbles sahen vielversprechend aus! Habt ihr den Rest mitgebracht?«

»Leider nicht!«

»Warum?!«

»Längere Geschichte.«

Die Band hatte ihren letzten Trommelwirbel beendet und verließ unter dem Applaus der Hunderttausenden die Musikplattform vor dem Brandenburger Tor.

»Hör mal …«, setzte Jan an, doch Amistad war schneller.

»Schade. Immerhin haben uns die Quellenangaben auf den Fotos schon zu anderen interessanten Arbeiten geführt. Einige Leute unseres Teams studieren sie gerade.«

»Dottore!«, rief sie und zog einen anderen Typ auf der Plattform herbei, schlaksig, Bart, längere Haare im Zopf, wache Augen, Jackett über T-Shirt. Erinnerte Fitzroy an den spanischen Podemos-Anführer.

»Das sind sie«, erklärte sie ihm bloß. »Das ist Marius« – *Mariüs*, französisch –, stellte sie ihn vor.

»Mit eurer Bauerngeschichte und den Fotos dazu habt ihr einen Hit gelandet!«, rief Marius, setzte sich auf die Kante der Plattform und ließ die Beine baumeln. »Wir haben schon ein kleines Programm damit gebastelt, auf dem man spannende Dinge ausprobieren kann! Seht her!«

Auf seinem Handy präsentierte ihnen Marius eine kolorierte Fassung von Fitz' Dorfskizze. Darunter eine Tabelle.

»Hier kannst du für die vier Bäuerinnen und Bauern jeweils verschiedene Startmengen an Ähren, unterschiedliche jährliche Wachstumsraten und verschiedene Verteilungsquoten einstellen. Je nachdem verändert sich der individuelle Wohlstand der vier. Und man kann vierzig Jahre lang spielen! Es ist eine vereinfachte Darstellung davon, wie Wohlstandswachstum und -verteilung in einer Gesellschaft funktionieren. War doch so gedacht, oder?«

»Ich vermute!«, rief Fitzroy. »Unter anderem.« Da hatte jemand aus ein paar Fotos schnell die richtigen Schlüsse gezogen. Clevere Köpfe. Die auch noch schnell umsetzen konnten. Diese ganze Sache hier schien besser organisiert als übliche Protestaktionen. Fitzroy probierte Marius' Spiel. Tipp, wisch. Witzig.

»Wachstum! Wachstum! Wachstum!«, explodierte Kim, die ihnen aufmerksam gefolgt war, »ich kann es nicht mehr hören! Wir verbrauchen, als ob es drei Welten gäbe, und ihr redet von Wachstum! Alles Wachstum hat seine Grenzen!«

»Allerdings«, sagte Nida neben ihr mit einem Hinweis auf ihr Telefon. Auf dem Screen Nachrichten über die Panik an den Börsen, Statements besorgter Unternehmenschefs und Politiker. »Das sieht gerade ohnehin eher nach Megacrash als nach weiterem Wachstum aus.«

»Aber danach geht doch alles wieder von vorn los«, monierte Kim. »Boom, Bust, Boom …«

»Ach Kim«, seufzte Marius. »Schon vor über zweihundert Jahren meinte der gute Malthus, dass die Menschheit durch das Bevölkerungswachstum ins Elend gestürzt würde. Ist nicht eingetreten, weil er technischen und gesellschaftlichen Fortschritt unterschätzt hat.«

»Du meinst also, wir können weitermachen wie bisher«, giftete Kim, »und unbeschränkt unseren Planeten plündern? Von dem es, wie gesagt, nur einen gibt.«

»Das habe ich nicht gesagt«, erwiderte Marius. »Ich sage, wir werden Lösungen finden.«

»Siehe globale Erhitzung«, schnaubte Kim.

Auf dem Musikpodium kündigte eine Sprecherin die nächste Gruppe an.

»Eine Lösung könnte hier vorliegen«, mischte sich Fitz ein. »Die Arbeiten der Londoner zeigen ja, dass man individuelles Wachstum und Gesamtwachstum unterschiedlich gestalten kann. In Thompson/Cantors Papier fand sich auch eine Passage dazu, wie man das erreicht: De-Growth der Gesamtwirtschaft, während der individuelle Wohlstand trotzdem wächst.«

»Das wäre die Quadratur des Kreises!«, rief Kim.

»Keineswegs«, sagte Fitzroy. »Bloß Mathematik …«

»Deshalb brauchen wir dieses Manuskript!«, rief Marius.

»Da vorn hat es vielleicht jemand«, sagte Fitz mit einem Nicken Richtung Pariser Platz. »Der es aber nicht veröffentlicht sehen will.«

»Kein Wunder! Jemand bei der Gipfelkonferenz?«

»Yep.«

»Ihr glaubt, da drin was erreichen zu können?«

»Wir müssten jemandem ein paar Fragen stellen.«

»Vielleicht lässt sich das machen. Dafür müsstet ihr euch aber beeilen.«

Jeanne erreichte die Sicherheitsschleuse in der Hannah-Arendt-Straße. Um diese Zeit waren fast alle Teilnehmer bereits bei der großen Eröffnung und lauschten den ersten Reden. Jeanne trat an den provisorischen Desk, hinter dem ein Dutzend junge Menschen in dunklen Anzügen und Kostümen an Computern Empfangskomitee spielten. Daneben warteten zehn Metalltore, flankiert von schwer bewaffneten Polizisten in schusssicheren Westen und Helmen. Dies war einer von acht offiziellen Durchlässen.

Jeanne legte ihren Ausweis einer jungen Frau vor.

»Jeanne Dalli«, sagte sie. »Sie finden meinen Namen auf der Teilnehmerliste.«

Die Angesprochene warf einen Blick auf die Plastikkarte, dann auf den Bildschirm vor ihr. Sie runzelte die Stirn.

»Es tut mir leid, aber Ihre Freigabe wurde gestrichen«, sagte sie irritiert.

»Gestrichen?«, fragte Jeanne. »Weshalb?«

Ted wollte sie deshalb gerade nicht anrufen. George? Vielleicht im Moment niemanden, der zu eng mit Ted zusammenarbeitete.

»Das steht hier nicht«, sagte die Frau. Sie musterte Jeanne mit kritischem Blick.

Vielleicht war es Zeit zu gehen, bevor die Frau auf die Idee kam, die Polizei zu informieren.

»Da kommt man ein bisschen zu spät, und schon …« Sie schnappte sich ihren Ausweis. »Dann eben nicht.« Wandte sich um und ging aufrecht, aber flott davon. Im Magen spürte sie ein brennendes Gefühl.

Atemlos hielten sich Jan und Fitz hinter Amistad. Nach dieser Nacht, diesem Vormittag noch ein Dauerlauf. Was kam als Nächstes? Amistad hatte sie aus dem Demonstrationspulk und in weitem Bogen an die Rückseite des Pariser Platzes gebracht. Hier befanden sich die Polizeiabsperrungen in der Mauer- und der Behrenstraße. Breite Barrikaden aus Stahlgittern, Panzersperren, Polizei- und Militärfahrzeugen, Wasserwerfern und Hunderten Polizisten in schwerer Montur. Wahrscheinlich auf allen Dächern Scharfschützen. Jans Magen hob sich.

Nur vereinzelt verirrten sich Demonstranten oder Passanten hierher.

»Könnten die Ideen dieses Nobelpreisträgers und der anderen tatsächlich verhindern, was da draußen gerade passiert?«, wendete sich Jan an Fitz. »Crash, Massenarbeitslosigkeit, Kriege?« Er fragte sich, ob die ganze Sache erneut eine riskante Aktion wert war.

»Dieses Mal wahrscheinlich nicht mehr«, antwortete Fitz, »oder nur teilweise. Aber vielleicht langfristig das eine oder andere.«

Langfristig bin ich tot, dachte Jan. Noch konnte er hierbleiben.

An einer Sicherheitsschleuse mit zwei Metalltoren langweilten sich ein paar Securitymänner. Davor wartete eine Handvoll Personen darauf, kontrolliert und durchgelassen zu werden.

»Hier ist es«, sagte Amistad. »Diese Schleuse ist nur für Mitarbeiter und Servicepersonal.« Sie blickte sich suchend um. Von der gegenüberliegenden Straßenseite winkte ihr jemand aus einer kleinen Gruppe von Leuten, die wie Serviererinnen und Servierer gekleidet waren, zu. Einige von ihnen trugen City-Rucksäcke.

»Da sind sie.«

Fitz' Hand verschwand in seiner Jeanstasche, aus der er das vibrierende Handy zog.

»Jeanne«, stellte er mit einem Blick auf das Display verwundert fest. Er nahm das Gespräch an, während sie zu der schwarz-weiß gekleideten Fünfergruppe gingen. Jan hörte nicht, was Jeanne sagte, nur Fitz' Antworten.

»Witzig, das wollen wir auch gerade.«

…

»Ach.«

…

»Wo bist du?«

…

»Lass mich kurz was versuchen.«

Er ließ das Telefon sinken, wandte sich an Amistad.

»Ich weiß, ist ziemlich unverschämt, aber könnten wir noch jemanden durchschleusen? Sie wäre fast noch wichtiger als wir.«

Ungnädig runzelte Amistad die Stirn.

»Weil sie das Thema noch besser versteht«, erklärte Fitz. »Und vor allem den Typen, den wir fragen wollen, bestens kennt.«

Amistad dachte kurz nach und warf einen Blick auf die Uhr.

»Wie schnell kann sie hier sein?«

»Fünf Minuten.«

»Sie hat fünf Minuten«, sagte Amistad. »Danach sind wir weg.«

73

Der Rover stand zwischen zwei miserabel demolierten Wagen eingekeilt. Türen und Heckklappe waren geöffnet. Front und Heckscheibe fehlten. Die Splitter verteilten sich über die Vordersitze, einige lagen neben den Türen auf der Straße.

Auf beiden Seiten des abgesperrten Bereichs hatten Polizeiwagen mit Blaulicht die Fahrbahnen blockiert. Zwei uniformierte Kollegen sicherten die Unfallstelle – den Tatort –, die anderen standen an den Absperrungen und hielten die Schaulustigen fern und die Zeugen vor Ort.

Heck und Front des Rovers waren mehrfach von Projektilen getroffen und durchlöchert.

»Ihr habt da einfach hineingeballert?«, fragte Maja und sah sich um. »Obwohl hier ein Haufen Unbeteiligter anwesend waren?«

»Kein Ruhmesblatt«, gab Tibor zu. »Das gibt sicher ein Nachspiel.«

»Ein Wunder, dass niemand verletzt wurde«, meinte Jörn. So viel Mitgefühl hatte Maja ihm gar nicht zugetraut.

»Und hier hinten war keiner drin?«, fragte sie.

»Wir haben niemanden gesehen«, sagte Tibor. »Aber die Heckklappe sprang durch den Zusammenprall auf, und es dauerte zehn Minuten, bis wir Situation und Wagen gesichert hatten. Sie sehen ja, wie er dasteht. In der Zeit könnte natürlich jemand unbemerkt entwichen sein.«

Sie untersuchte den Kofferraum mit Blicken, ohne ihn zu berühren.

»Die Spurensicherung ist unterwegs«, erklärte Tibor.

Ihr Handy vibrierte kurz. Eine Textnachricht aus der Zentrale. Mit Bildern. Maja war wie elektrisiert.

Fotos einer Überwachungskamera. Aufgenommen vor wenigen Minuten an einer der Sicherheitsschleusen des Konferenzzentrums, wo vor einer Stunde die Gipfeleröffnung begonnen hatte.

Maja rief sofort an.

»Ist sie drin?«

»Sie wurde abgewiesen«, erklärte der Kollege in der Zentrale. »Obwohl sie auf der Teilnehmerliste stand. Ihre Sicherheitsfreigabe und damit der Zutritt sind gestrichen worden.«

»Weshalb?«

»Wissen wir noch nicht.«

Maja steckte das Telefon weg. »Danke«, sagte sie zu Tibor und packte Jörn am Arm. »Fahren wir!«

Der Samariter und der Spieler standen mit der Demonstrantin und der Gruppe Pinguine nahe einer kleinen Sicherheitsschleuse einen Häuserblock von der amerikanischen und der britischen Botschaft sowie dem Hotel Adlon entfernt. El hatte in einem Hauseingang seinen Beobachtungsposten bezogen. Der Lärm der Demonstration und der Hubschrauber übertönte alles, beinahe sogar die Stimme in seinem Headset.

»Sie rennt Richtung Osten«, schnaufte Bell.

Zu uns?!

Vielleicht zweihundert Meter hinter der anderen Gruppe tauchte sie auf. Etwa dreihundert Meter entfernt drehte die Demonstration weiter auf. Aaahs! und Ooohs! klangen aus der Menge, die zu einem Rauschen anschwollen, das in begeistertem Johlen und Applaus gipfelte.

Els Blicke schossen zwischen der rennenden Frau und der Demonstration hin und her.

Die Ursache der Begeisterung erhob sich in einiger Entfernung über den Köpfen der Menge als kleine Punkte, die schnell höher stiegen. Immer mehr wurden es, bald mussten es Hunderte sein, Tausende. Wie ein Schwarm Stare über den Feldern bildeten sie eine Wolke, die immer neue faszinierende Muster hervorbrachte.

El erkannte kleine schwarze Spielzeugdrohnen.

Dasselbe Spiel wie gestern Abend. Nur ohne Lichter.

Das Spektakel blieb auch den Securityleuten an den Sicherheitsschleusen und der Gruppe um den Samariter und den Spieler nicht verborgen. Nur Dalli rannte unbeirrt auf sie zu, hatte sie beinahe erreicht.

Die jüngst gestarteten Drohnen gesellten sich zu den anderen, als wären sie Teil eines großen Ganzen. Die wilden Wallungen der Wolke formierten sich neu, und bevor El begriffen hatte, wie, bildeten sie im Himmel über dem Pariser Platz wieder ein gigantisches Peace-Zeichen. Nun hatte alle die Köpfe in den Nacken gelegt und starrten gen Himmel. El ertappte sich dabei, der Inszenierung ebenso zu erliegen wie alle anderen. Als sein Blick das nächste Mal auf den Samariter, Peel, Dalli und den Rest fiel, waren sie – weg.

Er entdeckte sie an der Sicherheitsschleuse. Während die meisten Sicherheitsleute gebannt der Choreografie über der Halle folgten, kontrollierte einer die Ausweise der Schwarz-Weiß-Gekleideten, stöberte oberflächlich in ihren Stadtrucksäcken und winkte sie umstandslos durch.

Immer weitere Drohnen stiegen hoch und ließen in einer geschmeidigen Choreografie Texte in verschiedenen Sprachen um, durch und in das Friedenszeichen tanzen, vereinten sich mit ihm, lösten sich wieder, formierten sich neu.

Jetzt ließ der Securitytyp den Spieler auf das Konferenzgelände! El wählte per Sprachbefehl die Nummer des Auftraggebers.

Dalli war auch drin.

Freizeichen. Die anderen Securitys kümmerten sich einen Dreck um ihren Kollegen, schenkten ihm höchstens einen Blick aus den Augenwinkeln. Das Himmelstheater war viel interessanter.

Der Auftraggeber hob ab.

Fehlten noch der Samariter und zwei der Servicemitarbeiter. El würde einen Besen fressen, wenn sie wirklich welche waren.

Siebte Entscheidung

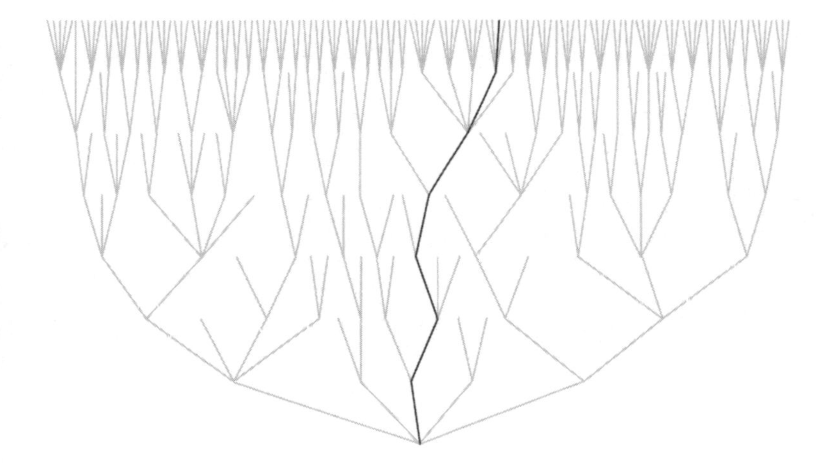

»Kenntnis des mathematischen Prinzips hilft, Fehlentwicklungen zu erkennen und zu beheben.«

Will Cantor

74

Vor Jan hatten soeben Fitz und Jeanne die Schleuse passiert. Der Securitymann hatte nicht einmal angeschaut, was sie ihm präsentiert hatten. Alles nur für die Überwachungskameras, hatte Amistad ihnen erklärt. Der Securitymann war einer von ihnen. Langfristig vorab eingeschleust. So wie zwei andere des sechsköpfigen Teams, das sich ohnehin nicht um sie geschert hatte. Trotzdem klopfte Jans Herz bis zum Hals, schmolzen seine Knie. Jetzt war der letzte Augenblick, umzudrehen und die Sache bleiben zu lassen. Dieses Manuskript und sein Inhalt interessierten ihn längst nicht so brennend wie der Beweis seiner Unschuld. Von den anderen Securityleuten sah Jan nur die Hinterköpfe. Die dazugehörenden Gesichter begafften das Drohnenballett. Aufsehenerregend, zugegeben, auch heute wieder. Bilder für die weltweiten Medien.

»Ausweis, bitte?«, fragte ihn der Kontrolleur.

Jans Herz sprang bis in den Kopf, Tränen traten in seine Augen. Hunderte Soldaten, schwer bewaffnet, die Fahrzeuge. Entscheidung gefallen: Jetzt konnte er nicht mehr zurück, ohne Aufmerksamkeit zu erregen und auch die anderen zu gefährden. Er zeigte dem Mann seinen Personalausweis. Der musterte ihn aus zusammengekniffenen Augen. Jan lächelte unbeholfen.

Dann winkte der Mann ihn durch.

Noch immer vollgepumpt mit Adrenalin, liefen sie hinter der

Schleuse die Behrenstraße entlang bis zur Wilhelmstraße. An der Kreuzung angelangt, versperrten ihnen erneute Barrikaden den Blick. Rechts die Wilhelmstraße zur britischen Botschaft hin war komplett abgeriegelt. Geradeaus verstellten nach etwa hundertfünfzig Metern Barrikaden, Fahrzeuge und Polizisten den Blick Richtung Denkmal für die ermordeten Juden und Tiergarten. Hinter der Barrikade lag die amerikanische Botschaft. Doppelte Sicherungsringe.

Bestimmt, aber nicht hektisch gingen sie an der Rückseite des Hotels Adlon und der Akademie der Künste vorbei auf die Barrikaden vor der US-Botschaft zu. Wieder grimmige Blicke aus behelmten Gesichtern, das Gefühl, sich im Visier zahlreicher Scharfschützen zu befinden.

Kurz davor gönnten sich am Eingang des letzten Hauses vor den Barrikaden einige Raucher eine Pause.

Sie betraten das Haus durch eine Tiefgarageneinfahrt. Von dort ging es durch Betontunnel. Geschäftige Menschen in Outfits, die als Servicepersonal erkennbar waren, schoben Trolleys mit Getränkekisten und Cateringkartons, liefen über Headsets hektisch telefonierend dazwischen umher oder lehnten an der Wand und ruhten sich für einen Augenblick aus. Jan fühlte sich an Computerspiele erinnert, in denen man Gesellschaften aufbauen musste, bis jede Menge emsiger Figuren über den Bildschirm wuselten. Niemand achtete auf die Truppe Neuankömmlinge. Obwohl Jan das Gefühl hatte, dass allein ihre Kleidung sie verdächtig machte. Ganz zu schweigen von seinem zerschundenen Gesicht.

Auf Amistads Geheiß folgten sie einem der Schwarz-Weißen. Über eine Treppe erreichten sie das Cateringzentrum. Mehr weiße Kleidung, Kochmützen, Kopftücher. Dampf, klapperndes Geschirr, Stimmengewirr, gebellte Befehle, ein Durcheinander verschiedenster Gerüche.

Zielstrebig lotste ihre Führerin sie durch das Getümmel in

einen weiteren Gang, durch den in beide Richtungen Kellnerinnen und Kellner eilten, volle Tabletts in ihrer Richtung, leere ihnen entgegen.

An der nächsten Tür hielt Amistad an und lugte hinaus. Dahinter war alles anders. Roter Teppich, edle Holzwände, davor raumlange Tische mit weißen Tischtüchern und Blumenschmuck. Dort luden die Tablettträger ihre Delikatessen ab. Über den Raum verteilt Stehtischchen, weiße Tischtücher bis zum Boden, kleine Vasen mit Blumenschmuck, die etwas Freundlichkeit in die betriebsame Szenerie brachten.

An der gegenüberliegenden Wand trennten – noch – geschlossene Flügeltüren das Essen von den Gästen. Es ging auf Mittag zu, in einer oder zwei Stunden würden sich Hunderte hungrige Gipfelteilnehmer durch die Öffnungen drängen.

»Hinter diesem Foyer liegt der Konferenzraum«, erklärte Amistad. »Ab sofort zieht jeder sein eigenes Ding durch«, sagte sie zu Jeanne, Fitz und Jan. »Viel Glück!«

Sie lugte wieder hinaus. Winkte ihren Kumpanen, und einer nach dem anderen verschwanden sie nach draußen. Über das Foyer verstreut, unterhielten sich an Stehtischchen Konferenzteilnehmer, die sich eine Auszeit von den Reden gönnten oder sich nicht dafür interessierten. Große Bildschirme übertrugen lautlos, aber mit Untertiteln das Geschehen aus dem Inneren. Amistad und ihre Leute fielen dazwischen nicht auf.

Jan, Fitz und Jeanne hatten während der ganzen Zeit kein Wort gewechselt.

»Ich möchte zuerst mit Ted sprechen«, sagte Jeanne.

»Dann halten wir uns noch zurück«, sagte Fitz.

Wir?

Jeanne wandte sich um, wollte durch die Tür gehen. Jan packte sie an der Schulter, zog sie zurück.

»Da drüben«, sagte er nur.

Aus einer der Türen des großen Konferenzsaals auf der anderen Seite der Vorhalle trat ein großer athletischer Mann im Anzug und mit Kurzhaarfrisur, gefolgt von einem zweiten. Die beiden hatte Jan schon einmal gesehen. Vor wenigen Stunden in Jeannes Suite.

Fitzroy schob Jeanne zur Seite, und sie drückten sich an die Wand, um das Servicepersonal nicht zu behindern.

»Was machen die da?«, fragte er leise.

»Ted bewachen«, antwortete Jeanne. »Ein paar von ihnen sind immer um ihn. Selbst in einem Hochsicherheitsbereich wie hier.«

»Hochsicherheitsbereich«, spottete Fitzroy. »Deshalb sind wir auch reingekommen …«

»Dürfen die hier drin Waffen tragen?«, fragte Jan.

»Nein«, erwiderte Jeanne.

»Immerhin.«

»Warum kommt der genau jetzt aus dieser Tür in unsere Richtung?«, zischte Fitzroy und lugte durch den Spalt.

Jan beobachtete, wie die Männer miteinander sprachen. Der eine blieb in der Halle stehen, während der andere über die breite Treppe nach oben verschwand.

»An dem kommen wir nicht vorbei«, sagte er.

»Himmel, überhol ihn!«, bellte Maja Jörn an. Ungerecht. An Jörn, der mit ihr unter Blaulicht und Folgetonhorn Richtung Gipfelkonferenz raste, war ein Rennfahrer verloren gegangen. Ein guter. Schnell, aber kontrolliert. Sie waren irgendwo südlich des Tiergartens. Der Verkehr wurde immer dichter.

»Was soll ich?«, fragte die Stimme im Handy an ihrem Ohr irritiert.

»Du?! Du gibst die Gesichter und Namen an die Kollegen an den Konferenzorten weiter! Achtung, einige davon sind brandgefährlich!«

»Ein Terroranschlag?«

»Eher nicht.«

»Was dann?!«

»Wenn ich das wüsste. Sie sollen die Typen suchen, und falls sie einen davon finden, festnehmen! Alle!«

»Räumung?«

»Bloß nicht! Dezent!«

Das Konferenzzentrum lag noch einen Kilometer entfernt. Im Himmel darüber ein Schwarm … Keine Vögel!

We want our share!, stand da in Riesenlettern! *Wir wollen unseren Anteil!*

Schon wieder.

»Cool.«

»Wie bitte?«

»Ach, nichts. Tu, was ich gesagt habe.«

»Ich komme«, sagte die Stimme in Els Ohr. Hinter der Sicherheitsschleuse sah er einen langen Kerl im Anzug auf die Securityleute zueilen. Über dem Gebäude tanzten die Drohnen, von der Demonstration dröhnte ein Soul-Klassiker, gesungen aus Hunderttausenden Kehlen.

… ar-i-es-pi-i…

El und Sam liefen über die Straße zur Schleuse. Erst jetzt schenkte einer der Sicherheitsleute ihnen seine Aufmerksamkeit. Els Abholer im Anzug präsentierte ihm einen Ausweis und ein zweites Schild, wahrscheinlich die Sicherheitsfreigabe.

»Die zwei gehören zu mir«, sagte Anzug. »Sie können rein.«

El und Sam zeigten Ausweise.

Der Securitymann prüfte die Papiere, dann seine Listen. Er blickte verunsichert zwischen dem Mann, El und Sam hin und her. Seine Kollegen begnügten sich mit Seitenblicken aus den Augenwinkeln, während sie dem Spektakel am Himmel folgten.

»Aber sie stehen nicht auf unserer ...«

»Papperlapp«, fuhr Anzug ihn an. »Sie sehen doch, von welcher Seite ich gekommen bin. Von drin. Wenn ich eine Sicherheitsfreigabe habe und die beiden zu mir gehören, haben sie auch eine.« Er hielt ihm noch einmal seine Zulassung unter die Nase. »Muss ich erst Ihren Vorgesetzten holen? Wollen Sie Stress?«

»Lass sie doch durch«, sagte einer der abgelenkten Kollegen. »Sind welche von uns, sieht man doch.«

Mit schmalen Lippen winkte der Mann sie ins Innere des Geländes.

Anzug begrüßte sie mit einem skeptischen Blick.

»Wo sind sie hin?«, fragte er.

El lief die Behrenstraße hinunter, wohin der Samariter und der Spieler verschwunden waren, bis zum Eingang der Tiefgarage an der Rückseite des Hotels Adlon.

»Ich habe genug von diesem Theater«, erklärte Jan. »Ich gehe hinaus und lenke den Typ ab.«

Um sie herum füllte das dienstfertige Personal nach und nach die Buffet- und Stehtische des Foyers mit Häppchen, Tellern, Servietten, Gläsern.

»Tun kann er mir nicht wirklich etwas. Die Polizei wird er nicht rufen. So wie im Hotel. Und selbst wenn ... Jeanne kann bestätigen, dass wir nicht eingebrochen sind.«

»Mordverdacht?«, wandte Fitzroy ein.

»Ich habe keinen Mord begangen. Das wird die Polizei inzwischen auch wissen. Und wenn nicht, wird sie es mit unserer Hilfe herausfinden. Was haben wir aus Thompsons und Wills Geschichten und Papieren gelernt? Vertrauen und Kooperation.«

»Genau«, sagte Fitzroy. »Und jetzt sind die zwei tot.«

»Wir sehen uns«, sagte Jan. Er schob sich durch den Türspalt und schlenderte unauffällig Richtung Treppe. So viel Mumm hatte Fitzroy dem Kleinen nicht zugetraut. Durch den Schlitz beobachtete er den Anzugträger auf der gegenüberliegenden Seite.

Jan hatte etwa die Hälfte seines Weges zurückgelegt, als der Mann auf ihn aufmerksam wurde. Er redete mit sich selbst – wahrscheinlich in ein Headset. Zuerst folgte er Jan nur mit seinem Blick, dann setzte er sich in Bewegung.

Jan erreichte die Treppen. Ohne Aufsehen zu erregen, folgte ihm der Anzugtyp.

Jeanne wollte losgehen, Fitzroy hielt sie zurück.

Anzug warf einen Blick über die Schulter. Richtete die Aufmerksamkeit wieder auf Jan, den sie nicht mehr sahen.

Jeanne und Fitzroy huschten aus dem Foyer, suchten Deckung hinter der ersten Gruppe an einem Stehtischchen. Gerade rechtzeitig, bevor sich Anzug, auf den ersten Stufen, noch einmal umsah. Als er nichts Auffälliges entdeckte, ging er weiter. Jeanne und Fitzroy schafften es bis zu den Türen des Konferenzsaals. Drückten sie sachte auf.

Schlüpften hinein.

»Ach, du liebe Sch…«, entfuhr es Fitzroy.

75

Jeannes Augen blickten suchend umher. Sie hatte nicht weniger erwartet. Sie und Fitzroy waren durch eine der Seitentüren in den Saal gelangt. Unter einer riesigen Glaskuppel lauschten geschätzt dreihundert Menschen in gut gefüllten Tisch- und Sitzreihen dem Redner, der hinter seinem Pult auf dem riesigen Podium sehr klein wirkte. Deshalb präsentierte eine gewaltige Monitorwand, die sich in seinem Rücken über die gesamte Podiumsbreite spannte, sein Gesicht, in dem die Besucher jede Falte und Regung erkennen konnten.

Die meisten Teilnehmer trugen Anzüge, Kostüme oder förmliche Gewänder ihrer jeweiligen Kulturen. Auf den Tischen vor ihnen lagen Mappen, Papiere, leuchteten Laptops und Tablets. Viele trugen Kopfhörer, die über Kabel mit den Tischen verbunden waren. Alle wirkten sehr ernsthaft. Sie saßen in acht Blöcken zu je fünf Sitzreihen, die vorderen vier Blöcke mit Tischen davor, die hinteren vier nur Stühle, zwischen denen man in breiten Gängen zu den Plätzen gelangte. Von erhöhten Stellen, die sich um drei Seiten des Saals zogen, wucherten die Konturen Hunderter Journalisten und Kamerateams aus aller Welt.

Die meisten Gäste hörten aufmerksam zu, doch im Dämmerlicht des Saals entdeckte Jeanne auch zahlreiche, die durch die Glaskuppel einen Blick auf den Drohnenschwarm über ihnen zu erhaschen suchten oder sich ihren Handys oder Tablets widmeten. Auf einigen Screens in ihrer Nähe sah sie mehr als einmal Übertragungen von den Demonstrationsbildern draußen, unterschnitten mit Aufnahmen des Drohnentanzes, der in diesem Augenblick direkt über ihren Köpfen stattfand. Auf anderen liefen weitere Nachrichtenbilder, wurden SMS geschrieben oder auch gespielt. Die hektisch auf Touchscreens tippenden Finger erinnerten Jeanne an Insekten, die – angezogen und getäuscht vom Licht – immer und immer wieder verzweifelt gegen Fensterscheiben anflogen, um durch das Glas in die Freiheit zu gelangen. Vereinzelt verließen Zuhörer ihre Plätze oder kehrten dorthin zurück. Jeanne kannte solche Veranstaltungen. Irgendjemand musste immer auf die Toilette oder ein wichtiges Telefongespräch annehmen.

»Bleib da«, flüsterte sie Fitzroy zu. Mit langen Schritten lief sie den ersten Gang entlang, bis sie das Mittelkreuz erreicht hatte. Dort bog sie Richtung Podium ab, entlang der vorderen zehn Sitzreihen. Angesichts der Ansammlung bedeutender Menschen hatten die Organisatoren vielen fixe Sitzplätze zugeteilt. Sie entdeckte Ted in der vierten Reihe, vier Sitze die Reihe hinein. Der Platz links neben ihm war leer.

El und der Anzug liefen zwischen Servicepersonal durch Versorgungstunnels im Bauch des Konferenzzentrums. Immer wieder zweigten schmalere und breitere Gänge davon ab, doch El und sein Begleiter folgten dem Hauptstrom der Arbeiter.

In einem großen Raum beugten sich Dutzende Köche über lange Tische und bastelten konzentriert Häppchen. Ein bisschen Schrimps hier, Kaviar dort.

Der Anzug begann zu sprechen, El begriff erst nach ein paar Worten, dass sie nicht ihm galten.

»In Ordnung«, sagte der Mann noch, dann wandte er sich doch an El.

»Wir sollen uns vorerst nur auf zwei Personen konzentrieren«, sagte er. »Jan Wutte und Fitzroy Peel.«

Mit dem Blaulicht gelangte Maja im Handumdrehen durch die Sicherheitsschleuse für Fahrzeuge Unter den Linden. Aus der Nähe sahen die Drohnenwolken noch eindrucksvoller, aber auch bedrohlicher aus. Allerdings erkannte Maja von hier unten kaum, was sie darstellten. Die Darbietung war auf den Panoramablick angelegt. Jörn schaltete das Blaulicht ab und beeilte sich, an die Vorderseite des Gebäudes zu gelangen. Irgendwo hatte Maja gelesen, dass während des Gipfels Tausende Menschen in den drei Veranstaltungsorten am Pariser Platz arbeiteten.

Mit quietschenden Reifen hielt Jörn vor dem Haupteingang. Sie sprangen aus dem Wagen und liefen über den roten Teppich zu den großen Glastüren.

Dem Empfangstisch streckte sie im Vorbeigehen ihren Ausweis entgegen. In Jörns uniformierter Gegenwart bedurfte es ohnehin keiner langen Erklärungen.

Sie befanden sich in einer mehrere Etagen hohen Eingangshalle. Eine gewaltige Monitorwand übertrug live aus dem großen Sitzungssaal. Dort lauschten Hunderte Menschen in langen Tisch- und Sitzreihen einem Mann auf dem Podium.

Ihr Telefon meldete sich. Die Zentrale.

»Ja?«

»Sie sind *auf dem* Gipfelgelände?«, hörte sie Köstritz' entsetzte Stimme.

»Zum Glück«, sagte sie. »Aber ich habe zu tun. Wenn Sie also keine wichtigen Nachrichten für mich …«

»Habe ich«, sagte er. »Wenn Sie sich da drin so aufführen wie bisher, sind Sie dran!«

»War's das?«

»Nein!«, schnaubte Köstritz.

Krachen in der Leitung. Die gewohnte Stimme der Kollegin, mit der sie an diesem Vormittag schon öfter telefoniert hatte: »Ich habe zwei Neuigkeiten für dich. Welche möchtest du zuerst?«

»Nur gute.«

»Das hängt von der Perspektive ab.«

»Philosophier nicht, schieß los.«

Hinter den Stühlen war genug Raum für Jeanne, um an ihren Platz zu gelangen. Ted hielt sein Mobiltelefon im Schoß und las Nachrichten. Die wenigen Meter durch die Sitzreihen erschienen Jeanne wie Kilometer. Bis vor wenigen Stunden war sie eine erfolgreiche, gut aussehende junge Frau gewesen, in einer aufkeimenden Beziehung mit einem Selfmade-Milliardär. Das Leben einer Märchenprinzessin hatte sich vor ihr abgezeichnet. Zumindest für ein paar Jahre, vielleicht sogar ein bis zwei Jahrzehnte. So naiv war sie nicht, um nicht zu wissen, dass die Teds dieser Welt ihre Frauen früher oder später gegen jüngere Modelle austauschten. Während sie gleichzeitig immer ältere Autos, Flugzeuge oder Kunstwerke sammelten. Laufend schweiften ihre Gedanken vom Thema ab, wohl, um sich nicht mit den absehbaren Konsequenzen der vergangenen Stunden beschäftigen zu müssen. Irgendwie hoffte sie immer noch, dass Ted eine gute Erklärung für das Kuvert in seinem Safe haben würde und für Mitchs Vorgehen. Doch tief drinnen ahnte sie, dass er diese Hoffnung enttäuschen würde. Dass sie sich würde entscheiden müssen, welchen Weg sie danach ging. Wie auch immer sie sich entschied, es würde ein neuer Weg sein, und Jeanne hatte nicht die geringste Ahnung, wohin er sie führen würde.

Als käme sie gerade von der Toilette, ließ sie sich neben Ted nieder. Irritiert blickte er auf, erkannte sie.

»Jeanne! Wo warst du so lange? Ich habe mir schon Sorgen gemacht!«, sagte er leise. »Ich habe mehrfach versucht, dich zu erreichen.«

Sie legte ihr Telefon vor ihm auf den Tisch, mit der Anruferliste.

»Nicht auf diesem Telefon.«

»Du hast andere.«

Er hatte diese Art. Sollte er tatsächlich von nichts wissen? Auf wessen Geheiß hätte Mitch sonst gehandelt?

»Was hat dich an Thompsons und Will Cantors Konzepten am meisten gestört?«, fragte sie unumwunden. »Die Konsequenzen für Finanzunternehmen wie Syllabus Invest? Das breite Bekanntmachen wissenschaftlicher Papiere, die zeigen, wie das volkswirtschaftliche Vermögen der USA seit den Achtzigerjahren systematisch zu den Allerreichsten wie dir geschaufelt wird?« Vor ihr wandte sich jemand genervt um. Jeanne ignorierte ihn. »Geht es einfach ums Geld? Oder ist es etwas Ideologisches? Weil sie die Markt- und Wettbewerbsgläubigkeit der herrschenden Ökonomie und Politik widerlegen? Nicht mit abgehobenen Thesen. Sondern mit einfachen Rechnungen. Oder geht ...«

»Wovon sprichst du?«, flüsterte Ted. Er erhob sich, blieb jedoch gebeugt, um die Sicht der hinter ihnen Sitzenden nicht zu sehr zu beeinträchtigen. Mit einer Handbewegung wies er sie an vorauszugehen. »Lass uns draußen weiterreden.«

Überrascht ließ sie sich von ihm durch die Reihe schieben.

Maja steckte das Handy weg und lief zum Empfangstisch, wo sie mehrere Sicherheitsleute neugierig erwarteten. Sie wandte sich an einen kleineren Kerl mit Spitzbauch, dessen Uniform eine Nummer zu groß war.

»Sie kommen alle mit!«

»Aber wir ...!«

»Und rufen Sie mir Ihren Chef!«

»Was soll's«, zischte Ted. »Ja, ich kannte Thompsons Rede und das Papier. Ihr alle verkennt die Dimensionen! Selbst Thompson und Cantor reißen sie nur ganz am Rande an. Natürlich sind seine Konzepte richtig. Aber Thompson war dann doch ein Mann des letzten Jahrtausends. Er dachte noch sehr analog. Und er dachte in alten Kategorien: klassische Marktwirtschaft, Kapitalismus, Geld. Wir steuern auf eine neue Welt zu.« Seine Stimme hatte eine für ihn ungewöhnliche Spannung angenommen, die Wörter schossen schneller und hektischer als sonst aus seinem Mund. »Wozu brauche ich noch Märkte, Wettbewerb oder Geld zur Preisbestimmung, wenn Preise kein Signal mehr sind, sondern nur mehr ein Abbild der Daten? Wenn mir unfassbare Datenmengen weitaus genauere Informationen über Bedürfnisse der Menschen und Angebote zu deren Befriedigung viel schneller liefern? Und mir daher die Daten genügen, mit entsprechenden Algorithmen Güter und Dienstleistungen möglichst effizient mit der Nachfrage der Konsumenten abzugleichen und zu verteilen, kurz: Gesellschaft zu koordinieren und zu organisieren?«

»Dir, als einem der Sammler und Besitzer dieses modernen Kapitals. Und was ist mit dem Rest der Welt?«

Jemand, an dem sie vorbeischlichen, zischte ein unfreundliches »Pssst!«

»Thompsons und Wills Modelle, beziehungsweise eigentlich schon die Arbeiten der Londoner, legen den Grundstein für ein neues Verständnis und eine neue Gestaltung von Verteilung«, begriff Jeanne. »Je nachdem, wer diese Gestaltung übernimmt.«

»Wir leben in einer Wissensgesellschaft«, sagte Ted, während er sie drängend durch die Reihe schob. Seine geduckte Haltung schien jetzt weniger von der Rücksicht auf die anderen Gäste herzurühren, sondern glich einem Raubtier auf der Jagd, vielleicht sogar einem, das in die Enge getrieben worden war. »Daten sind Wissen. Wissen war immer schon Macht. Und wird es in Zukunft mehr denn je.«

»Das ist dein Problem. Wissen wächst umso stärker, je mehr man es mit anderen teilt. Aber mit dem Wissen teilt man natürlich seine Macht.«

»Das war und ist mit Geld, Land, Immobilien, Wertpapieren und anderem Kapital nicht anders«, erinnerte Ted. Ein Achselzucken löste seine Spannung nicht.

»Pssst!«

Ist ja gut! Sie hatten den Ausgang ohnehin fast erreicht.

»Aber Thompson und Will, beziehungsweise schon die Wissenschaftler, deren Arbeiten sie heranziehen, zeigen ja, dass das langfristig für alle besser ist«, sagte Jeanne.

»Außer für mich. Du verstehst noch immer nicht. Bei Verteilung ging und geht es nie um Wohlstand. Sondern um Macht.« Sein Kopf war jetzt fast so tief zwischen den Schultern wie der eines Stiers vor dem Angriff. »Herb und Cantor arbeiteten schön heraus, dass es im Prinzip zwei Mechanismen gibt. Da sind zum einen die multiplikativen, exponentiellen Dynamiken des Zufalls, des Glücks, die immer und immer wieder alles Vermögen bei ein paar Glücklichen aufhäufen und nicht nach einer Normalverteilung über allen ausstreuen. Ja, wenn er einmal da ist, klebt Reichtum!«

»Und als einer der Glücklichen kann man diese Dynamiken dann auch noch zu seinen Gunsten unterstützen, so wie du letzte Nacht …«, bemerkte Jeanne. »Aber auf der anderen Seite, das zeigen die Londoner, und in der Folge Thompson und Will, gibt es die Dynamiken der Kooperation, des Zusammenlegens und Teilens, mit denen noch besseres Wachstum möglich wird. Schon für Vielzeller gegenüber Einzellern, da aber noch im evolutionären *Trial and Error*-Verfahren. Als erste Lebewesen überhaupt jedoch können wir Menschen diese Dynamiken *bewusst* so kanalisieren, dass sie noch mehr abwerfen und dies alle vorwärtsbringt.«

»Du hast also ordentlich hineingelesen«, sagte Ted. Er zuckte erneut mit den Achseln, diesmal löste es seine Anspannung. Er schien die Situation akzeptiert zu haben. Das machte Jeanne misstrauisch.

»Jene in den Verteilerpositionen waren immer die Mächtigen in dieser Gesellschaft«, sagte sie. »Sie steuern, wem die Früchte dieser Dynamiken zufallen. Im Deutschen nennt man einen dieser Mechanismen sogar genau so: Steuern. Jene in diesen Verteilerpositionen bestimmen: Wem gehört das Glück? Oder zumindest der Teil, der sich steuern lässt.«

»So eine kluge und hübsche Frau«, sagte Ted. »Ich weiß schon, warum ich dich so anziehend finde. Ja, neue Technologien wie künstliche Intelligenz, vielleicht Blockchain und noch zu entwickelnde Ansätze werden nicht nur diese Verteilungskosten radikal verbilligen. Die Gewinne daraus werden gigantisch sein. Wer über sie verfügt, besitzt die Macht in der künftigen Gesellschaft. Und bestimmt über die Verteilung dieses Wohlstands. Du könntest dazugehören.«

»Was spricht dagegen, dass alle an dem Wohlstand teilhaben?«

»Das hatten wir schon«, sagte er und runzelte in gespielter Enttäuschung die Stirn. »Dass sie dann auch an der Macht teilhaben.«

»Die du nicht teilen möchtest.«

»Warum sollte ich? Herb und Cantor haben eines nicht verstanden. Du brauchst Leuten nicht mit Argumenten zu kommen. Gib ihnen ein *Gefühl*, das wie ein Argument *aussieht*. Ein Gefühl, das sie selbst verspüren: vermeintliche Benachteiligung, Unterdrückung, nicht ernst genommen werden, moralische Überlegenheit und so weiter. Da gehen sie mit. Selbst wenn du Milliardär bist und – wie du so schön formulierst – seit Jahrzehnten das Geld von genau diesen Leuten zu dir schaufelst.«

»Das wird ein Überwachungs- und Fernsteuerungsstaat!«

»Gesellschaft. Staat braucht man dafür nicht. Höchstens als

Kulisse. So wie heute schon teilweise. Aber die Menschen merken es nicht. Und machen mit. Natürlich spüren sie, dass unter diesen Bedingungen die Befriedigung ihrer Bedürfnisse mit möglichen Lösungen nicht immer ganz so läuft, wie sie könnte. Das führt zu einer diffusen Unzufriedenheit, die man aber gut kanalisieren kann. Hat man immer schon getan. Sag ihnen, die Ausländer sind schuld. Sag ihnen, der Staat ist schuld. Sag ihnen, die EU ist schuld. Ein Gefühl, das wie ein Argument aussieht. Und sie glauben es.«

»Die Frage ist für mich immer noch, wie du zu Thompsons und Wills Unterlagen gekommen bist.«

»Die wahre Frage ist, in welcher Welt du leben willst. In meiner oder in einer anderen?« Er musterte sie aus zusammengekniffenen Augen. »Auch wenn ich das Gefühl habe, dass ich die Antwort darauf schon kenne.«

Aus dem Nichts tauchte eine große Gestalt vor ihr auf. Mitch. Lächelte sie an.

»Jeanne …«

Hängte sich bei ihr ein.

76

»… wollen Sie nicht«, sagte das große Monitorwandgesicht. Fitzroy hatte für die Rede nur Ohren, seine Blicke galten Jeanne und dem Mann, der ihr im Halbdunkel gebeugt durch die Tischreihen der Zuhörer folgte. Und jenem, der eben seinen Arm unter ihren geschoben hatte. Der Sicherheitskerl aus Jeannes Suite!

»… was … was soll …«, schallte es aus den Lautsprechern.

Durch den Saal ging ein Raunen. Einige der Besucher standen auf, um besser zu sehen. Auch Jeanne und die Männer bei ihr hielten an und richteten ihre Blicke auf das Podium.

Der Jubel Hunderttausender Kehlen stieg in den Himmel über dem Brandenburger Tor, als Amistad und ihre Mitstreiter die Bühne im Konferenzzentrum kaperten. Vor dem zeternden Referenten entrollten sie ein Transparent. Kim verfolgte die Ereignisse gleichzeitig über die Leinwand auf der Musikplattform, wo die aktuelle Rednerin ihre Ansprache unterbrochen hatte, und auf ihrem Handy. Die Demo-App übertrug live. Auf den Bildschirmen lief Amistad zu dem Mikrofon, von dem sich der Sprecher ängstlich fortschob, als umgäbe Amistad ein unsichtbarer Schild. Auf der Monitorwand in der Konferenzhalle erschien statt Amistads Gesicht ein Video der Demonstration. Ein Menschenmeer im Tiergarten.

»Wie geil ist das denn?!«, rief Kim und stieß Nida an. »Sie haben es geschafft!«

Das IT-Team der Demonstranten hatten die Konferenz-IT gehackt und übertrug Bilder der Demonstration zu den Konferenzteilnehmern. Amistad reckte die rechte Faust in die Höhe. »Frieden! Freiheit! Gerechtigkeit!«

Sie wiederholte die Worte, und dieses Mal fielen Hunderttausende im Tiergarten mit ein. Eine tosende Brandung, berauscht von ihrer eigenen Größe, die über die halbe Stadt schallte.

Doch Amistad ließ die Faust wieder sinken und zeigte ins Publikum.

»Ah, da kommen sie schon«, rief Amistad. Von seiner Randposition übersah Fitzroy den Tumult. Durch die Gänge der Sitzreihen, in denen jetzt alle standen und durcheinanderredeten, manche empörte Kommentare Richtung Podium schleuderten, viele mit ihren Handys über den Köpfen filmten, stürmte ein Dutzend Männer auf die Bühne zu. Auf deren Seiten sprangen ebenfalls erste Gestalten hoch. Der Moment weckte Jeannes Begleiter aus ihrer Überraschungsstarre. Sie schoben sie weiter durch das Getümmel. Zwischen den beiden Männern war ihr Widerstand kaum merkbar, obwohl Fitzroy ihn wahrnahm. Erstaunlich, wie schnell man einen Menschen unter Extremsituationen kennenlernen konnte. Und die hatten sie in der vergangenen Stunde wahrlich erlebt! Er löste sich von der Wand neben dem Ausgang, ihnen entgegen.

»Stattdessen«, beeilte sich Amistad, bevor die ersten Sicherheitsleute sie erreichten, »möchte ich mein Bedauern darüber ausdrücken, dass wir Herbert Thompsons Rede hier und heute nicht hören konnte, weil er gestern Abend *ermordet* wurde.«

Das haben wir dir im Vertrauen erzählt, fluchte Jan innerlich vor dem Monitor in der Vorhalle, an dem er hängengeblieben war.

Das Getuschel im Saal schwoll an, durchsetzt von Überraschungsrufen, so wie das der anderen Zuschauer neben Jan. Für einen Moment schien die Zeit eingefroren.

Erste Sicherheitsleute erreichten die Transparenthalter. Versuchten, Amistads Kumpanen das Spruchband zu entringen.

»Wie ich aus informierter Quelle weiß, hätte er sehr spannende Ideen vorgetragen!«

Jan stand nicht allein vor dem Monitor, um ihn versammelten sich andere neugierige Besucher, die sich gerade nicht im Saal aufhielten. Für den Moment fühlte er sich einigermaßen sicher. Aus den Augenwinkeln suchte Jan nach seinem Verfolger. Der hatte sich gut versteckt, Jan entdeckte ihn nirgends.

»Ideen, die viele der Probleme, wegen derer Sie heute hier sind, lösen helfen können!«

Auf dem Bildschirm erreichten die ersten Securityleute Amistad, packten sie an Armen und Beinen, versuchten, sie von dem Pult fortzuzerren, an das sie sich klammerte. Einer der Transparenthalter fiel, das Tuch verknitterte und flatterte zu Boden, als auch ein zweiter Halter überwältigt wurde.

»Herbert Thompson kann sie nicht mehr vortragen, weil er ermordet wurde!« Sie wehrte sich nicht, klammerte nur, die Beine fast waagrecht nach hinten gezogen. »Aber wir hätten ein paar wenige Leute hier, die diese geheimnisvolle Rede gelesen haben!«

Jans Magen begann sich in unangenehme Richtungen zu drehen. Einer der Sicherheitsleute hatte Amistads rechte Hand von der Pultkante gelöst. Ein anderer zog ihren Kopf an den Haaren vom Mikrofon.

»Die Thompsons Ideen kennen! Die sie uns vorstellen könnten!«

Gleich würde auch Amistads Linke aufgeben müssen.

»Jeanne!? Fitz?! Jan?! Einer von euch?! Ted Holden?!«

Der letzte Name löste erneutes Raunen aus.

Spinnt die?! Weshalb zieht die uns da hinein?!

Nervös blickte Jan sich um. Niemand hier kannte ihn. Wusste, dass Amistad ihn gemeint hatte.

Auf dem Podium schleppten die Securitys Amistad vom Pult, die mit verrenktem Hals der Menge zurief: »Wollen Sie Thompsons Geheimnis kennenlernen?!« Ihre Stimme ohne Mikrofon war nur mehr in den vorderen Reihen hörbar.

»Na sicher!«, rief eine Stimme aus dem Publikum. Im Scherz.

»Verschwindet!«, eine andere.

»Warum nicht?«, rief gleichzeitig noch eine andere. Sie klang für Jan nicht ironisch. Nun überschlugen sich die Stimmen.

»Lassen Sie die Frau doch einmal reden!«, eine dritte.

»Haut ab!«

Da legte sich aus den Lautsprechern eine Frauenstimme voll und satt über das Stimmengewirr und erklärte: »Ich glaube, ich würde das gern hören.«

77

Der Saal, im Aufruhr, hielt erneut überrascht inne.

Fitzroy, der Jeanne, Holden und Mitch fast erreicht hatte, erkannte die Frau hinter dem Sprecherpult, deren Gesicht wandhoch auf dem Monitor dahinter leuchtete. Er hatte sie schon zweimal gesehen. Gestern Abend in Begleitung eines Polizisten vor seinem Hotel. Später am Abend waren sie im besetzten Haus vor ihr geflohen.

Nun stand sie auf dem Podium in Begleitung mehrerer Securityleute, in Uniformen, in Anzügen.

»Maja Paritta, Mordkommission«, erklärte sie und streckte dem Publikum ihren Ausweis entgegen. Auf den Monitoren hinter ihr wurde er so groß wie ein Plakat am Straßenrand. »An dem, was die Frau über Herbert Thompson sagt, könnte etwas dran sein.« Ihr Blick wanderte suchend durch das Halbdunkel des Saals. »Also ist vielleicht auch an Herbert Thompsons Rede etwas dran.«

Während sich aller Augen auf das Podium konzentrierten, stieß Mitch die schmale Jeanne Richtung Ausgang. Jeanne stemmte sich dagegen, hatte gegen den kräftigeren Mann jedoch keine Chance. Ted war schon zwei Schritte weiter, seit sein Name gefallen war.

»Jeanne Dalli?«, rief die Ermittlerin vom Podium. »Fitzroy Peel? Jan Wutte? Ist jemand von Ihnen da?«

Sie hatte Fitzroy in seinem Hotel aufgestöbert. Dass sie Jans Namen im Lauf der Ermittlungen erfahren hatte, lag nahe. Aber dass sie sogar von Jeanne wusste? Kims Anruf während der Entführung? Andere Ermittlungen? Aufgewühlt versuchte Fitzroy den Umstand einzuordnen. Gut für sie drei? Schlecht?

Mitch umklammerte Jeannes Arm noch stärker, als die Polizistin ihren Namen erneut rief.

»Jeanne Dalli? Fitzroy Peel! Jan Wutte! Wir wissen, was geschehen ist!«

Die Frau hatte ihr noch in der Hotelsuite erklärt, dass sie Peel und den Jungen wegen Mordes suchte. Und rief sie jetzt aufs Podium? Grob schob Mitch sie weiter. Wenige Meter vor ihr entdeckte sie im Halbdunkel Fitzroy.

»Hier!«, rief er. »Hier sind wir!«

Jeanne stemmte sich noch heftiger gegen Mitchs Drängen. Im selben Moment stellte sich Fitzroy ihnen in den Weg.

»Hier bin ich!«, rief sie nun auch. Ihre Chance, Mitch und Ted zu entkommen. »Jeanne Dalli! Hier!«

Erste Köpfe drehten sich um, Blicke richteten sich auf sie.

»Hier sind wir!«, rief Fitzroy.

Unter den Augen der Menge lockerte Mitch seinen Griff. Jeanne nutzte den Moment und löste sich mit einem Ruck. Fitzroy schob sich blitzschnell zwischen sie, und gemeinsam eilten sie zum Podium. Ted und Mitch folgten ihnen hilflos ein paar Schritte, dann hielten sie inne und zogen sich zurück.

Auf dem Podium empfing die Kommissarin Jeanne und Fitz. Hinter ihnen standen Amistad und ihr Team, im festen Griff von Sicherheitsleuten, aber nicht länger mit Gewalt auf den Boden gedrückt, kein Knie mehr im Rücken.

»Wir kennen uns ja schon«, begrüßte die Polizistin sie außerhalb des Mikrofonradius auf Englisch. »Mein Teil ist hier vorläufig erledigt. Sagen Sie, was Sie sagen können. Über alles andere reden wir später.«

Sie machte keine Anstalten, Jeanne oder Fitz festzunehmen.

»Ich?«, fragte Jeanne ungläubig, fast zu laut.

Neben ihr setzten der wieder aufgetauchte Vorredner und mehrere weißhaarige Herren in seiner Begleitung zu Protesten an, doch die Polizistin brachte sie mit einer Handbewegung zum Schweigen.

»Sie oder Peel, wie Sie wollen.«

Jeanne warf einen Blick in den Saal.

Die Scheinwerfer blendeten sie. Die illustren Gäste konnte sie nur erahnen, hörte wohl das aufgeregte Plappern, die Rufe, endlich zu verschwinden und mit dem Programm weiterzumachen, die Gegenstimmen mit ihrem »Nein, wir wollen hören, was Thompson …«.

»Lassen Sie die da frei«, forderte Fitz von der Polizistin mit einer Geste zu Amistad und ihrem Team.

Die zögerte, wechselte ein paar Worte mit Amistad, einen Blick mit Fitz, dann gab sie den Sicherheitsleuten ein Zeichen. Widerwillig lockerten sie ihren Griff, die Demonstranten entwanden sich, blieben aber einfach stehen und warteten ab, was als Nächstes passieren würde.

Ohne weiteren Kommentar zog sich die Polizistin zurück und forderte die Demonstranten auf, ihr freiwillig zu folgen. Amistad durfte bleiben.

Jeanne starrte in die blendende Dunkelheit vor sich, in der ein Saal voll mit den wichtigsten Staats- und Wirtschaftsführern der Welt wartete. Darauf, ob diese junge Frau da oben es wagen würde, etwas zu sagen.

Jeanne trat an das Mikrofon.

Fitzroy hielt sich im Hintergrund. Er fragte sich, was Jeanne tun würde. Versuchen, Thompsons Rede zu halten? Sie hatte sie nur überflogen. Besaß sie ein fotografisches Gedächtnis? Oder wollte sie improvisieren? Über jene Inhalte, die sie mitbekommen und verstanden hatte? Während ihrer Ausbildung und in ihrem Beruf hatte sie sicher gelernt zu präsentieren, auch spontan und vor größeren Gruppen. Sie war blitzgescheit und mutig. Trotzdem gewagt, ohne Vorbereitung, ohne Skript.

Jeanne straffte sich, bog das Mikrofon zurecht und richtete ihren Blick auf das Publikum.

»Guten Tag! Meine Name ist Jeanne Dalli. Ich arbeite bei einem Hedgefonds, früher an der Wall Street und konnte Herbert Thompsons Rede heute Vormittag kurz überfliegen. So wie« – sie wies mit der Hand hinter sich – »Fitzroy Peel, ebenfalls ehemaliger Investmentbanker, heute … egal.«

Nein! Lass mich da raus!

Sie wandte sich um, lächelte und nickte ihm auffordernd zu.

Fitzroy zögerte, als er eine Stimme aus dem Publikum rufen hörte: »Izzy?!«

Der Spitzname, den nur Fitzroys engste Familienmitglieder gebrauchten, Bruder, Schwestern, Mutter, Vater, in diesem kehlig-nasalen, mittlerweile etwas gebrochenen Ton, eine der ersten Stimmen, die er in seinem Leben gehört hatte, nun aber seit Monaten nicht, auf deren Besitzer Jeanne ihn schon angesprochen hatte, der natürlich da unten in der Menge saß und irgendwas zwischen ungläubig, entsetzt und erwartungsvoll klang. Fitzroy konnte die Gemütslagen dieser Stimme genau lesen, und noch immer riefen sie gleichzeitig tiefste Zuneigung und intensivsten Widerstand aus, als wäre er nie erwachsen geworden.

Fitz atmete tief durch und stellte sich hinter Jeanne.

Die Zuschauer vor dem Monitor rings um Jan tuschelten aufgeregt, erste machten sich auf den Weg nach unten. Auf dem Bildschirm hinter Jeanne entfaltete Fitz ein zerknittertes Papier und zückte ein Handy, während sie zu sprechen begann.

»Mit unseren Entscheidungen gestalten wir unser Leben, gestalten wir das Leben anderer, gestalten wir die Welt. Deshalb ist es von«, sie lächelte, »*entscheidender* Bedeutung zu wissen, wie Menschen zu Entscheidungen gelangen. Herbert Thompson und Will Cantor …«

Jan sah sich um, suchte seinen Verfolger, entdeckte ihn noch immer nicht. Die Polizistin hatte Fitz nicht nur in Frieden gelassen, sie hatte ihn auf das Podium geholt. Und ließ ihn nun tatsächlich reden. Sie hatte sie alle drei dazu aufgefordert. Das hätte sie nicht getan, wenn sie ihn noch immer als Verdächtigen suchen würde. Es war vorbei! Jan löste sich von dem Bildschirm und eilte zum Treppenaufgang. Er nahm zwei Stufen auf einmal.

El lief mit dem Anzug, der ihn ins Gebäude geholt hatte, durch die Arkadengänge vor einem großen Konferenzsaal. Aus den offenen Türen drangen erregte Stimmen. In Gängen starrten Menschen an Stehtischen gebannt auf Monitorwände, die offensichtlich die Ereignisse im Saal selbst nach draußen übertrugen. Viele wollten in den Saal, einige kamen schimpfend heraus. Hinter einem kleinen Pult auf einem großen Podium sprachen zwei Personen, ihre Gesichter auf der Monitorwand dahinter riesig aufgeblasen.

Die Frau. Hinter ihr der Spieler. Nur der Samariter fehlte in dem Bild.

»… auf Basis dieser Entscheidungsmodelle entwickeln wir Menschen bewusst und unbewusst Strategien für alle Bereiche unseres Lebens: Partnerschaften, Gesellschaftsordnungen, Vermögensmehrung, ökonomische Konzepte, Strategien der Eskalation und Vermeidung sozialer Unruhen, wie wir sie gerade zunehmend erleben, bis hin zu Friedensverhandlungen, wie sie hier geführt werden sollen …«

Der Anzug neben El griff an den Knopf in seinem Ohr, lauschte. Wandte sich an El.

»Ihr Auftrag ist beendet«, erklärte er trocken und wandte sich ab. Ohne ein weiteres Wort entfernte er sich Richtung Saal.

El begriff sofort. Viel war da auch nicht zu verstehen. Sie hatten den Job endgültig gegen die Wand gefahren. Ihr Auftraggeber ließ sie fallen. Ihre zweite Honorarhälfte konnten sie vergessen. Sie waren auf sich gestellt. Gefährlicher noch, womöglich warf der Auftraggeber sie vor den Bus. Damit die Ermittler ihre Täter hatten und Frieden gaben. El kannte ihn bis heute nicht. Auch wenn ihm die Aktion in der Hotelgarage Hinweise gegeben hatte, die ihm bei genauerem Nachgehen vielleicht Rückschlüsse erlauben würden. Wer waren die Männer gewesen, denen sie ihre drei Geiseln in der vorgetäuschten Entführung abgenommen hatten? Die Kennzeichen der Wagen hatte El sich gemerkt. Woher waren die Männer gekommen? Wohin waren sie danach gegangen? Wer war die Frau? Gerade hatte er für solche Überlegungen aber keine Zeit.

»Jack? Sam? Rob?«

Es dauerte ein paar Sekunden, während derer Els Blick verloren durch den Saal schweifte, über all diese satten Anzugträger, bis sich die drei fast zeitgleich in seinem Ohr meldeten.

»Code Stealth«, sagte er nur.

Erst mal auf Tauchstation gehen.

Sollte er den Weg nehmen, den er gekommen war, oder dort über die großen Treppen hinauf und vorne durch den Haupteingang?

Als El auf der Treppe das verdammte Gesicht auftauchen sah, wusste er, dass er noch eine Sache zu erledigen hatte.

78

Jan überholte alle anderen auf den Treppen zum großen Konferenzsaal. Die Arkadengänge waren nun deutlich dichter bevölkert als zuvor. Vor den Monitoren bildeten sich Gruppen von Menschen. Darauf präsentierte Fitz gerade einen schnell gekritzelten Schiefen Turm von Pisa. Jan schlängelte sich durch zum erstbesten Eingang, vor dem sich eine kleine Traube anderer Interessierter drängte. Er stellte sich auf die Zehenspitzen, um über ihre Häupter in den Saal zu sehen. Hier hatte Schieben keinen Sinn mehr. Er ließ sich mit dem Flow treiben. Aus den Lautsprechern klang Fitz' Stimme, kraftvoll und eloquent.

»... die falschen Entscheidungsmodelle zugrunde legen, bekommen wir natürlich schlechte Ergebnisse ...«

Zum Glück muss ich nicht da oben stehen.

Hinter Jan drückte ihm ein lästiger Drängler seine Fingerknöchel in den Rücken.

»*Stay quiet!* Ruhig!«, zischte eine raue Stimme in sein Ohr. Seinen linken Oberarm umklammerte ein Schraubstock, zwang ihn zu einer Wendung. Jan wehrte sich, doch aus dem harten Druck in seinem Rücken wurde ein schmerzhafter Stich. »Das ist ein Messer«, flüsterte die Stimme auf Englisch. »Und ich zögere keine Sekunde, es einzusetzen. Mitkommen.«

Jan ergab sich für den Moment. Wer war der Mann? Die Stimme kam von weiter oben. Er musste größer sein. Seine Hände Schaufeln. Der Körper, der ihn wie ein Bagger nach vorn schob, fühlte sich in Jans Rücken wie der eines Bodybuilders an. Ein flüchtiger Blick aus den Augenwinkeln auf Schuhe und Hose seines Bedrängers bekräftigten seine Befürchtung.

Ambosskinn oder einer seiner Kumpane. Wie kam der hierher? Wie hatte er Jan *wieder* gefunden? Gab es auf dieser Welt *keinen* sicheren Ort?! Selbst inmitten von Staatschefs und Industriebossen mit all ihren Sicherheitsvorkehrungen nicht? Mit einem Mal spürte Jan eine tiefe Hoffnungslosigkeit, die ihn völlig leer zurückließ. Widerstandslos ließ er sich wegschieben. Nur vereinzelt warf jemand einen kurzen Blick auf das seltsame Gespann, um ihn gleich wieder auf die Monitorwände zu richten.

Jan hörte Jeannes Worte, doch er bekam davon nichts mit.

Jan hatte diese Leute skrupellos morden sehen. Wenn der sagte, dass er nicht zögern würde, ihm ein Messer in den Rücken zu jagen, glaubte Jan ihm das.

Nachdem die Security da unten auch ihn, Fitz und Jeanne durchgelassen hatte, warum dann nicht diesen Irren, und das mit einem Messer? Aus dem tiefen schwarzen Loch in ihm kroch ein kleiner Funke. *Noch lebe ich!*

Geh kein Risiko ein, das dich umbringen könnte.

Gegenwehr konnte ihn umbringen. Jetzt.

Keine Gegenwehr brachte ihn womöglich auch um. Später.

Die scharfen Pikser trieben ihn in das Foyer. Hier waren weniger Menschen.

Zwischen jetzt und später lagen vielleicht noch Chancen.

Entscheidung unter Unsicherheit. Wieder einmal.

Maja hätte Dalli und Peel gern zugehört, doch sie hatte Wichtigeres zu tun. Ob die Nachrichten des Anrufers aus der Zentrale gut waren oder nicht, hing tatsächlich von der Perspektive ab. Und von den kommenden Minuten.

Die erste Information stammte von den Spurensuchern. Das Blut auf dem Karosseriestück vom Unfallort hatte einen Treffer geliefert. Die DNA-Probe gehörte zu einer wegen mehrfachen Mordverdachts international gesuchten Person. Sie war unter mehreren Namen bekannt. Aber nur mit einem Gesicht. Die Spurensucher hatten ihr ein Foto geschickt. Als Maja das Bild gesehen hatte, überlief sie ein Schauer. Sie kannte es.

Die zweite Information betraf die Telefonnummer, deren Ortung sie in Auftrag gegeben hatte. Sie hatten das Gerät bereits lokalisiert. Der Halter musste im Gebäude sein!

Nun hatten die Kollegen Majas Handy den Zugriff auf den Livestream der Ortung freigeschaltet. Der gesuchte Apparat befand sich ganz in der Nähe! Auf ihrem kleinen Screen versuchte sie sich in der schematischen Karte des Konferenzzentrums zurechtzufinden. Ein grün pulsierender Punkt am Rand des großen Saals markierte ihren ungefähren Standpunkt auf drei Meter genau. Der rot pulsierende Punkt bewegte sich langsam von ihr weg. Wenn sie die Karte richtig las, befand er sich drei Räume weiter. In welche Richtung? Mit diesen Anwendungen focht sie immer wieder ihre Sträuße aus.

Maja sah ein letztes Mal hoch zu Jeanne – »... deshalb eine kleine Geschichte erzählen. Es waren einmal zwei Bauern, Ann und Bill. Sie ...« – dann stürmte sie aus dem Saal, den Blick auf das Telefon geheftet. Richtige Richtung. Durch die Vorhalle mit den Stehtischen gelangte sie in einen nur mäßig besuchten Buffetraum mit Glaswand an einer Seite, in dem sich niemand für das Essen interessierte, sondern nur für die Monitore mit der Übertragung aus dem großen Saal. Andere Bildschirme zeigten Bilder von draußen. Dort wogte das Demonstrantenmeer, über dem wie die Segel kleiner Schiffe Transparente wehten.

Irgendwo musste es einen Ausgang in die andere Richtung geben.

Jans Angreifer gab sich keine Mühe, das stechende Ding behutsam einzusetzen. Seinen rechten, baumstammähnlichen Arm hatte der Killer wie ein guter Freund um Jans Schultern gelegt. In der linken hielt er das Messer unter Jans linker Achsel versteckt. Mit der Spitze tastete er beständig nach einer Stelle zwischen den Rippen, durch die er die Klinge im Ernstfall schnell und weich und ohne Hindernis direkt in Jans Brustraum und Herz stoßen konnte. Dabei schlitzte er die Haut schon probehalber ein wenig auf. Jan fühlte sich wie beim Zahnarzt ohne Betäubung, spürte warmes Blut in sein T-Shirt sickern. Er zwang sich, die Zähne zusammenzubeißen und keinen Laut von sich zu geben. Er hatte keine Lust zu spüren, wie sich der Stahl in seine Seite senkte. Die Panik erhitzte jede Faser seines Körpers.

»You've been a pain in the ass«, zischte der Kerl in Jans Ohr. *»You won't be a witness.«* Du warst eine Nervensäge. Du wirst kein Zeuge sein.

Roh zwang er ihn durch den Raum, in dem hektisches Personal das Catering vorbereitete. Jan hatte keine Idee, wie er diesem Schraubstock entkommen sollte. Für die Arbeitenden mussten sie wie beste Kumpels aussehen. Gleich würden sie in einen dieser Zubringertunnel gelangen, mit seinen düsteren Nischen, Winkeln und Ecken, in denen man für ein paar unbeobachtete Momente alles anstellen konnte.

Die Tür stand offen. Zwanzig Meter weiter lief eine einsame Gestalt in ihre Richtung. Entgegen kam ihnen niemand. Jans Magen drehte sich um, seine Knie verwandelten sich in Wackelpudding.

Der Mann zerrte ihn im Schwitzkasten weiter. Jan bäumte sich auf, was der muskelbepackte Arm mit einem gelangweilten Zucken unterband. Gleichzeitig bohrte sich ein heißer Stich tiefer in Jans Rippenhaut als zuvor.

»Don't«, raunte der Mann heiser. *»It just worsens the pain.«* Macht es nur schmerzhafter.

Er drängte ihn hinter einen Pfeiler.

Geh kein Risiko ein, das dich umbringen könnte.

Umbringen konnte Jan jetzt nur mehr, *kein* Risiko einzugehen.

Er ballte die linke Faust. Konzentrierte sich einen Moment. Wand den Oberkörper so weit wie möglich ab und wuchtete den abgewinkelten Arm hoch, wo er mit voller Kraft die Nase des Mannes traf. Mit einem kehligen Grunzen zog sich dessen rechter Arm reflexartig um Jans Hals wie eine Python.

Ungläubig registrierte Jan, wie gleichzeitig die Klinge gegen einen schwachen Widerstand wie beim Steakschneiden in seine linke Brustseite tauchte. Heiß schabte sie über seine Rippen, bevor Jan sich mit dem Mut der Verzweiflung ein letztes Mal gegen diesen Baumstamm von Mann aufbäumte.

79

Als Maja mit zwei Männern der Event-Security den Cateringraum betreten hatte, verließen die beiden Gestalten ihn gerade an der gegenüberliegenden Seite. Der Koloss hatte Jan Wutte unter Kontrolle. Was auf den ersten Blick wie gute Kumpels aussehen mochte, war für Maja eindeutig. Der Muskelberg musste einigermaßen versteckt eine Waffe gegen Jan Wuttes Seite drücken. Zwar konnte sie sich nicht vorstellen, wie er ohne Sicherheitsfreigabe und mit Waffe in den Komplex gelangt war. Noch weniger konnte sie glauben, dass er sogar eine Schusswaffe zur Verfügung hatte. Vielleicht hatte er eine Klinge aus einem Spezialmaterial nah am Körper getragen, die den Schleusen entgangen war?

Kaum waren sie aus der Tür, fiel Maja in Laufschritt. Sie erreichte den Ausgang, als die zwei Silhouetten fünf Meter weiter, halb verdeckt von einem Mauervorsprung, im fahlen Licht einer Neonleuchte miteinander rangen. Maja sprintete los, während sie ihre Pistole zog.

»Hände hoch! Polizei! Loslassen!«

Zwischen den beiden Körpern blitzte etwas auf.

Maja zögerte nicht und drückte ab.

Der Mann kippte leblos auf den Rücken. Der schwere Riesenkörper blieb liegen wie ein totes Walross. Jan Wuttes Kopf lag in seinem Arm wie der eines Geliebten.

Maja tastete an seinem Hals nach dem Puls. Sie war nicht sicher, ob sie etwas spürte. Im Adrenalinrausch mochte sie sich aber vergriffen haben, und ihre Fingerspitzen fühlten nur sich selbst.

Die zwei Securitybegleiter testeten den bewegungslosen Angreifer auf Lebenszeichen.

»Da ist noch was«, erklärte einer.

Maja riss Jan Wuttes Hemd auf. Aus einem Schnitt zwischen den Rippen sickerte Blut. Sie rollte einen Teil des Hemdes zu einem Ballen und presste ihn auf die Wunde.

Unter dem Rücken des Angeschossenen wuchs eine schmale Blutlache hervor. Sie hatte drei Mal abgedrückt und drei Mal getroffen. Sie wusste nicht, wo genau.

»Drehen Sie den Typen um«, wies sie die Sicherheitsleute an. »Sichern Sie ihn trotzdem mit Handschellen. Dann versorgen Sie seine Verletzungen.«

Die Männer bemühten sich, den schweren Körper zu bewegen, als drei weitere Sicherheitsleute eintrafen, begleitet von zwei Sanitätern und einer Ärztin.

Maja durchsuchte die Taschen des Angeschossenen. Sie fand nur ein einfaches Mobiltelefon. Dasselbe Modell wie bei dem Mann, den die Kollegen nahe dem Rover gefasst hatten. Die anderen wuchteten ihn auf den Bauch, während die Ärztin Jan Wutte untersuchte.

Nun wusste Maja die Verletzten in professionellen Händen. Hier war sie vorerst keine Hilfe. Sie prüfte das konfiszierte Telefon.

Ohne den Blick davon zu heben, lief sie den Gang zurück Richtung Veranstaltung. Eine junge Errungenschaft des Homo sapiens digitalis: auf das Handy starren und dabei gehen, ohne Laternenmasten oder seine Mitmenschen zu rammen. Wie bei dem anderen Muskelmann war auch dieses Mobiltelefon nicht gesperrt. Rasch prüfte Maja die Liste der Anrufe. Vier Nummern waren häufig gleichzeitig kontaktiert worden. Musste eine Art Konferenzschaltungsfunktion sein. Eine davon kannte Maja schon, sie gehörte zu dem Telefon des anderen Kerls beim Rover. Die vier Nummern füllten den Großteil des Verzeichnisses. Daneben tauchte in unregelmäßigen Abständen nur eine weitere auf.

Mit ihrem eigenen Apparat rief sie in der Zentrale an.

»Ich brauche vier weitere Telefonortungen. Superschnell, Gefahr in Verzug!«

»... eigentlich sollten wir keinen mathematischen Beweis dafür benötigen, um zu wissen, dass Zusammenarbeit, Kooperation, Solidarität, Mitmenschlichkeit, Nächstenliebe, gegenseitige Hilfe, Frieden – man nenne es, wie man wolle – die Menschheit schon immer besser nach vorn gebracht haben und mehr Wohlstand für alle schaffen«, erklärte Fitz, »als Konkurrenz, Wettbewerb, Konflikt, Spaltung, Ausgrenzung, Abschottung, Verbarrikadieren, Isolation ... Aber da viele diesen Beweis offenbar brauchen: Hier ist er nun! Schwarz auf weiß. Für alle, die Zahlen benötigen, um die Welt zu verstehen.« Er grinste. »Ich zum Beispiel.«

Fitz rückte das Handy mit der Bauernfabel weiter ins Objektiv eines der Kameramänner, die schon die ganze Zeit vor oder auf der Bühne herumliefen, sodass es die Leinwand hinter ihm füllte.

»Das ist sogar bunt«, flachste Jeanne. »Der Vorteil des Prinzips Kooperation gilt natürlich nicht nur für vier hypothetische Bauern. Denken wir uns statt Ann, Bill, Carl und Dana jede beliebige persönliche Beziehung, ersetzen Sie die Bauern in der Geschichte durch politisch links oder rechts, oben, unten, Stadt und Land, Jung und Alt, Inländer und Ausländer, Amsterdam, Bejing, Chicago und Daressalam. Durch Indonesien, Burundi, die USA, Mexico, Chile, China, Nigeria, Russland, Laos und Dänemark. Und jedes andere Land, jeden Kontinent.«

»Wer ›Ich komme zuerst‹, ›America first‹, ›Prima la nostra gente‹ oder ›Was-immer zuerst‹ fordert, handelt wie Ann und Bill«, rief Fitzroy. Er packte den knittrigen Zettel mit der Zeichnung von Carls und Danas Kooperationsplus. Auf der Wand hinter ihnen überlebensgroß projiziert, riss er ebendiesen oberen Teil kurzerhand ab.

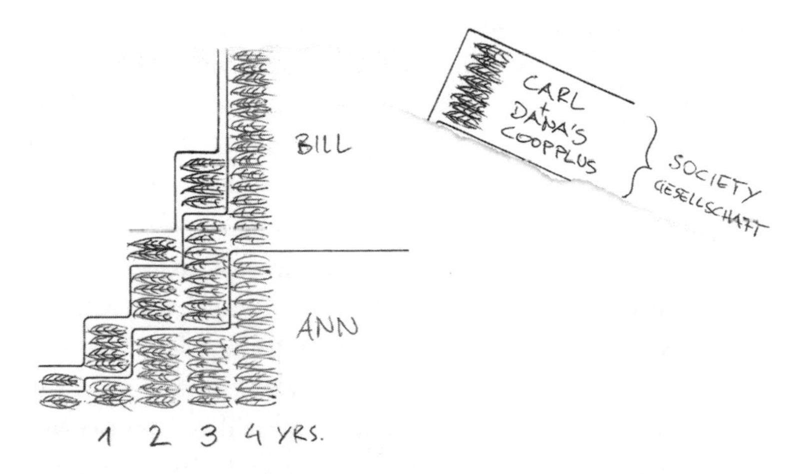

»Er bringt sich und die Seinen um jenes Mehr an Wohlstand, das er wie die Carls und Danas dieser Welt durch Kooperation erwirtschaften könnte. Statt sich und den Seinen zu nützen und wie versprochen ihre Interessen zu schützen, schadet er ihnen!«

Demonstrativ präsentierte er noch einmal die zerrissenen Fetzen, ließ den Gedanken in die Köpfe der Zuhörer sinken.

Danach übernahm wieder Jeanne, als hätten sie nie etwas anderes getan, als im Duo vorzutragen: »Ersetzen Sie die Jahre durch Generationen, und Sie begreifen, wie wichtig stabile und starke Institutionen sind, um das Prinzip auch über Generationen hinweg aufrechtzuerhalten. Ersetzen Sie die Jahre durch Sekundenbruchteile, und Sie landen bei Strategien der Finanzwirtschaft und erkennen, welche entscheidende Rolle die Zeit in der Ökonomie spielt.«

Ihre Augen hatten sich an die blendenden Scheinwerfer gewöhnt, und sie ließ den Blick ein paar Sekunden lang über die schemenhaften Köpfe im Publikum gleiten, bevor sie weitersprach.

»Jede langfristig erfolgreiche Firma arbeitet letztlich nach diesem Prinzip, so wie jede erfolgreiche Gesellschaft, jeder prosperierende Staat: Ressourcen werden so miteinander geteilt, dass sie das optimale Wachstum für alle bringen. Unternehmen und Staaten, die, statt zu kooperieren, lieber nur auf Konkurrenz und Konflikt setzen, gehen früher oder später unter – oder die überwiegende Mehrheit verelendet. In einer globalisierten Welt gilt das natürlich auch auf globaler Ebene.«

»Denken Sie an Fußball!«, rief Fitzroy, »Football, an jeden Teamsport! Immer wieder erleben wir, dass die Manager die teuersten Spieler zusammenkaufen, doch die Mannschaft gewinnt trotzdem nicht – weil die Stars nicht zusammenspielen, sondern jeder für sich. Genau das lieben wir an diesen Sportarten: dass ein verschworenes Team guter Spieler, die sich ergänzen und alles füreinander und die Mannschaft geben, ein Nicht-Team aus Spitzenspielern, die allesamt arrogante Einzelkämpfer sind, schlagen kann!«

»Wenn die Welt eine Fußballmannschaft arroganter Egoisten ist, wird diese Mannschaft – und damit jeder einzelne ihrer Spieler – auf Dauer gegen Klimawandel, Hunger, Armut, Gewalt und andere Gegner verlieren. Als Mannschaft aus Teamplayern dagegen wird sie langfristige Vorteile für alle schaffen«, erklärte Jeanne Dalli, als Maja den Saal betrat, und hielt dabei zwei Teile eines zerrissenen Papiers aneinander, das sie Fitzroy Peel abgenommen hatte.

Maja hatte den vordersten Seiteneingang gewählt und blieb dort stehen. Von hier hatte sie einen guten Überblick. Der Saal war voll, der Großteil des Publikums stand, einige filmten oder

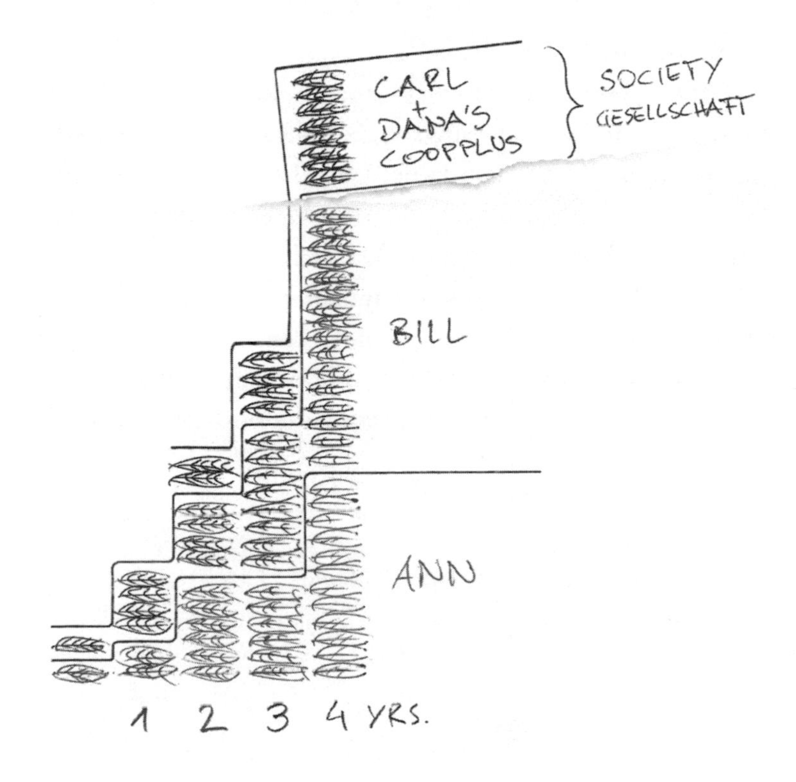

fotografierten. Auf der Monitorwand hinter Jeanne Dalli war riesengroß der Monitor eines Handys mit der komischen Grafik eines Dorfes und Ähren abgebildet. Darunter eine Tabelle mit irgendwelchen Zahlen.

Maja wählte die Nummer der Zentrale.

»Was ist mit den Ortungen? Ich brauche sie dringend!«

»Sind dran. Zwei haben wir in dieser Sekunde bekommen. Eine aus dem Viererbündel ist in Mitte, eine zweite am anderen Ende von Unter den Linden.«

»Schickt jemanden hin, Halter vorläufig festnehmen.«

»Maja, du weißt doch …«

»… dass da draußen ein paar Irre unterwegs sind, die auf Kollegen geschossen haben! Muss ich dich daran erinnern?«

»Nein«, erwiderte er kleinlaut.

»Danke. Was ist mit den zwei verbleibenden Nummern?«

»Haben wir erst näherungsweise. Die dritte Viererbündelnummer ist im Bereich Potsdamer Platz. Der andere ist in deiner Nähe.«

»In meiner Nähe!?«

Ein paar Köpfe wandten sich nach ihr um. Maja dämpfte ihre Stimme. »Wo?«

»Am Pariser Platz«, kommentierte der Angerufene lakonisch. »Könnte sogar *im* DZ-Gebäude sein. Bekommst du, sobald wir die exakte Ortung haben.«

Schnell, bitte!

»Danke, Kollege!«

Sie benötigten gerade alle starke Nerven.

80

»… diese Bauerngeschichte ist doch Kommunismus …«, rief eine Stimme aus dem Publikum. »Wenn ich meine ganze Ernte abgeben muss …«

»Im Gegenteil«, wandte Fitzroy mit ruhiger Stimme ein. Wieder mal so einer, der nicht nachdachte oder in allem, was ihm nicht in den Kram passte, sofort sein liebstes ideologisches Feindbild entdeckte: Kommunisten, Linke, »Gutmenschen«, Faschisten, Nazis, Neoliberale …

»Die Bauerngeschichte erklärt vereinfacht das *Prinzip* der Kooperation. Dass Carl und Dana alles zusammenlegen und teilen ist ein Extremfall, um die Rechnung zu vereinfachen. In der Realität legt man anteilig zusammen …«

»Nichts anderes tun Staaten mit ihren Steuer- und Sozialsystemen«, rief jemand anderes aus dem Publikum.

»Genau!«, höhnte der erste Zwischenrufer. »Die Fleißigen und Anständigen mit Steuern bestrafen und den Faulen das Geld in den Allerwertesten schieben!«

»Im Gegenteil!«, rief der andere, »Wie die beiden soeben *mathematisch bewiesen* haben, fördern Steuern und Verteilungsmaßnahmen, richtig eingesetzt, das Wachstum! Habe ich auch schon immer gesagt!«

Fitzroy suchte geblendet im Zwielicht den Sprecher und fand ihn in der zweiten Reihe. Er war aufgestanden und gestikulierte zwischen dem Podium und der Bühne hin und her. Fitzroy erkannte ihn sofort: Er war einer jener Superreichen, die sich als Erste der von Microsoft-Gründer Bill Gates und Investorenlegende Warren Buffett ins Leben gerufenen Initiative *The Giving Pledge* angeschlossen hatten, in der jene erklärten, den Großteil ihres Vermögens wohltätigen Zwecken zu spenden. Unterstützung von überraschender Seite!

Kurzerhand schob Fitzroy noch einmal den zerrissenen Zettel ohne seine Illustration des Kooperationsplus vor die Kamera.

»Hier! Wieder: Ann und Bill arbeiten quasi ohne Steuern und Sozialsysteme.«

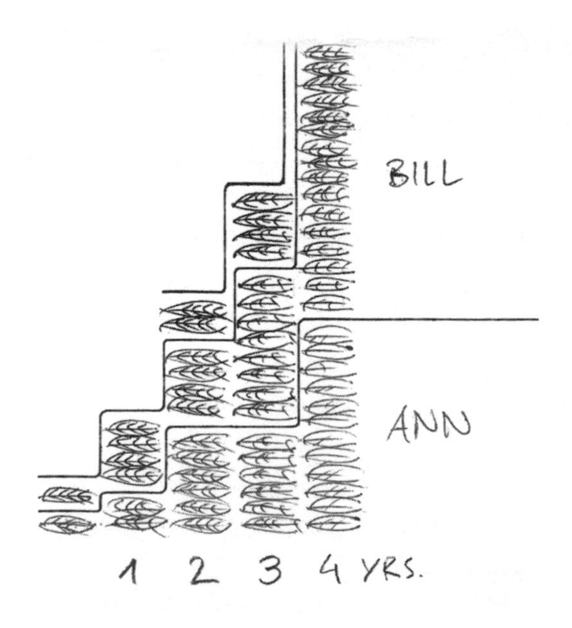

Dann legte er den abgerissenen Teil mit Carls und Danas Kooperationsplus wieder dazu.

»Carl und Dana verwenden Steuern und Sozialsysteme. Und profitieren davon.«

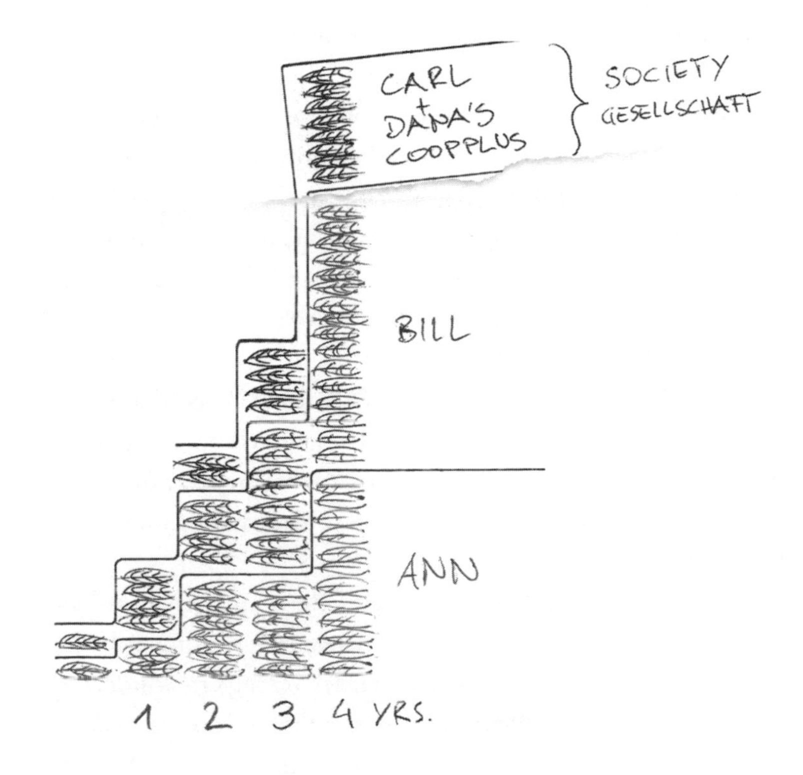

»Das ist doch lächerlich!«, meckerte der erste Zwischenrufer.

»Sorry, aber das ist Mathematik«, rief der Milliardär aus der zweiten Reihe, »das haben die beiden Ihnen doch gerade gezeigt! Und noch dazu ziemlich einfache, wie wir alle gesehen haben! Hieb- und stichfest!«

»Allerdings«, sagte Fitzroy, entfernte den Zettel wieder und bediente das Handy mit der animierten Bauernfabel, »die Schlüsselworte hier lauten ›richtig eingesetzt‹.«

»Genau!«, grölte der erste Zwischenrufer.

»Sie haben natürlich recht, dass diese Form von Kooperation – Ressourcen zusammenlegen und teilen – nicht immer für alle von Vorteil ist. Es hängt davon ab, wie viel alle beitragen und bekommen.«

»Genau, die einen tragen alles bei, und die anderen bekommen alles!«

»Allerdings«, erwiderte Fitzroy. »So weisen die Londoner Mathematiker, auf die sich Thompson und Cantor stützen, für die USA mathematisch – nicht nur empirisch – nach, dass spätestens seit den Achtzigerjahren eine Umverteilung von Arm zu Reich stattfindet. Die Armen tragen bei, und die Reichen bekommen. In vielen anderen Ländern ist das wohl ähnlich.«

»Das ist doch unerhört!«

»Finde ich auch«, sagte Fitzroy ungerührt. »Da Thompson/Cantor Zusammenlegen und Verteilen generell als Kooperation definieren, nennen sie diese Form ›negative‹ Kooperation.«

»So wie Negativwachstum!«, spottete Amistad aus dem Hintergrund.

»Die Berechnungen der Londoner liefern auch erste Anhaltspunkte für geeignete Steuersätze, ab denen sich die ungleiche Vermögensverteilung einpendelt oder wieder verringern würde.«

»Das könnten jährliche Vermögenssteuern ab ein bis zwei Prozent sein«, übernahm Jeanne, »oder Erbschaftssteuern ab vierzig Prozent. Ab sofort kann man sagen: Wer Vermögens- und Erbschaftssteuern und auch viele andere Steuern wachstumsfeindlich oder ungerecht nennt, kennt sich nicht aus oder lügt die Leute an. Richtig verteilt sind sie im Gegenteil wachstumsfördernd. Steuererleichterungen speziell für Reiche sind *nachweisbar* langfristig wachstumshemmend.«

»Sage ich seit Jahren!«, rief der Superreiche aus der zweiten Reihe.

»Das wäre, als würde einer der Bauern, bloß weil es ihm mal ein paar Jahre besser geht, weniger einzahlen«, fuhr Fitzroy fort. »*Trickle down* war immer Quatsch, aber hier ist jetzt der *mathematische* Beweis, warum!« Über das aufkommende Raunen im Saal setzte er sich hinweg. »Thompson und Cantor hatten das noch detaillierter ausgearbeitet.«

Fitzroy hatte den ersten Zwischenrufer ausreichend irritiert, wahrscheinlich sogar verärgert, doch das Schöne an dem neuen Konzept war, dass er dem Mann auch eine andere Seite präsentieren konnte, die ganz nach dessen Geschmack sein würde.

»Aber hier«, rief er dem Kritiker zu, »kommt der Teil, der Ihnen gefallen wird: Kommunismus! Der große Planer, der große Gleichmacher. Was passiert, wenn alle gleich sind? Die Bauerngeschichte zeigt das wunderbar! Ann und Carl haben die gleichen Wachstumsraten, sind also wirtschaftlich gleich. Ebenso Bill und Dana. Ach, zum Teufel, am besten zeige ich es Ihnen.«

Er streckte das Handy mit der Bauern-App in die Kamera und tippte.

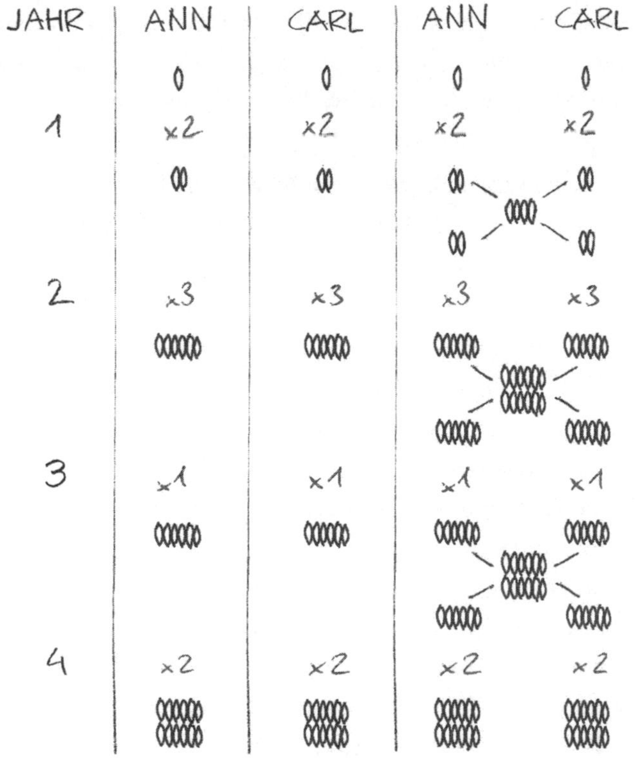

JAHR	ANN	CARL	ANN	CARL
1	×2	×2	×2	×2
2	×3	×3	×3	×3
3	×1	×1	×1	×1
4	×2	×2	×2	×2

»Zu Erinnerung, Ann und Carl auf derselben Seite des Dorfes haben die gleichen Wachstumsraten. Was passiert, wenn Carl nicht mit Dana kooperiert, sondern mit Ann, der wirtschaftlich Gleichen? Das wäre dann wie im Kommunismus.«

Fitzroy tippte und wischte über den Screen, bis das Beispiel fertig gerechnet sichtbar wurde.

»Et voilà! Ann und Carl bekommen trotz Kooperation dasselbe heraus, als hätten sie allein gearbeitet. Und da sie in komplexeren Systemen auch noch ein wenig Transferkosten hätten, ist Kooperation unter Gleichen sogar ein Verlustgeschäft. In dem Fall arbeitet man tatsächlich besser allein.«

»Dasselbe gilt auch für die anderen großen Gleichmacher«, fügte Jeanne hinzu, »von irgendwelchen ›Leitkulturen‹ bis hin zu Faschisten, die von einem einheitlichen oder ›reinen‹ ›Volk‹ träumen. Verschiedenheit ist Trumpf – das Einzige, was die Verschiedenen verbinden muss, ist der Wille zur Kooperation!«

Kim wusste nicht, wohin sie zuerst schauen sollte. Auf ihr Handy? Einfach in die Demo? War das auf ihrem Screen wirklich der skurrile Engländer, der bei ihrer Omi auf dem Sofa übernachtet hatte? Fitz rückte soeben das Blatt mit der Zeichnung des Kooperationsplus vor die Linse der Kamera, sodass das Publikum die beiden Beispiele vergleichen konnte. Und wo war Jan, den diese Polizistin früher auch gerufen hatte?

Wie Hunderttausende Demonstranten um sie herum und Millionen weltweit hatte sie die Aktion des Teams um Amistad im Livestream auf dem Handy verfolgt. Allein das Durchdringen und Entfalten des Posters war ein Megaerfolg gewesen. Mit dieser Rede jedoch hatte niemand rechnen können. Ob den beiden da drin bewusst war, dass sie gerade zu einem globalen Millionenpublikum sprachen?

»Das Prinzip der Kooperation *stirbt* durch Gleichmacherei!«, erklärte die Frau neben Fitz auf dem Podium. Sie war Kim weniger sympathisch, Typ Karrieretussi. Aber was sie sagte, gefiel Kim. »Es *lebt* von Verschiedenheit, von Vielfalt, von der Freiheit, Dinge anders zu machen. Von den Mitmachern ebenso wie von den Querköpfen. Erst aus der Freiheit entsteht die Vielfalt, die Kooperation sinnvoll macht! Wobei das Englische hier noch genauer unterscheidet. Sie lebt nicht von der beziehungslosen Freiheit des einsamen Wolfs – *Freedom* –, der tut und nimmt, was ihm gefällt, sondern von *Liberty*, der Freiheit von Menschen in sozialen Beziehungen, der *gemeinsam* freien Bürgerinnen und Bürger in freien Ländern! Deren Freiheit aber auch an der Nasenspitze der anderen endet.«

»Und auf der anderen Seite profitiert Verschiedenheit von Kooperation!«, setzte Fitz fort, »Das zeigt, wie sinnvoll es ist, wenn jene, die zu einer gewissen Zeit mehr erwirtschaften, einen Teil davon an jene geben, bei denen es schlechter lief, um selbst etwas zu bekommen, wenn es bei ihnen gerade nicht so klappt. Es ist eine Versicherung für die Zukunft. Damit macht dieses Prinzip nicht alle gleich, sondern schafft beständig *gleiche Chancen* für Verschiedene. Dadurch ermöglicht es jeder und jedem – und so der ganzen Gesellschaft –, sich bestmöglich zu entfalten. Deswegen kann auch die eine mehr bekommen und der andere weniger, jeder nach eigenem Beitrag und eigenen Fähigkeiten. Es gibt Anreize und Belohnungen. Solange sie miteinander kooperieren!«

»Sie sehen, das hat nichts mit Kommunismus zu tun«, rief die Frau, »im Gegenteil! Es ist die cleverste und profitabelste Form des Kapitalismus! Kapitalismus ist eine fabelhafte Sache!«

Wie bitte?!?! Hatte Kim es doch gewusst! Karrieretussi!

»Wir haben ihn nur immer falsch verstanden. Oder er wurde uns falsch erklärt. Ja, Kapitalismus wird durch Eigeninteresse angetrieben, durch Egoismus, durch Gier! Wie das Bauernbeispiel aber zeigt, liegt es im höchsten Eigeninteresse, die Interessen der anderen zu berücksichtigen! *Aus Egoismus* sollte man *zusammenarbeiten*! *Aus Gier* sollte man *teilen!*«

Aus Egoismus sollte man zusammenarbeiten? Aus Gier sollte man teilen?! Verblüfft blickte Kim sich um. Entdeckte in anderen Gesichtern eine ähnliche Überraschung, wie sie selbst empfand.

»So paradox das für unsere Ohren klingt«, redete diese Jeanne schon weiter, »fremde Interessen *sind* Eigeninteressen. Jesus erkannte das schon vor zweitausend Jahren: Liebe deinen Nächsten wie dich selbst.«

Okay, damit konnte Kim leben. Sie stieß Nida an.

»Die Ideen kennen wir, was?«

»Sie sehen«, rief die Frau, »es geht nicht um Gemeinwohl um des Gemeinwohls willen, sondern um des individuellen Wohls willen.«

»Das sind keine Ideologien, keine vagen Thesen, keine gefühligen Wolkenkuckucksheim-Tänzereien, die keine ihrer Behauptungen belegen können«, erklärte Fitz über die Leinwand und die App. »Das ist simple Mathematik, wie Sie sehen. Berechenbar. Vorhersagbar.«

»Eine Gesellschaft muss natürlich sicherstellen, dass sich alle an das Prinzip halten«, fuhr Jeanne fort. »Also nicht nur empfangen, wenn es ihnen schlechter geht, sondern auch beitragen, wenn es ihnen besser geht. Kooperation ist freiwillig, beruht aber auf Gegenseitigkeit. Sie muss Trittbrettfahrer und Beitragshinterzieher verhindern. Oder zumindest nicht zu zahlreich oder groß werden lassen. Ich sage nur Cum-Ex, der gewaltigste Steuerraub durch reiche Individuen seit dem Zweiten Weltkrieg. Wobei solche Ausnutzer sogar eine positive Seite haben: dass sie auf Schwächen im System hinweisen, die man dann beheben kann. Wie das alles funktionieren kann?«

Das würde Kim auch interessieren.

81

»Dazu gibt es zahlreiche Modelle aus der Spieltheorie, Psychologie, Soziologie, Biologie«, sagte Jeanne. Sie war selbst überrascht von ihrem Eifer. Vielleicht half, dass die Scheinwerfer sie blendeten und das Publikum fast unsichtbar machten. Sicherlich half die Enttäuschung über Ted. Und Fitz war ein kongenialer Vortragspartner! »Man denke etwa an Robert Axelrods Arbeiten. Wobei Thompson/Cantor hier auch erste nötige Modifikationen entwickelten, da auch diese oft den problematischen Erwartungsnutzen verwenden. In komplexen modernen Gesellschaften braucht es dafür im Wesentlichen starke vertrauenswürdige Institutionen. Ob staatlich, privat, technologisch … aber existieren müssen sie. Und funktionieren.«

Im Saal herrschte Schweigen. Jeannes Blick schweifte über das schemenhafte Publikum. Jetzt mussten sie alle wohl erst einmal nachrechnen. Und nachdenken. Sollten sie. Selbst dem Zwischenrufer fiel nichts ein.

Verblüfft starrte Maja auf die Monitorwand. Rechnete noch einmal nach. Sie hatte nur einen Teil der Geschichten mitbekommen, doch glücklicherweise war sie in Mathe immer ganz gut gewesen, und das hier waren einfachste Kalkulationen.

»Die entscheidende Frage ist dann aber doch«, rief jemand aus dem Publikum, »wer bestimmt, wie viel von jedem beigetragen wird und wie viel jeder bekommen soll?«

»Natürlich«, erklärte Fitzroy Peel, »kann man selbst in unserer durchvermessenen und durchdigitalisierten Welt nicht alles in Zahlen fassen. Zum Glück! Wir alle sind doch in so vielfältiger Weise gegenseitig voneinander abhängig, die viel zu komplex ist, als dass es irgendwer wirklich versteht! Was wir aber jetzt verstehen, ist, dass und wie *das Prinzip* funktioniert!«

»Und bei allem, was man quantifizieren kann«, fügte Jeanne Dalli hinzu, »haben wir damit ein mächtiges Gestaltungswerkzeug in der Hand. Für nachhaltigeres, verantwortungsbewussteres, stabileres, längerfristig orientiertes Wirtschaften, für ...«

»Einerseits Freiheiten, andererseits Verteilen«, rief eine Frau aus dem Publikum. »Klingt nach dem klassischen Sozial- oder Wohlfahrtsstaat. Eine Mischung aus Markt und Staat.«

»Ein bisschen, ja«, erwiderte Jeanne. »Auch wenn Märkte sich dadurch natürlich ändern werden. Als Beispiel aus der Vergangenheit, das der Idee bislang am nächsten kam, bringen Thompson/Cantor die westlichen Wirtschaftswunderstaaten der Fünfziger- bis Siebzigerjahre«, erklärte Jeanne Dalli. »Als der Welthandel nach den protektionistischen Zwischenkriegszeiten und Weltkriegen wieder Fahrt aufnahm. Und die Institutionen, vor allem die Staaten, wenigstens teilweise dafür sorgten, dass der gemeinsam erwirtschaftete Wohlstand einigermaßen sinnvoll verteilt wurden. Gern vergessen wird, dass damals etwa auch in den USA der Spitzensteuersatz für Reiche über neunzig Prozent betrug! Ja, über neunzig Prozent! Früher war mehr Steuer, nicht weniger! Es war die ›gute, alte Zeit‹, als Demokratien ihr Versprechen vom größeren Wohlstand für alle einlösten und deshalb populär wurden.«

»Doch nicht das große Wirtschaftswachstum führte zum ›Fahrstuhleffekt‹, dass also alle aufstiegen«, sagte Peel. »Sondern umgekehrt! Weil alle ausreichend Mittel bekamen, um Wirtschaftswachstum zu schaffen, stieg dieses so stark.

Thompson und Cantor stützen sich nicht auf weiche Thesen

von Wohlfahrt und Solidarität, sondern wie bereits gesagt auf harte, berechenbare Mathematik. Und können damit zeigen – wie man am Bauernbeispiel sieht –, wie der Wohlstand durch die richtigen Maßnahmen stärker wächst als ohne diese.

›Umverteilung‹, wie man es oft nennt, richtig durchgeführt, ist nicht bloß altruistisch, nett, sozial. Sie ist der bessere Deal für alle. Die Formel zu Wohlstand und Frieden!«

»Deshalb nennen sie es nicht Wohl*fahrts*staat, sondern Wohl*stands*staat. In einer globalisierten Welt müsste man diesen Gedanken natürlich auch global umsetzen.«

Maja blickte erneut auf ihr Telefon. Wo blieb die genaue Ortung des Handys, mit dem der Angreifer telefoniert hatte?

»Thompsons und Cantors Konzepte stützen sich auf zahlreiche empirische Daten und wissenschaftliche Papiere, die zeigen, wie die Umverteilungsraten gesellschaftlichen Wohlstands sich etwa in den USA ab den Achtzigerjahren zugunsten der Reichen verschieben, während sich das Wirtschaftswachstum immer weiter verringerte und das Vertrauen in unsere Demokratien zu schwinden begann.«

»Sie könnten das alles nachlesen, Ted Holden« – Jeannes Blick glitt suchend über das Publikum – »besitzt das Manuskript, will es aber nicht herausgeben!«

Köpfe wandten sich um.

Maja fuhr zusammen, als das Handy in ihrer Hand zu vibrieren begann.

»Wir haben ihn«, sagte der Kollege aus der Zentrale. »Du bist in den Livestream der Ortung eingeloggt.«

Der grün pulsierende Punkt in der schematischen Karte auf ihrem Touchscreen zeigte sie in der rechten unteren Ecke des Konferenzsaals. Sie hatte die Position bewusst gewählt, nahe am Podium gewährte sie ihr einen guten Überblick. Der rote Punkt poppte auf, pulsierte.

Im Saal. Auf ihrer Seite, am Ende einer mittleren Reihe.

Hektisch fingerte Maja das konfiszierte Telefon des Angeschossenen aus der Tasche, während sie unauffällig in Richtung des roten Punkts ging. Maja hielt sich dicht an der Wand, an der auch Zuhörer lehnten.

Ihr grüner Puls näherte sich dem roten. Die Person konnte nur mehr wenige Meter entfernt sein. Es war der Bereich um einen der Seiteneingänge. Dort standen die Gäste besonders dicht beieinander. Im Halbdunkel erkannte Maja ihre Gesichter nur schlecht. Die meisten hörten aufmerksam zu, einige tippten und wischten auf ihren Handys oder Tabletcomputern.

Auf dem konfiszierten Telefon fand Maja die Nummer in der Anruferliste. Legte den Daumen auf die »Wählen«-Taste. Blickte auf in die Richtung, wo sich der Handyhalter befinden musste.

Glich die Position noch einmal mit dem rot pulsierenden Punkt ab.

Wählen.

Maja legte das Telefon ans Ohr.

Freizeichen.

Von den Personen im Zielbereich reagierte niemand.

Freizeichen.

Majas Blick schoss über den Köpfen hin und her. Noch immer schien keiner der Anwesenden einen Anruf zu erhalten. Oder wollte ihn nicht annehmen.

Freizeichen.

Ihr Blick blieb an einem straff gescheitelten Kopf fünf Meter vor ihr hängen, der bislang von anderen fast verdeckt worden war. Maja trat einen Schritt zur Seite, um das Gesicht zu sehen.

George Lamack legte das Telefon ans Ohr und zischte:

»Was wollen Sie noch? Der Auftrag ist zu Ende.«

Im selben Moment entdeckte er vor sich die Kommissarin. Ein Telefon in der Hand, eines am Ohr. Ihr Blick fixierte ihn.

82

»Das mag ja in der Theorie alles ganz toll klingen, aber so funktionieren die Menschen nicht!«, rief ein weißhaariger Mann im Anzug. »Der Mensch hat einen angeborenen Egoismus, der …«

»Und *wie* sie so funktionieren«, entgegnete energisch ein jüngerer ohne Schlips und mit Designerbrille. »Wenn Sie jemand auf der Straße nach dem Weg fragt, werden Sie antworten, ohne dafür mehr zu verlangen als ein ›Danke‹. Wenn ein paar Jugendliche in einer thailändischen Höhle eingeschlossen werden, kämpfen Retter von überall her um deren Überleben. Nach einem Erdbeben oder einer Flut eilen Helfer aus der ganzen Welt herbei! In jedem von uns steckt ganz tief ein Gefühl dafür, anderen zu helfen …«

»Solange es Menschen gibt, wird es Konkurrenz geben und Herrschaft und Klassen!«, erklärte ein anderer aufgebracht einer Frau in Kostüm, worauf diese leidenschaftlich entgegnete:

»Ist nicht gesagt, es hängt davon ab, wie man sie organisiert!«

»Woher kommen Konkurrenz und Wettbewerb dann?«, fragte ein hochgewachsener Mann mit randloser Brille aggressiv eine Gruppe junger Leute. »Warum gibt es sie überhaupt?«

»Vielleicht ist es ein Wettbewerb um Kooperation«, schlug einer vor.

»Oder Konkurrenz schafft und erhält die Unterschiede, die Verschiedenheit, von denen Kooperation erst richtig profitiert«, schlug eine junge Frau vor.

»Wettbewerb wird nicht überflüssig«, meinte ein anderer junger Mann, »aber er bekommt eine neue Rolle. Er ist nicht mehr das dominante Paradigma, er ist nicht das Ziel, sondern ein Mittel zum Zweck...«

»Menschlichkeit und Altruismus sind einfach der bessere Deal?!«, rief eine Frau empört. »Ich lasse mir meine Gefühle doch nicht auf eine Gleichung reduzieren und auch noch in den Kapitalismus einbauen!«

Ein älterer Herr sagte zu einem anderen: »Ein Hardcorekapitalist wie du, der Wachstum um jeden Preis will, muss dieses Konzept doch lieben!«

»Zugegeben«, antwortete sein Gegenüber, »gegen diese Rechnung lässt sich schwer argumentieren...«

»Man staunt, dass noch niemand darauf gekommen ist! Dabei ist es so einfach!«

»Das wirft alle Links-rechts-progressiv-konservativ-Schemata über den Haufen«, meinte ein korpulenter Brillenträger zu einer hoch aufragenden Dame, »von allem und für alle was dabei...«

»Aber es wirft auch liebgewonnene Positionen auf allen Seiten über den Haufen«, erwiderte die Frau. »Bedingungsloses Empfangen sehe ich in dem Konzept reziproker Kooperation zum Beispiel nicht. Man darf von jenen, die etwas bekommen wollen, auch etwas verlangen, vorausgesetzt, sie können...«

»... das Kooperations- oder Gesellschaftsplus gibt die Reserven für die wirklich Bedürftigen, aber auch für langfristige Projekte wie Experimente, Wissenschaft und Forschung, Kunst und Kultur...«, hörte Jan eine wieder andere Stimme erklären. »Es schafft den Puffer für die Überraschungen des Zufalls...« Jeannes und Fitz' Rede ließ die Wogen hochgehen. Am Ellenbogen gestützt von einem Sanitäter, humpelte er durch das Gedränge auf das Podium. Unter seinem halb offenen Hemd lugte ein breiter weißer Verband hervor, der die gesamte Brust umspannte.

»Unternehmensmanagement kann man ganz neu denken«, bemerkte ein hochgewachsener Mann mit scharfen Gesichtszügen zu einem ganz ähnlichen Typ mit etwas mehr Haaren.

»Muss man. Und die Qualifikationen von Führungspersonen«, meinte dieser nachdenklich.

Auf der Bühne sah er Fitz' Kahlkopf von einer Menschentraube umringt. Jeanne und die Polizistin entdeckte er nirgendwo.

»Schön und gut, aber wie wende ich das im Alltag an?«, fragte ein zackiger Managertyp eine soignierte Dame, die eher wie eine Wissenschaftlerin als eine Diplomatin aussah.

»Das ist nicht so schwer«, antwortete die, »viele von uns wussten – oder spürten – das auch immer schon, so wie auch die großen Religionen und Philosophien lehren. Gebt, dann wird euch gegeben. Renn nicht jedem Cent nach. Unterstütze Menschen mit Ideen. Unterstütze Bedürftige. Sorge in kleinen Dingen manchmal für ein wenig vernünftigere Verteilung: Zahle Essensrechnung nicht aufgeteilt. Gib auch am Fast-Food-Tresen Trinkgeld. Und überbezahle auf jeden Fall deine Haushaltshilfe…« Oder deinen Pfleger, dachte Jan. »…und vor allem: Berechne nicht immer alles!«

Als Fitz ihn erblickte, kämpfte er sich frei und kam mit ausgebreiteten Armen auf Jan zu. Erkannte Jans Zustand, fragte besorgt: »Was hast du jetzt angestellt?«

»Wieder einmal Killer geködert, während ihr euch hier im Rampenlicht sonnt. Einer muss ja die Arbeit machen.«

Nun sah er vor den ersten Tischreihen unterhalb des Podiums auch Jeanne, umringt von Dutzenden fragenden, gestikulierenden, diskutierenden Gästen. Über ihren Köpfen versuchten Nachrichtenteams mit ihren Kameras und Galgenmikrofonen Bilder und Statements zu erhaschen.

Fitz hob das Hemd ein wenig an. Unter dem Verband zeichnete sich vor Jans linker Achsel das dicke Polster eines Druckverbands ab.

»Zum Glück ist er an meinen Rippen abgerutscht, meint die Ärztin«, erklärte Jan. »Sonst … Ich muss ins Krankenhaus zur Kontrolle und zum Nähen.«

»Das sollten Sie«, sagte eine Frauenstimme hinter ihm.

Die Kommissarin musterte ihn fürsorglich.

»Danke noch mal«, sagte Jan und deutete auf seine Verletzung.

»Ich habe zu danken«, erwiderte sie. »*Wir* haben zu danken.«

»Haben Sie die Typen?«

»Einer ist noch auf der Flucht. Aber den erwischen die Kollegen auch.«

»Jan!«, schallte aus dem Pulk vor dem Podium sein Name.

Jeanne drängte sich durch die Menschentraube, die sie umgab, und kletterte zu ihnen hoch.

»Was ist passiert?!«, rief sie, als sie den Verband sah.

»Halb so schlimm«, antwortete er. »Und sie haben die Kerle.«

»Eindrucksvoller Vortrag«, sagte die Ermittlerin zu Jeanne, »zumindest das, was ich davon mitbekommen habe.«

»Nicht unsere Arbeit. Wir haben nur in groben Zügen das wenige wiederholt, das wir gelesen hatten. Es gäbe ja viel mehr, aber Ted … Holden hat wohl alles vernichtet.«

»Ach, die Grundlagen der Londoner sind ja da«, sagte Fitz und lachte. »Für eine ehemalige Hedgefondsmanagerin und Milliardärsassistentin warst du ganz schön emotional bei dem Thema.«

»Das hat nicht unbedingt mit dem Thema zu tun«, murmelte Jeanne düster.

Jans Blick wanderte über das heftig diskutierende Publikum zu Jeanne. »Ich habe nur Bruchstücke gehört, aber ihr müsst das ziemlich gut gemacht haben hier oben. Du und …«, an Fitz gewandt, »Fitzroy.«

»Kannst mich Fitz nennen«, sagte Fitzroy.

Hinter ihm tauchte ein weißhaariger Anzugträger von Fitz' Dimensionen auf und hieb ihm auf die Schulter.

»Und ob er das gut gemacht hat!« Er fasste Jeannes Hand und deutete einen Handkuss an. »Kein Wunder, bei dieser Partnerin.«

Fitz verdrehte die Augen.

»Jan, das ist mein Vater. Vater, das ist der Kerl, der uns das alles hier eingebrockt hat – Jan.«

Er grinste Jan an.

»Wer steckte denn nun dahinter?«, fragte Jan. »War es Holden?«

Die Kommissarin verzog ihr Gesicht zu einer schiefen Grimasse, die nur bedingt erfreut wirkte.

»Wir konnten Anrufe des Killerteams zu einem von Ted Holdens Lobbyisten, George Lamack, zurückverfolgen. Lamack leugnet noch, etwas damit zu tun zu haben. Damit wird er nicht weit kommen. In den Sternen steht jedoch, ob wir je nachweisen können, dass euer Milliardär den Auftrag dazu gab.«

»Aber wir haben Thompsons Redenotizen und ein Manuskript von Thompson und Will Cantor im Safe seiner Suite gefunden!«, platzte Jeanne heraus.

»Und eine Skizze Will Cantors, die dieser wenige Stunden vor seinem Tod in seinem Hotelzimmer anfertigte«, fügte Fitz hinzu.

»Einen Durchsuchungsbefehl für Herrn Holdens Suite werden wir nicht so einfach bekommen«, sagte die Kommissarin, »er ist ein reicher, mächtiger Mann.«

Jeanne blickte sich um. »Wo ist Ted überhaupt? Haben Sie ihn auch mitgenommen?«

»Dazu hatten wir nicht genug Beweise«, sagte die Kommissarin.

»Dann ist er wahrscheinlich schon unterwegs zu seinem Flieger nach Neuseeland.«

»Da werden wir ihn schwerlich aufhalten können.«

»Vielleicht doch«, sagte Jeanne. »Seit gestern Abend stieß er geschäftliche Aktivitäten und Wertpapiertransaktionen an, die strafbar sein könnten. Das wäre eventuell ein Grund, ihn wenigstens für den Augenblick an der Abreise zu hindern.«

»Nicht mein Revier«, sagte die Polizistin, »aber ich leite das gleich an die Kollegen weiter, falls Sie mehr Informationen liefern können.«

»Bekommen Sie.«

»Ich bin auf jeden Fall froh, dass die ganze Geschichte vorbei ist«, ächzte Jan.

Fitz ließ den Blick über das aufgeregt diskutierende Publikum wandern und weiter auf die Monitorwand, auf der man Hunderttausende Demonstrationsteilnehmer sah.

»Ich frage mich, ob diese Geschichte nicht gerade erst beginnt …«

Der Duft der Erde

Zufrieden schweifte Danas Blick über die frisch gepflügten Furchen. Schon hatten sich die ersten Vögel darin niedergelassen und pickten eifrig.

»Tatsächlich, mehr als doppelt so schnell«, sagte der Schmied neben ihr. Für diesen ersten Versuch hatte er Dana begleitet.

Zuerst hatte Dana nur eine Idee gehabt. Schließlich hatte sie den Schmied ins Vertrauen gezogen. Zuerst war er skeptisch gewesen. Doch dann hatte er begonnen, darüber nachzudenken und eigene Vorschläge gemacht. Einen Winter lang hatten sie getüftelt, als die Felder weniger Arbeit forderten. Danas Idee und des Schmieds Handwerkskunst gemeinsam hatten das Stück schließlich geformt.

Stolz betrachteten sie den neuen Pflug.

Doppelt so viel pflügen zu können, in derselben Zeit wie bisher, bedeutete halbe Arbeit oder doppelte Ernte.

Doppelt so viel wie Carl. Und die anderen Bauern, die sich ihrer Zusammenarbeit mittlerweile angeschlossen hatten.

Dana begann zu rechnen.

Nachwort und Dank

Die »Bauernfabel« entwickelte ich auf Basis der wissenschaftlichen Arbeiten von Ole Peters' Gruppe am London Mathematical Laboratory (lml.org.uk), um diese für Laien (wie mich) verständlich zu machen. Die individuellen, politischen und wirtschaftlichen Auswirkungen dieser Arbeiten sind so weitreichend, dass ich im Buch nur einige davon anreißen und andiskutieren konnte. Zumal die Papiere dieser Gruppe (und die anderer Beteiligter, darunter als Kooperationspartner beziehungsweise Mentoren die zwei Nobelpreisträger Murray Gell-Mann und Ken Arrow) sehr viel Grundlagenarbeit bilden, deren weitere Entwicklung für konkrete Umsetzungen erst anläuft.

Wer sich näher damit und mit der dahinter liegenden Mathematik beschäftigen möchte, kann das zum Beispiel unter lml.org.uk/research/economics tun.

Eine animierte, (vorerst) englischsprachige Version der Bauernfabel, in der man auch selbst einiges ausprobieren kann, findet sich online auf marcelsberg.com, lml.org.uk, bauernfabel.org und farmersfable.org.

Ich danke Ole Peters und Alexander Adamou für den geduldigen Austausch und die Zeit, die sie sich für die Diskussionen mit mir genommen haben. Wer (als Nicht-Mathematiker oder -Physiker wie ich) ihre Papiere liest, wird begreifen, dass einige Zeit nötig war, mir die Dinge zu verklickern.

Weiterhin danke ich David Sarac für das Bild des Schiefen Turms von Pisa, das bei einer gemeinsamen Session in London entstand, sowie die Ermöglichung der Online-Version der Bauernfabel (die selbst schon ein wunderbares Beispiel für Kooperation bildet: Mitgearbeitet haben Wissenschaftler, ein Autor, Unternehmer, Programmierer und Gestalter in England, Frankreich, Österreich, Australien und Kanada).

Vieles in diesem Buch ist Fiktion, etwa die meisten Figuren. Bei Örtlichkeiten in Berlin habe ich mir Freiheiten erlaubt. Das Krisenszenario kann ganz anders verlaufen, mögliche Auslöser für Kettenreaktionen in unserem Polit- und Wirtschaftssystem sind vielfältig.

Real angewandt dagegen werden die vorgestellten etablierten gesellschaftspolitischen und wirtschaftlichen Konzepte wie das Subsidiaritätsprinzip, Equilibrium, Erwartungsnutzen, komparativer Vorteil, Entscheidungs- und Spieltheorie etc.

Natürlich flossen die Theorien und Erkenntnisse zahlloser weiterer Wissenschaftler, Philosophen, Politiker und anderer Persönlichkeiten in dieses Buch ein. Da diese Liste weitere Seiten füllen würde, seien sie hier pauschal bedacht.

Ich danke den Teams bei Blanvalet/Random House und bei der Literarischen Agentur Gaeb. Ihr macht Bücher wie dieses erst möglich.

Mein besonderer Dank gilt natürlich Ihnen, liebe Leserinnen und Leser, dass Sie sich auf dieses Abenteuer eingelassen haben! Wenn es Ihnen gefallen hat und Sie meinen, anderen könnte es auch gefallen, dann empfehlen Sie es gerne weiter!

Marc Elsberg
Wien, im Dezember 2018